TEOLOGIA SISTEMATICA
II

VERDAD E IMAGEN

74

PAUL TILLICH

TEOLOGIA SISTEMATICA

II

LA EXISTENCIA Y CRISTO

TERCERA EDICION

EDICIONES SIGUEME
SALAMANCA
1982

BT
75.2
.T518
1982
v.2

Título original: *Systematic theology*
Tradujo: Damián Sánchez-Bustamante Páez
© The University of Chicago Press, Chicago 1963
© Ediciones Sígueme, S. A., 1981
    Apartado 332-Salamanca (España)
ISBN: 84-301-0826-2 (Obra completa)
ISBN: 84-301-0828-9
Depósito legal: S. 474-1982
Printed in Spain
Imprime: Gráficas Ortega, S. A.
Polígono El Montalvo-Salamanca 1982

A la Facultad de Teología
del *Union Theological Seminary*
de Nueva York

PREFACIO

Son tantos los que han pedido y urgido la pronta publicación del segundo volumen de la Teología sistemática, que me temo que su aparición ahora va a causarles cierto desaliento. Se sentirán ciertamente decepcionados quienes esperan encontrar en él las otras tres partes del sistema teológico. Durante algún tiempo, también yo abrigué esta esperanza. Pero en cuanto inicié la redacción del presente texto, se me hizo evidente que la realización de aquel proyecto diferiría indefinidamente la aparición del libro y que su misma extensión haría este volumen de difícil manejo. Convine, pues, con el editor en que la tercera parte del sistema, "La existencia y Cristo", constituiría el segundo volumen de la obra, y que las partes cuarta y quinta, "La vida y el Espíritu" y "La historia del reino de Dios", se publicarían más tarde —en un futuro que, confío, no será excesivamente lejano.

Los problemas debatidos en este volumen —el concepto de la alienación del hombre y la doctrina de Cristo— constituyen el corazón de toda teología cristiana. Así se justifica que les consagremos un volumen especial, situado en el centro del sistema. Este volumen es más reducido que el primero y que el tercero, ahora sólo esbozado, pero contiene la más extensa de las cinco partes del sistema teológico.

El contenido de este libro, cuyo sesgo peculiar se había forjado a lo largo de numerosos años de docencia, lo di a conocer en la Facultad de Teología de la Universidad de Aberdeen, en Escocia, desarrollando su temática en el primer año de mis conferencias Gifford, y consagré el segundo año de las mismas a la exposición de la cuarta parte del sistema teológico. La preparación de tales conferencias significó dar un gran paso adelante en la formulación definitiva de los problemas teológicos *y sus soluciones. Quiero expresar ahora —por primera vez en letra impresa— mi profunda gratitud por el honor que se me confirió al confiarme las conferencias Gifford y por la ocasión que así se me brindó de exponer mi sistema. Pero un libro, sobre todo cuando forma parte de un conjunto más amplio, siempre es muy distinto de una serie de conferencias. Por eso, al releer ahora con mirada crítica el texto de aquellas conferencias, he tenido que ampliarlo considerablemente y, en parte, escribirlo de nuevo. Pero las ideas básicas no han cambiado. La publicación del segundo año de conferencias Gifford tendrá lugar en el tercer volumen de esta obra.*

Quisiera anticiparme aquí a los futuros críticos de este volumen con una advertencia previa. Como ocurrió con el primer volumen y con mis escritos de menor envergadura, espero recibir muchas y valiosas críticas acerca de lo fundamental de mi pensamiento. Esté o no esté de acuerdo con tales críticas, las acepto de buen grado como una estimable contribución al ininterrumpido debate que debe darse entre los teólogos y en el interior de cada teólogo consigo mismo. Pero no puedo aceptar como valiosa la crítica de quienes se limiten a insinuar que he abandonado la substancia del mensaje cristiano porque he utilizado una terminología que conscientemente se aparta del lenguaje bíblico o eclesiástico. Por mi parte, sin tal divergencia de lenguaje, no hubiese creído que valía la pena desarrollar un sistema teológico para el mundo de nuestros días.

Una vez más quiero dar las gracias a mi amigo y ahora asimismo colega, John Dillenberger, quien esta vez, en colaboración con su esposa Hilda, ha llevado a cabo la difícil tarea de enmendar mi estilo según el genio de la lengua inglesa y de rehacer ciertos pasajes que, de lo contrario, hubiesen sido oscuros o de difícil comprensión. Estoy también agradecido a Henry D. Brady, Jr., por haber leído el texto original y haberme sugerido algunos cambios de estilo. Quiero agradecer además a mi secretaria, Grace Cali Leonard, el infatigable celo con que ha copiado a máquina y ha corregido en parte mis hojas manuscritas. Finalmente, deseo expresar mi gratitud al editor porque ha hecho posible la edición por separado de este volumen.

Dedico este libro a la Facultad de Teología del Union Theological Seminary, no sólo porque me acogió cuando en 1933 llegué a este país como refugiado alemán; no sólo porque su claustro de profesores y su administración me brindaron abundantes ocasiones para enseñar, escribir y, sobre todo, aprender; no sólo por la cooperación extremadamente amistosa que allí encontré a lo largo de más de veintidós años de relación académica y personal; sino también porque, durante todos aquellos años, el contenido de este volumen constituyó un centro de los debates teológicos sostenidos con los estudiantes y los profesores. Quienes participaron en aquellos debates descubrirán ahora la influencia que han ejercido en las formulaciones de este libro.

INTRODUCCIÓN

A. RELACIÓN QUE GUARDA ESTE SEGUNDO VOLUMEN DE LA *TEOLOGÍA SISTEMÁTICA* CON EL PRIMERO Y CON LA TOTALIDAD DEL SISTEMA

Un sistema exige coherencia, pero cabe preguntarse si pueden ser mutuamente coherentes dos volúmenes escritos con un intervalo de siete años. Mientras perdure incambiada la estructura sistemática de su contenido, pueden poseer tal coherencia, por muy distintas que sean las soluciones dadas a ciertos problemas específicos. Las numerosas críticas que se le han formulado y los nuevos pensamientos que se han desarrollado en este lapso de tiempo no han alterado la estructura básica del sistema, pero han ejercido una indudable influencia en muchos aspectos de su forma y contenido. Si el sistema teológico fuese deductivo, como lo es todo sistema matemático en el que una aserción se deduce racional y necesariamente de otra aserción anterior, los cambios acaecidos en ciertas ideas y conceptos afectarían al conjunto del sistema. Pero la teología no tiene este carácter, y la formulación del presente sistema trata de evitar expresamente este peligro. Después de dar la respuesta teológica central a una cuestión cualquiera, siempre es posible volver a la cuestión existencial situada en un contexto determinado que requiera una nueva respuesta teológica. Por consiguiente, unas respuestas nuevas a ciertas cuestiones nuevas o antiguas no destruyen necesariamente la unidad entre las primeras y las posteriores partes del sistema, porque la unidad de éste es dinámica, abierta a nuevas intuiciones, incluso después de formulada la totalidad del sistema.

La tercera parte del sistema, que hemos desarrollado en este segundo volumen, muestra con claridad tal característica. Aunque el título de la segunda parte, "El ser y Dios", es seguido en este volumen por el título de "La existencia y Cristo", no por ello existe un paso lógicamente necesario o deductivo del

ser a la existencia o de Dios a Cristo. El paso del ser a la existencia es "irracional", y el paso de Dios a Cristo es "paradójico". Más adelante discutiremos el sentido exacto de estos términos; por el momento nos bastan para confirmar el carácter
abierto del presente sistema teológico.

No podemos entender en términos de necesidad la transición del ser esencial al ser existencial. Pero, según la teología
clásica y la totalidad de los filósofos, artistas y escritores que
consideran seriamente los conflictos en que se halla sumida la
situación existencial del hombre, la realidad implica este paso.
Así pues, el salto desde el primer al segundo volumen de esta
obra refleja el brinco dado desde la naturaleza esencial del
hombre a su distorsión en la existencia. Pero para comprender
la distorsión de algo es necesario conocer antes su naturaleza
no distorsionada o esencial. Por consiguiente, la alienación de
la existencia (y la ambigüedad de la vida) tal como queda descrita en este volumen, sólo puede entenderse si antes se conoce
la naturaleza de la finitud tal como la hemos desarrollado en
la parte titulada "El ser y Dios" del primer volumen. Además, para comprender las respuestas que damos a las cuestiones implícitas en la alienación y la ambigüedad, es preciso conocer no sólo la respuesta que dimos a la cuestión implícita en
la finitud, sino también el método teológico por el que rela-
cionamos entre sí la cuestión y la respuesta dada a ella. Esto
no significa que una lectura inteligente de este segundo volumen dependa enteramente de la lectura del primero; porque,
como ya indiqué en la introducción, en cada parte del sistema se desarrollan de nuevo las cuestiones y se relacionan con
ellas las respuestas de un modo particular. Pero facilitaremos
asimismo esa lectura directa del presente volumen si recapitu-
lamos parcialmente y formulamos de nuevo las ideas ya debati-
das en el primer volumen.

La cuarta parte del sistema teológico, "La vida y el Espíritu", seguirá a esta tercera parte, "La existencia y Cristo",
como descripción de la unidad concreta que existe en las ambigüedades de la vida entre la finitud esencial y la alienación
existencial. La respuesta que nos dará esta cuarta parte es el
Espíritu. Pero tal respuesta es incompleta. La vida, mientras
sea vida, sigue siendo ambigua. La cuestión implícita en las
ambigüedades de la vida nos conduce a una nueva cuestión,

es decir, a la cuestión de la dirección según la cual se mueve la vida. Y ésta es la cuestión de la historia. Sistemáticamente hablando, la historia, caracterizada por su dirección hacia el futuro, constituye la dimensión dinámica de la vida. Así pues, el "enigma de la historia" forma parte del problema de la vida. Pero, por múltiples razones prácticas, la reflexión sobre la historia es aconsejable separarla de la reflexión sobre la vida en general y relacionar en cambio la respuesta final, la "vida eterna", con las ambigüedades y cuestiones implícitas en la existencia histórica del hombre. Por estos motivos, hemos añadido una quinta parte titulada "La historia y el reino de Dios", aunque, estrictamente hablando, ese material pertenece a las categorías de la vida. Esta decisión es análoga a la que, asimismo por razones prácticas, nos indujo a incluir en una primera parte, "La razón y la revelación", el material que, sistemáticamente hablando, pertenece a todas las demás partes. Y esta decisión pone de manifiesto una vez más la naturaleza no deductiva de todo nuestro sistema. Pese a las desventajas de que adolece desde un punto de vista estrictamente sistemático, éstas quedan ampliamente superadas por sus ventajas prácticas.

La inclusión de elementos no sistemáticos en la sistemática teológica da por resultado la interdependencia de todas las partes del sistema y de los tres volúmenes de esta obra. El segundo volumen no sólo depende del primero, sino que posibilita una comprensión más cabal del mismo. En las primeras partes se anticipan muchos de los problemas que sólo serán plenamente discutidos en las ulteriores partes. Como los procesos orgánicos de la vida, todo sistema es de carácter circular. Quienes se hallan situados en el interior del círculo de la vida cristiana, lo entenderán así sin la menor dificultad. Pero quienes se sienten ajenos a dicho círculo, tal vez encuentren algo confusa nuestra presentación debido a esos elementos no sistemáticos. De todos modos, "no sistemático" no equivale a incoherente: sólo significa no deductivo. Y la vida, en toda su creatividad y eventualidad, no es nunca deductiva.

B. NUEVA EXPOSICIÓN DE LAS RESPUESTAS DADAS EN EL PRIMER VOLUMEN

1. MÁS ALLÁ DEL NATURALISMO Y DEL SUPRANATURALISMO

Dedicaremos las restantes páginas de esta introducción a formular de nuevo y con mayor claridad aquellos conceptos del primer volumen que resultan particularmente fundamentales para las ideas que vamos a desarrollar en este segundo volumen. Podríamos ahorrarnos este trabajo si pudiéramos remitirnos directamente a lo que dijimos en las dos primeras partes del sistema teológico. Pero esto no es posible sin que previamente demos una respuesta a las cuestiones que se han suscitado en los debates públicos y privados. En ninguno de tales casos ha cambiado lo fundamental de mi pensamiento, pero sus formulaciones han demostrado ser inadecuadas por falta de claridad, elaboración y énfasis.

Se han alzado numerosas críticas contra la doctrina de Dios tal como se halla desarrollada en la segunda parte del sistema, "El ser y Dios". Y como la idea de Dios constituye el fundamento y el centro sobre el que gravita todo pensamiento teológico, tales críticas revisten la mayor importancia y hemos de acogerlas con fervor. Para muchos ha sido una piedra de escándalo la utilización del término "ser" referido a Dios, sobre todo cuando afirmo que lo primero que hemos de decir acerca de Dios es que Dios es el ser en sí o el ser como ser. Antes de hablar directamente de este problema, quisiera explicar con una terminología distinta la intención fundamental que persigue mi doctrina acerca de Dios, intención que expresa con mayor simplicidad el título de este apartado: "Más allá del naturalismo y del supranaturalismo". Podríamos llamar "autotrascendente" o "extática" una idea de Dios que superase el conflicto existente entre el naturalismo y el supranaturalismo. Para hacer comprensible la elección (aproximativa y preliminar) de estos términos, podemos distinguir tres interpretaciones distintas del significado del vocablo "Dios". La primera separa a Dios como un ser, el ser supremo, de todos los demás seres, junto y por encima de los cuales posee su existencia propia. Según esta interpretación, Dios ha dado el ser al universo en un momento determinado (hace cinco mil o cinco billones de años), lo gobierna de acuerdo con un plan, lo dirige hacia un fin, se interfiere en su proceso ordinario para vencer la resistencia que le opone y llevar a cumplimiento su designio, y lo conducirá a la consumación por medio de una catástrofe final. El drama divino-humano hemos de concebirlo en su totalidad con arreglo a este esquema. Sin duda se trata de una forma primitiva de supranaturalismo, pero esta forma es más decisiva para la vida religiosa y su expresión simbólica que todas las elaboraciones teológicamente más sutiles de esta posición.

El principal argumento que puede oponérsele es señalar que esta interpretación transforma la infinitud de Dios en la limitación que supone la mera extensión de las categorías de la finitud. Así sucede con respecto al espacio, al establecer un mundo divino supranatural junto al mundo humano natural; con respecto al tiempo, al determinar un principio y un fin de la creatividad de Dios; con respecto a la causalidad, al convertir a Dios en una causa junto a las demás causas; y con respecto a la substancia, al atribuir a Dios una substancia individual. Contra este tipo de supranaturalismo son válidos los argumentos del naturalismo y, como tales, manifiestan la verdadera preocupación religiosa: la infinitud de lo infinito y la inviolabilidad de las estructuras creadas de lo finito. Por consiguiente, la teología tiene que aceptar la crítica antisupranatural del naturalismo.

La segunda interpretación del significado del término "Dios", identifica a Dios con el universo, con su esencia o con ciertos poderes especiales que yacen en su seno. Dios es el nombre con que se designa el poder y el sentido de lo real. No se identifica con la totalidad de las cosas. Ningún mito ni filosofía alguna han afirmado jamás tal absurdo. Dios es un símbolo de la unidad, la armonía y el poder de ser; es el centro dinámico y creador de la realidad. La frase *deus sive natura*, usada por personas como Scoto Erígena y Spinoza, no dice que Dios sea idéntico a la naturaleza, sino que es idéntico a la *natura naturans*, a la naturaleza creadora, al fondo creador de todos los objetos naturales. En el naturalismo moderno, la calidad religiosa de tales afirmaciones ha desaparecido casi por completo, especialmente entre los hombres de ciencia que, al filosofar, comprenden la naturaleza en términos de materialismo y mecanismo. Pero en la filosofía propiamente dicha, a medida que se hizo positivista y pragmática, necesitó de tales afirmaciones sobre la naturaleza como un todo. Y a medida que se desarrolló toda una filosofía de la vida que implicaba unos procesos dinámicos, se acercó de nuevo a las formas religiosas del naturalismo.

El argumento principal que puede aducirse contra el naturalismo en cualquiera de sus versiones, destaca el hecho de que el naturalismo niega la distancia infinita que media entre el conjunto de las cosas finitas y su fondo infinito, con la consecuencia de que el término "Dios" llega a ser intercambiable con el término "universo" y, por ende, es semánticamente superfluo. Esta situación semántica hace patente el fracaso experimentado por el naturalismo cuando trata de comprender uno de los elementos decisivos en la experiencia de lo sagrado, es decir, la distancia que separa al hombre finito, por un lado, y lo sagrado en sus múltiples manifestaciones, por el otro. El naturalismo no puede dar cuenta de tal separación.

Semejante crítica de la interpretación tanto naturalista como supranaturalista del significado de "Dios", hace necesario un tercer camino que libere a la discusión de estar fluctuando entre esas dos soluciones insuficientes y religiosamente peligrosas. Este tercer camino no es nuevo.

Algunos teólogos como Agustín, Tomás de Aquino, Lutero, Zwingli, Calvino y Schleiermacher ya lo acometieron, aunque de un modo limitado. Coincidiendo con la visión naturalista, este tercer camino afirma que Dios no sería Dios si no fuese el fondo creador de todo lo que tiene ser, es decir, que en realidad Dios es el poder incondicional e infinito del ser o, utilizando la abstracción más radical, que Dios es el ser en sí. Por consiguiente, Dios no está junto a las cosas ni "por encima" de ellas, sino que está más cerca de las cosas que éstas de sí mismas. Es su fondo creador aquí y ahora, siempre y en todo lugar.

Hasta aquí, ciertas formas de naturalismo podrían aceptar esta tercera concepción. Pero es ahora cuando surgen las divergencias. En este punto se hacen plenamente significativos los términos "autotrascendente" y "extático" de los que yo me sirvo para expresar este tercer modo de entender la palabra "Dios".

El término "autotrascendente" está formado por dos elementos: "trascendente" y "auto". Dios como fondo del ser trasciende infinitamente aquello de lo que Él es el fondo. Está *contra* el mundo, en cuanto el mundo se yergue contra Él, y está *en pro* del mundo, siendo así la causa de que el mundo esté en pro de Él. Esta mutua libertad de Dios y del mundo —libertad tanto del uno con respecto al otro como del uno en pro del otro— es la única razón plenamente significativa por la que puede usarse la partícula "supra" en "supranaturalismo". Sólo en este sentido podemos calificar de "trascendente" la relación que media entre Dios y el mundo. Decir que Dios es trascendente en este sentido no significa que debamos establecer un "supermundo" de objetos divinos. Sino que significa que, en sí mismo, el mundo finito tiende al más allá de sí mismo. En otras palabras, que el mundo es autotrascendente.

Ahora se comprende asimismo la necesidad de prefijo "auto" en el término "autotrascendente": la realidad única de nuestro entorno la experimentamos según sus distintas dimensiones, que se suscitan mutuamente unas a otras. La finitud de lo finito suscita la infinitud de lo infinito: va más allá de sí misma para retornar luego a sí misma en una nueva dimensión. Esto es lo que significa "autotrascendencia". En términos de nuestra experiencia inmediata, la autotrascendencia es el encuentro con lo sagrado, un encuentro de carácter extático. En la frase "idea extática de Dios", el término "extático" indica la experiencia de lo sagrado, experiencia que trasciende la experiencia ordinaria sin anularla. El éxtasis como estado de la mente es el correlativo exacto de la autotrascendencia como estado de la realidad. Esta comprensión de la idea de Dios no es naturalista ni supranaturalista, y es la que informa la totalidad del presente sistema teológico.

Si sobre la base de esta idea de Dios nos preguntamos: "¿Qué significa que Dios, el fondo de todo lo que es, pueda estar contra el mundo y en pro del mundo?", tendremos que referirnos a aquella cualidad del mundo que se manifiesta en la libertad finita, cualidad que experimentamos en nosotros mismos. En la polémica tradicional que enfrenta la idea naturalista y la idea supranaturalista de Dios, se emplean respectivamente las preposiciones "en" y "sobre". Ambas proceden del dominio espacial y por consiguiente son incapaces de ex-

presar la verdadera relación existente entre Dios y el mundo
—que, ciertamente, nada tiene de espacial. La concepción
"autotrascendente" de Dios sustituye —en el pensamiento teológico cuando menos— las imágenes espaciales por el concepto de libertad finita. La trascendencia divina es idéntica
a la libertad que posee lo creado para alejarse de la unidad
esencial con el fondo creador de su ser. Tal libertad presupone
dos cualidades en lo creado: primero, que lo creado es substancialmente independiente del fondo divino; segundo, que lo
creado permanece en su unidad substancial con dicho fondo
divino, porque sin esta unidad última, la creatura carecería
del poder de ser. Esta libertad finita en el seno de lo creado
es lo que invalida al panteísmo, y no la noción de un ser supremo a la vera del mundo, tanto si se concibe su relación
con el mundo en términos deístas como en términos teístas.

Las consecuencias que la concepción autotrascendente de
Dios entraña para ciertos conceptos como los de revelación
y milagro (de una importancia decisiva en el problema cristológico), fueron plenamente desarrolladas en la parte titulada
"La razón y la revelación" del primer volumen. No es preciso que ahora volvamos sobre ellas, pero sí lo es que mos-
tremos el vasto alcance que posee la interpretación extática
de la relación Dios-mundo.

Existe sin embargo un problema que, desde la aparición
de nuestro primer volumen, ha pasado a ocupar el centro del
interés filosófico por la religión: el problema del conocimiento
simbólico de Dios. Dos consecuencias se siguen de que Dios,
como fondo del ser, trascienda infinitamente todo lo que es:
primero, que todo cuanto sabemos acerca de una cosa finita,
lo sabemos acerca de Dios, puesto que todas las cosas finitas
están enraizadas en Dios como en su propio fondo; segundo,
que nada de cuanto sabemos acerca de una cosa finita podemos
aplicarlo a Dios, porque Dios es lo "absolutamente otro" o,
si se quiere, lo "extáticamente trascendente". La unidad de
estas dos consecuencias divergentes constituye el conocimiento
analógico o simbólico de Dios. Un símbolo religioso utiliza
el material de la experiencia ordinaria para hablar de Dios,
pero lo hace de tal forma que simultáneamente afirma y
niega el significado ordinario del material que utiliza. Todo
símbolo religioso se niega a sí mismo en su sentido literal,

pero se afirma en su sentido autotrascendente. No es un signo que apunte a algo con lo que no tiene ninguna relación íntima, sino que representa el poder y el significado de lo que simboliza gracias a su participación en él. El símbolo participa en la realidad de lo que simboliza. Por consiguiente, nunca podemos decir de algo que es "tan sólo un símbolo". Esto sería confundir un símbolo con un signo. De ahí que posea un carácter simbólico todo lo que la religión ha de decir acerca de Dios, incluso sus cualidades, acciones y manifestaciones, y de ahí también que se pierda por completo el significado de "Dios" si se interpreta el lenguaje simbólico según su sentido literal.

Pero, una vez sentado todo esto, surge la cuestión (y ya se ha suscitado en algunas discusiones públicas) de si existe un punto en el que nos vemos precisados a formular una afirmación no simbólica acerca de Dios. Efectivamente tal momento existe: cuando afirmamos que todo lo que decimos de Dios es simbólico. Esta afirmación es una aserción acerca de Dios que, en sí misma, no es simbólica. De lo contrario, caeríamos en un círculo vicioso. Pero, por otra parte, si hacemos *una* sola aserción no simbólica acerca de Dios, parece que ponemos en peligro su carácter extático-trascendente. Esta dificultad dialéctica refleja la situación humana con respecto al fondo divino del ser. Aunque el hombre está realmente separado del infinito, no podría ser consciente de esta separación suya si no participara potencialmente del infinito. Esto es lo que denota el estado de hallarse últimamente preocupado, estado que es universalmente humano por mucho que pueda variar el contenido de la preocupación. Al llegar a este punto, no tenemos que hablar de Dios en forma simbólica, sino en términos de búsqueda. Sin embargo, en el preciso momento en que describimos las características de este punto o en que tratamos de formular aquello por lo que preguntamos, aparece una combinación de elementos simbólicos y elementos no simbólicos. Si decimos que Dios es lo infinito, o lo incondicional, o el ser en sí, estamos hablando al mismo tiempo en forma racional y en forma extática. Porque estos términos designan precisamente la línea divisoria en la que coinciden lo simbólico y lo no simbólico. Hasta llegar a este punto, toda afirmación es no simbólica (en el sentido de símbolo religioso). A partir de este punto, toda afirmación es simbólica (en el sentido de símbolo religioso). El punto mismo es, a la vez, simbólico y no simbólico. Esta situación dialéctica constituye la expresión conceptual de la situación existencial del hombre. Es la condición que hace posible su existencia religiosa y lo capacita para recibir la revelación. Es otra vertiente de la concepción autotrascendente o extática de Dios, la concepción que se sitúa más allá del naturalismo y del supranaturalismo.

2. La utilización del concepto del ser en la Teología sistemática

Cuando se comienza la doctrina de Dios definiendo a Dios como el ser en sí, se introduce el concepto filosófico del ser en la teología sistemática. Así se hizo en el período inicial de la teología cristiana y así se ha hecho luego a lo largo de toda la historia del pensamiento cristiano. En el presente sistema, este concepto aparece en tres lugares distintos: en la doctrina de Dios, donde decimos que Dios es el ser en cuanto ser o el fondo y el poder de ser; en la doctrina del hombre, donde establecemos la distinción entre lo esencial del hombre y su ser existencial; y, finalmente, en la doctrina de Cristo, donde afirmamos que Cristo es la manifestación del Nuevo Ser, cuya actualización es obra del Espíritu divino.

A pesar de que la teología clásica ha utilizado siempre el concepto del "ser", tanto la filosofía nominalista como la teología personalista han criticado este término desde sus respectivos puntos de vista. Pero teniendo en cuenta el destacado cometido que desempeña este concepto en el sistema teológico, creemos necesario replicar a tales críticas y, al mismo tiempo, esclarecer de qué modo utilizamos este término en sus diversas aplicaciones.

La crítica de los antiguos nominalistas y de sus actuales descendientes, los positivistas, se fundamenta en el supuesto de que el concepto del ser representa la más alta abstracción posible. Por lo que se refiere a la universidad y al grado de abstracción, los nominalistas consideran este concepto como el género al que se subordinan todos los demás géneros. Si éste fuese el camino por el que llegamos al concepto del ser, el nominalismo podría interpretarlo como interpreta los demás universales, es decir, como nociones comunicativas que apuntan a los particulares, pero que carecen de toda realidad propia. Para el nominalismo sólo tiene realidad lo que es completamente particular, la cosa que existe ahora y aquí. Los universales son medios de comunicación, pero sin nigún poder de ser. Por consiguiente, el ser como tal ser no designa ninguna cosa real. En cuanto a Dios, si existe, existe como particular y podríamos llamarlo el más individual de todos los seres.

La respuesta a este argumento alega que el concepto del ser no tiene el carácter que le atribuyó el nominalismo. No constituye la más alta abstracción, aunque requiere que se sea capaz de efectuar una abstracción radical. Es la expresión de la experiencia del ser que se yergue contra el non-ser. Por ende, podemos describirlo como el poder de ser que resiste al non-ser. Por eso decían los filósofos medievales que el ser era el *transcendentale* fundamental, más allá de lo universal y de lo particular. Igualmente en este sentido entendieron la noción del ser algunos pensadores como Parménides en Grecia y Shankara en la India. Y en este sentido redescubrieron su importancia los existencialistas contemporáneos como Heidegger y Gabriel Marcel. Tal idea del ser se sitúa más allá del conflicto que enfrenta el nominalismo y el realismo. La misma palabra, que expresa el más vacío de todos los conceptos cuando la consideramos como una abstracción, pasa a ser el más significativo de todos los conceptos cuando la entendemos como el poder de ser en todo lo que tiene ser.

Ninguna filosofía puede suprimir la noción del ser en este último sentido. Tal noción puede quedar oculta bajo diversas presuposiciones y fórmulas reductivas, pero sigue presente en el fondo de los conceptos básicos de todo filosofar, puesto que el "ser" no deja de constituir el contenido, el misterio y la eterna *aporía* del pensamiento. Ninguna teología puede suprimir la noción del ser como el poder de ser. No es posible separar ambas nociones. En el mismo momento en que decimos que Dios *es* o que tiene ser, surge la cuestión de cómo hemos de entender su relación con el ser. Y la única respuesta posible parece ser la de que Dios es el ser en sí, en el sentido de que es el poder de ser o el poder de conquistar el non-ser.

El principal argumento que aduce la teología personalista para oponerse al uso del concepto del ser, procede del personalismo que informa la experiencia humana de lo sagrado y que se expresa en las figuras personales de los dioses y en la relación de persona a persona que el hombre establece con Dios cuando está animado de una piedad viva. Donde este personalismo aparece más acusado es en la religión bíblica. A diferencia de numerosas religiones asiáticas y del misticismo cristiano, en ella no se formula nunca la cuestión del ser. Para una más extensa discusión de este problema me remito a mi pequeño libro, *La religión bíblica y la búsqueda de la realidad última*.[1] El contraste radical que existe entre el personalismo bíblico y la ontología filosófica no queda atenuado por ningún compromiso. Por un lado, se recalca la imposibilidad de encontrar la menor investigación ontológica en toda la literatura bíblica, pero al mismo tiempo y con igual firmeza se subraya por el otro lado la necesidad de formular la cuestión ontológica. En la religión bíblica no existe ningún pensamiento ontológico; pero tampoco se da en ella ningún símbolo ni concepto teológico que carezca de implicaciones ontológicas. Únicamente unas barreras artificiales pueden impedir que la mente investigadora formule la cuestión del ser de Dios, la cuestión del abismo que separa lo esencial del hombre y su ser existencial, y la cuestión del Nuevo Ser en Cristo.

Lo que mayormente preocupa a algunos es la resonancia impersonal de la palabra "ser". Pero que el "ser" sea suprapersonal no significa que sea impersonal, y por mi parte, a los que temen trascender el simbolismo personalista del lenguaje religioso, yo les pediría que pensasen, aunque sólo fuese por unos instantes, en aquellas palabras de Jesús en las que nos dice que están contados los cabellos de nuestra cabeza —y, podríamos añadir, los átomos y los electrones que constituyen el universo. Existe por lo menos tanta ontología potencial en estas palabras como ontología real en todo el sistema de Spinoza. De prohibir la transformación de la ontología potencial en ontología real —desde luego, dentro del círculo teológico—, la teología quedaría reducida a la mera repetición y organización de los pasajes bíblicos. De este modo sería imposible decir que el Cristo es "el Logos".

1. Paul Tillich, *Biblical Religion and the Search for Ultimate Reality*, Chicago, University of Chicago Press, 1955.

En el último capítulo de mi libro *El coraje de ser*,[2] he hablado del Dios que se halla por encima del Dios del teísmo, y mis palabras han sido erróneamente interpretadas como una afirmación dogmática de carácter panteísta o místico. Ante todo, no se trata de una afirmación dogmática, sino apologética, porque considera con toda seriedad la duda radical que embarga a muchos hombres y les confiere el coraje de autoafirmarse incluso en el estado extremo de la duda radical. En tal estado desaparece tanto el Dios del lenguaje religioso como el Dios del lenguaje teológico. Pero algo perdura, y este algo es la seriedad de la duda, en la cual se afirma un sentido en medio de la ausencia de sentido. La fuente de la que mana esta afirmación de un sentido en medio de la ausencia de sentido, de una certeza en medio de la duda, no está en el Dios del teísmo tradicional sino en el "Dios que se halla por encima del Dios del teísmo", en el poder de ser, que actúa a través de aquellos que no poseen ningún nombre para designarlo, ni siquiera el nombre de Dios. Tal es la respuesta para quienes andan en busca de un mensaje en la nada de su situación y en los últimos límites de su coraje de ser. Pero ese punto extremo no es un lugar en el que se pueda vivir. La dialéctica de una situación extrema es un criterio de verdad, pero no la base sobre la que se pueda construir toda una estructura de verdad.

3. Independencia e interdependencia de las cuestiones existenciales y las respuestas teológicas

El método que hemos utilizado en la teología sistemática y que describimos en la introducción metodológica del primer volumen se llama "método de correlación", es decir, el que se sirve de la correlación existente entre las cuestiones existenciales y las respuestas teológicas. Entendemos por "correlación", palabra de múltiples significados en el lenguaje científico, la "interdependencia de dos factores independientes", no en el sentido lógico de una coordinación cuantitativa o cuali-

2. Paul Tillich, *The Courage To Be*, New Haven, Yale University Press, 1952. [Existe una traducción castellana publicada por Estela, S. A., de Barcelona. — *N. del T.*]

tativa de unos elementos que carecen de relación causal, sino como la unidad de dependencia e independencia de dos factores. Y como este tipo de relación se ha convertido ahora en objeto de discusión, intentaré aclarar en qué sentido hablamos de la independencia y la interdependencia de las cuestiones existenciales y las respuestas teológicas en el método de correlación.

En este método, preguntas y respuestas son independientes entre sí, ya que es imposible deducir la respuesta de la pregunta o la pregunta de la respuesta. La cuestión existencial, es decir, el hombre mismo sumido en los conflictos de su situación existencial, no es la fuente de la respuesta reveladora que formula la teología. La automanifestación divina no es posible deducirla de un análisis de la condición humana. Dios habla a la situación humana, y habla contra ella y a favor de ella. El supranaturalismo teológico, tal como lo profesa, por ejemplo, la teología neo-ortodoxa contemporánea, está en lo cierto cuando habla de la incapacidad del hombre para alcanzar a Dios por su propio poder. El hombre es la pregunta, pero no la respuesta. Igualmente erróneo es deducir de la respuesta reveladora la cuestión implícita en la existencia humana. Tal deducción es imposible, porque la respuesta reveladora carece de sentido si no existe una pregunta previa de la que ella sea la respuesta. El hombre no puede recibir una respuesta a una pregunta que él no ha formulado. (Por otra parte, éste es un principio decisivo de toda educación religiosa.) Una respuesta así sería una simpleza para el hombre, una combinación de palabras ciertamente inteligible —como lo son muchos sermones—, pero no una experiencia reveladora. La cuestión que el hombre formula, es el hombre mismo. Y formula esta cuestión tanto si la profiere oralmente como si permanece silencioso. Pero no puede dejar de formularla, porque su mismo ser es la cuestión acerca de su existencia. Al formular esta cuestión está solo consigo mismo. La formula "desde el abismo" y este abismo es él mismo.

La verdad que entraña el naturalismo es su insistencia en el carácter humano de la cuestión existencial. El hombre, como hombre, no desconoce la cuestión de Dios. Se halla separado, pero no enteramente escindido de Dios. Tal es el fundamento de la limitada razón de ser de lo que tradicionalmente se ha llamado "teología natural". La teología natural tenía un sentido en cuanto nos proporcionaba un análisis de la situación humana y de la cuestión de Dios en ella implícita. Por una de sus vertientes, los argumentos tradicionales a favor de la existencia de Dios suelen cumplir este cometido, puesto que elucidan la naturaleza dependiente, transitoria y relacional de la existencia humana finita. Pero, al desarrollar la otra vertiente de estos argumentos, la teología natural intentó deducir del análisis de la finitud humana algunas afirmaciones teológicas. Y eso es imposible. No es válida ninguna de las conclusiones con que se argumenta a favor de la existencia de Dios. Su validez queda limitada al análisis de la cuestión, y no va más allá de ella. Ya que Dios sólo se manifiesta a través de Dios. Las cuestiones existenciales y las respuestas teológicas son independientes entre sí; tal es la primera afirmación que implica el método de correlación.

El segundo problema, y el más difícil, es el de la mutua dependencia en que se hallan las cuestiones y las respuestas. Que exista una correlación entre ellas significa que, mientras en ciertos aspectos las cuestiones y las respuestas son mutuamente independientes, en otros aspectos dependen unas de otras. Este problema fue siempre vivo en la teología clásica (tanto en el ámbito de la escolástica como en el ámbito de la ortodoxia protestante) cuando se hablaba de la influencia ejercida por la infraestructura de la teología natural sobre la superestructura de la teología revelada y viceversa. A partir de Schleiermacher, siguió asimismo en pie siempre que una filosofía de la religión hacía las veces de puerta de entrada al sistema teológico, puesto que entonces el problema consistía en dilucidar hasta qué punto la puerta determinaba la estructura de la casa, o la casa la de la puerta. Ni siquiera los antimetafísicos seguidores de Ritschl pudieron eludir este problema. Y el famoso "no" de Karl Barth a todo tipo de teología natural, incluso a la posibilidad de que el hombre formule la cuestión de Dios, es en última instancia un autoengaño, como lo demuestra el empleo del lenguaje humano para hablar de la revelación.

El problema de la interdependencia de las cuestiones existenciales y las respuestas teológicas sólo se puede resolver en el interior de lo que, en la parte introductoria del primer volumen, nosotros llamamos el "círculo teológico". El teólogo, como teólogo, está vinculado a una expresión concreta de la preocupación última, es decir, religiosamente hablando, a una experiencia reveladora especial. Sobre la base de esta experiencia concreta, el teólogo proclama su doctrina universal, como lo hizo el cristianismo con la afirmación de que Jesús como el Cristo es el Logos. Podemos entender este círculo teológico como una elipse (y no como una circunferencia geométrica) cuyos dos centros están constituidos por la cuestión existencial y la respuesta teológica. Ambos centros se hallan situados en el interior de la esfera del compromiso religioso, pero no son idénticos. El material de la cuestión existencial procede del conjunto de la experiencia humana y de sus múltiples modos de expresión. Hace referencia al pasado y al presente, al lenguaje popular y al lenguaje literario, al arte y a la filosofía, a la ciencia y a la psicología. Se refiere al mito y a la liturgia, a las tradiciones religiosas y a las experiencias actuales. Todo ello, en cuanto refleja la condición existencial del hombre, constituye el material sin cuya ayuda no es posible formular la cuestión existencial. Tanto la selección de este material como la formulación de la cuestión existencial son de la incumbencia de la teología sistemática.

Para llevar a cabo este cometido, el teólogo no sólo debe participar de hecho en la condición humana —como siempre lo hace—, sino que además tiene que identificarse conscientemente con ella. Debe participar en la finitud humana, que es asimismo su propia finitud, y en la congoja que suscita esta infinitud como si nunca hubiese recibido la respuesta reveladora de la "eternidad". Debe participar en la alienación del hombre, que es asimismo su propia alienación, y debe sentir la congoja de la culpa como si nunca hubiese recibido la respuesta reveladora del "perdón". El teólogo no se sitúa en la respuesta teológica que él anuncia. Sólo puede dar esta respuesta de un modo convincente si participa con todo su ser en la situación de la cuestión existencial, es decir, en la condición humana. A la luz de esta exigencia, el método de correlación protege al teólogo de la arrogancia de quien tiene a su disposición las respuestas reveladoras. Al formular la respuesta teológica, el teólogo debe luchar por alcanzarla.

Mientras el material de la cuestión existencial está constituido por la expresión misma de la humana condición, la forma que reviste se halla determinada por la totalidad del sistema y por las respuestas dadas en el mismo. La cuestión implícita en la finitud humana se halla dirigida hacia su respuesta: lo eterno. La cuestión implícita en la alienación humana se halla dirigida hacia su respuesta: el perdón. Esta dirección forzada de las cuestiones no las despoja de su gravedad, pero les confiere una forma que viene determinada por la totalidad del sistema teológico. Éste es el ámbito en el que se da la correlación de las cuestiones existenciales y las respuestas teológicas.

La otra vertiente de la correlación es la influencia que ejercen las cuestiones existenciales sobre las respuestas teológicas. Aquí hemos de afirmar de nuevo que las respuestas no pueden derivarse de las preguntas, que la substancia de las respuestas —la experiencia reveladora— es independiente de las preguntas, aunque la forma que adopta la respuesta teológica *no* es independiente de la forma que reviste la cuestión existencial. Si la teología nos da la respuesta "el Cristo" a la cuestión implícita en la alienación humana, lo hace de un modo muy distinto según se refiera a los conflictos existenciales del legalismo judío, al desespero existencial del esceptismo griego o a la amenaza del nihilismo que expresa la literatura, el arte y la psicología del siglo xx. Sin embargo, la cuestión no crea la respuesta. El hombre no puede crear la respuesta "el Cristo", pero puede recibirla y expresarla según el sesgo con que formuló la cuestión.

El método de correlación no está a salvo de una distorsión; ningún método teológico lo está. Hasta tal punto la respuesta puede condicionar la cuestión que llegue a perderse la gravedad de la situación existencial. O hasta tal punto la cuestión puede condicionar la respuesta que llegue a perderse el carácter revelador de la respuesta. Ningún método está garantizado contra tales yerros. Como toda empresa de la mente humana, la teología es ambigua. Pero tal ambigüedad no constituye un argumento contra la teología o contra el método de correlación. Como método, la correlación es tan antigua como la teología. No hemos inventado, pues, un método nuevo, sino que hemos tratado de explicitar las implicaciones de los antiguos métodos y, en particular, el de la teología apologética.

Tercera parte

LA EXISTENCIA Y CRISTO

Sección I

LA EXISTENCIA Y LA BÚSQUEDA DE CRISTO

A. EXISTENCIA Y EXISTENCIALISMO

1. ETIMOLOGÍA DE LA PALABRA EXISTENCIA

Quienquiera que use hoy ciertos términos, como "existencia", "existencial" o "existencialismo", está obligado a indicar en qué sentido y por qué razón los usa. Debe conocer las numerosas ambigüedades que pesan sobre estas palabras y que sólo en parte son inevitables. Tiene que indicar además las corrientes de pensamiento y las obras, actuales y pretéritas, a las que aplica tales términos. Los intentos de dilucidar sus significados son numerosos y divergentes, por lo que ninguno de ellos puede considerarse como definitivo. Una teología que convierte la correlación entre la existencia y Cristo en su tema central, tiene que justificar el uso de la palabra "existencia" y señalar sus antecedentes tanto filológicos como históricos.

Uno de los caminos a seguir para determinar el sentido de una palabra que el uso ha deteriorado, es el camino etimológico, es decir, retornar al significado original de aquella palabra y tratar de alcanzar una comprensión nueva de la misma deduciéndola de sus mismas raíces. Así se ha hecho en todos los períodos de la historia del pensamiento, pero algunos eruditos han exagerado tanto la nota que se ha iniciado una fuerte reacción contra esta forma de proceder. Tanto los actuales como los antiguos nominalistas consideran que las palabras son signos convencionales que nada significan fuera del sentido en que fueron usados en una época determinada por parte de un grupo social concreto. Por consiguiente, ciertas palabras son ya irrecuperables y han de ser sustituidas por otras. Pero tal presuposición nominalista —que las palabras *sólo* son signos convencionales—, nosotros hemos de rechazarla. Las palabras son el resultado del encuentro de la mente humana con la realidad.

Por consiguiente, no son tan sólo signos sino también símbolos, y no pueden ser sustituidas por otras palabras, como si se tratara de meros signos convencionales. De ahí que sea posible salvarlas. Si no se diera esta posibilidad, tendríamos que inventar continuamente nuevos lenguajes en el ámbito de la religión y de las humanidades. Por ello, una de las tareas más importantes de la teología estriba precisamente en recuperar el genuino poder que antaño poseyeron los términos clásicos y, para lograrlo, debe recapacitar acerca del encuentro original de la mente humana con la realidad, encuentro que creó aquellos términos.

El significado etimológico del verbo "existir", en latín *existere*, es "estar fuera de". Inmediatamente nos preguntamos: "¿Estar fuera de qué?" Por un lado, la palabra inglesa *outstanding* significa "prominente", es decir, lo que está por encima del nivel medio de las cosas o de los hombres, lo que sobresale en poder o valor por encima de los demás. Por otro lado, *standing out*, en sentido de *existere*, significa que la existencia es una característica común de todas las cosas, tanto de las que son *outstanding*, prominentes, como de las que no rebasan el término medio. La respuesta general cuando preguntamos de qué estamos fuera nosotros es: del non-ser.[1] Decir que "las cosas existen" significa que tienen ser, que están fuera de la nada. Pero hemos aprendido de los filósofos griegos (y ellos a su vez lo aprendieron de la lucidez y sensibilidad de la lengua griega) que hay dos maneras de entender el non-ser, a saber, como *ouk on*, el non-ser absoluto, o como *me on*, el non-ser relativo. Existir, "estar fuera de", hace referencia a ambos sentidos del non-ser. Si decimos que algo existe, afirmamos que es posible encontrarlo, directa o indirectamente, en el cuerpo de la realidad, es decir, que está fuera del vacío del non-ser absoluto. Pero la metáfora "estar fuera de" implica lógicamente algo parecido a "estar en". Sólo aquello que en algún aspecto "está en" puede "estar fuera de". Lo que es *outstanding*, prominente, sobresale del nivel medio en el que estuvo y en el que todavía está en parte. Cuando decimos que todo lo que

---

1.   Como en el primer volumen de esta obra, establecemos en la traducción de este segundo volumen la misma diferencia que el autor entre "non-ser" (*nonbeing*) y "no ser" (*not being*). Véase nota 6, pág. 242, del primer volumen. — *N. del T.*

existe está fuera del non-ser absoluto, decimos en realidad que está a la vez en el ser y en el non-ser; que no está enteramente fuera del non-ser. Como ya advertimos en el capítulo acerca de la finitud del primer volumen, lo que existe es lo finito, es decir, una mezcla de ser y de non-ser. Así pues, existir significaría estar fuera del propio non-ser.

Pero esto es insuficiente, porque no toma en consideración la pregunta: ¿Cómo algo puede estar fuera de su propio non-ser? Podemos responder a esta pregunta diciendo que todo, tanto si existe como si no existe, participa del ser. Todo participa del ser potencial antes de que pueda llegar al ser real. Como ser potencial, está en un estado de non-ser relativo, es un todavía-no-es. Pero no es simplemente la nada. La potencialidad es el estado de posibilidad real, es decir, es más que una posibilidad lógica. La potencialidad es el poder de ser que, metafóricamente hablando, todavía no ha actualizado su poder. Su poder de ser es aún latente, no se ha hecho todavía manifiesto. Por consiguiente, decir que algo existe significa que ha abandonado el estado de mera potencialidad y se ha hecho real; que está fuera de la mera potencialidad, fuera del non-ser relativo.

Y para hacerse real, tiene que superar el non-ser relativo, el estado de *me on*. Pero, repetimos, no puede estar enteramente fuera del *me on*. Al mismo tiempo tiene que "estar fuera de" y "estar en" el *me on*. Lo real está fuera de la potencialidad, pero permanece asimismo en ella. Nunca derrama exhaustivamente su poder de ser en su estado de existencia. Nunca agota por completo sus potencialidades. Perdura no sólo en el non-ser absoluto, como lo demuestra su finitud, sino también en el non-ser relativo, como lo demuestra el carácter mutable de su existencia. Los griegos simbolizaban esto como la resistencia que opone el *me on*, el non-ser relativo, a la actualización de las potencialidades de una cosa.

Resumiendo nuestra investigación etimológica, podemos decir: existir puede significar estar fuera del non-ser absoluto, aunque sin dejar de permanecer en él; puede significar finitud, es decir, la unidad del ser y del non-ser. Y existir puede significar estar fuera del non-ser relativo, aunque sin dejar de permanecer en él; puede significar realidad, es decir, la unidad del ser real y de la resistencia contra él. Pero, independientemente de que usemos uno u otro significado del non-ser, existir siempre significa estar fuera del non-ser.

2. Aparición del problema existencial

Las investigaciones etimológicas muestran sólo el camino, pero no resuelven los problemas. Lo que hemos dicho en la segunda respuesta a la pregunta: "¿Estar fuera de qué?", indica ya la hendidura que existe de hecho entre la potencialidad y la realidad. Constatarla es dar el primer paso hacia la aparición del existencialismo. En el conjunto de los seres, tal como se nos presentan, se dan estructuras que carecen de existencia y cosas que, sobre tales estructuras, poseen existencia. La "arboreidad" no existe, aunque tenga un ser, un ser potencial. Pero existe el árbol que está en mi jardín. Este árbol está fuera de la mera potencialidad de la "arboreidad". Pero sólo está fuera de ella y existe porque participa del poder de ser que es la "arboreidad", aquel poder en cuya virtud todo árbol es un árbol y no ninguna otra cosa.

Esta hendidura en el conjunto de la realidad, hendidura que viene expresada por el término "existencia", es uno de los primeros descubrimientos del pensamiento humano. Mucho antes de Platón, tanto la mentalidad prefilosófica como la reflexión filosófica advirtieron dos niveles en la realidad: nosotros los llamamos el nivel "esencial" y el nivel "existencial". Los órficos, los pitagóricos, Anaximandro, Heráclito y Parménides establecieron su filosofía porque constataron que el mundo, tal como lo veían, carecía de realidad última. Pero sólo en Platón el contraste entre el ser existencial y el ser esencial se convierte en un problema ontológico y ético. La existencia, según Platón, es el reino de la mera opinión, del error y del mal. No posee una auténtica realidad. El verdadero ser es el ser esencial, que está situado en el reino de las ideas eternas, es decir, de las esencias. Para llegar al ser esencial, el hombre tiene que elevarse por encima de la existencia. Tiene que retornar al reino de las esencias, desde el cual cayó en la existencia. De este modo, la existencia del hombre, su estar fuera de la potencialidad, se entiende como una caída desde aquello que el hombre es en su esencia. Lo potencial es lo esencial, y existir, es decir, estar fuera de la potencialidad, es la pérdida de la verdadera esencialidad. No es una pérdida completa, ya que el hombre permanece todavía en su ser esencial o potencial, lo recuerda y, a través de este recuerdo, participa en lo verdadero y en lo bueno. Está, a la vez, en el reino de las esencias y fuera del mismo. En tal sentido, "estar fuera de" posee una significación diametralmente opuesta a la que solemos dar en inglés a esta expresión: significa desmerecer de lo que el hombre es esencialmente.

En el último período del mundo antiguo, esta concepción de la existencia fue la predominante, a pesar de que Aristóteles intentó colmar el abismo abierto entre la esencia y la existencia con su doctrina de la interdependencia dinámica de la forma y de la materia en todas las cosas. Pero la protesta de Aristóteles no podía prosperar, en parte, por las condiciones sociológicas existentes en el último período de la antigüedad y, en parte, porque el mismo Aristóteles opone en su *Metafísica* el conjunto de la realidad a la vida eterna de Dios, es decir, a la autointuición de Dios. Para participar en la vida divina es preciso que la mente se eleve al *actus purus* del ser divino, el cual se halla por encima de todas las cosas que andan mezcladas con el non-ser.

Los filósofos escolásticos, incluso los franciscanos platónicos y los dominicos aristotélicos, aceptaron la contraposición de esencia y existencia al hablar del mundo, pero no al hablar de Dios. En Dios no existe ninguna diferencia entre el ser esencial y el ser existencial. Esto implica que la hendidura entre esencia y existencia no es últimamente válida y no pertenece en absoluto al fondo del ser en sí. Dios es eternamente lo que es. Y esto se decía con la frase aristotélica de que Dios es el *actus purus*, el acto sin potencialidad. La consecuencia lógica de tal concepto habría sido la negación de un Dios vivo tal como aparece en la religión bíblica. Pero no fue ésta la intención de los escolásticos. El énfasis con que Agustín y Scoto hablaron de la voluntad divina hizo imposible tal negación. Pero si se simboliza a Dios como voluntad, el término *actus purus* resulta obviamente inadecuado. La voluntad implica potencialidad. El verdadero sentido de la doctrina escolástica —que considero correcta— se habría expresado afirmando que la esencia, la existencia y la unidad de ambas tienen que aplicarse simbólicamente a Dios. Dios no está sujeto a ningún conflicto entre la esencia y la existencia. No es un ser al lado de otros seres, ya que entonces su naturaleza esencial se trascendería a sí misma, como ocurre precisamente en todos los seres finitos. Ni es tampoco la esencia de las esencias, la esencia universal, ya que esto lo despojaría del poder de actualizarse. Su existencia, su estar fuera de su esencia, es la expresión de su esencia. Esencialmente, Dios está actualizándose. Está más allá de la hendidura entre esencia y existencia, mientras el universo está sujeto a tal hendidura. Sólo Dios es "perfecto", palabra que se define precisamente como un estar más allá del abismo que separa el ser esencial del ser existencial. El hombre y su mundo carecen de esta perfección. La existencia de ambos es un estar fuera de su esencia, como si hubiesen "caído" fuera de ella. En este punto coinciden la valoración platónica y la valoración cristiana de la existencia.

Esta forma de pensar se alteró sensiblemente cuando alboreó en el Renacimiento y la Ilustración un nuevo sentido de la existencia. Progresivamente fue colmándose el abismo que separaba la esencia de la existencia. La existencia pasó a ser el lugar donde el hombre era llamado a controlar y transformar el universo. Las cosas existentes eran el material a manejar. Estar fuera del propio ser esencial no era una caída, sino el camino para la actualización y realización de las propias potencialidades. Podríamos llamar "esencialismo" a la forma filosófica de esta actitud. En este sentido, la existencia es, por decirlo así, devorada por la esencia. Los acontecimientos y las cosas existentes no son sino la actualización del ser esencial en su progresivo desarrollo. Sin duda existen ciertas limitaciones previas, pero no un abismo existencial como el que manifiesta el mito de la caída. En la existencia, el hombre es lo que él es en esencia —el microcosmos en el que confluyen los poderes del universo, el portador de la razón crítica y deductiva, el constructor de su mundo y el hacedor de sí mismo como actualización de su potencialidad. La educación y la organización política vencerán el retraso de que adolece la existencia en relación a la esencia.

El pensamiento de numerosos filósofos del Renacimiento y de toda la época de la Ilustración encaja con esta descripción. Pero en ninguno de ambos períodos alcanzó el esencialismo su plena madurez. Esto sólo ocurrió en una filosofía profundamente influida por el romanticismo y explícitamente contraria a la Ilustración, es decir, en la filosofía clásica alemana y, en particular, en el sistema de Hegel. La razón de ello no estriba únicamente en la íntima cohesión y carácter omniinclusivo del sistema hegeliano, sino también en el hecho de que Hegel fue perfectamente consciente del problema existencialista e intentó integrar los elementos existenciales en su sistema universal de las esencias. Introdujo el non-ser en el centro mismo de su pensamiento; acentuó el papel que desempeña la pasión y el interés en el movimiento de la historia; creó algunos conceptos nuevos, como los de "alienación" y "conciencia desdichada"; hizo de la libertad la meta del proceso universal de la existencia; incluso introdujo la paradoja cristiana en la estructura de su sistema. Pero tuvo buen cuidado de que todos estos elementos existenciales no minasen la estructura esencialista de su pensamiento. En el conjunto de su sistema, el non-ser es conquistado; la historia llega a su fin; la libertad se hace real y la paradoja pierde su carácter paradójico. La existencia es la actualización lógicamente necesaria de la esencia. Ningún abismo, ningún salto existe entre ambas. Este carácter omniinclusivo del sistema hegeliano convirtió a éste en el punto decisivo de la vieja pugna entre el esencialismo y el existencialismo. Hegel es el esencialista clásico, porque aplicó al universo la doctrina escolástica según la cual Dios está más allá de la esencia y de la existencia. El abismo entre ambas no sólo es superado eternamente en Dios, sino también históricamente en el hombre. El mundo es el proceso de la autorrealización divina. Cuando la esencia se actualiza en la existencia, no existe abismo, ni incertidumbre última, ni riesgo o peligro alguno de pérdida de sí mismo. La famosa afirmación de Hegel de que todo cuanto es, es razonable, no implica un optimismo absurdo acerca de la razonabilidad del hombre —Hegel nunca creyó que los hombres fuesen razonables y felices—, sino que es la expresión de la creencia de Hegel de que, a pesar de lo irracional de las cosas, la estructura racional o esencial del ser se actualiza de manera providencial en el proceso del universo. El mundo es la autorrealización de la mente divina. La existencia es la expresión de la esencia, y no la caída fuera de ella.

3. Existencialismo contra esencialismo

El existencialismo de los siglos xix y xx surgió como protesta contra el puro esencialismo de Hegel. Los existencialistas, algunos de los cuales fueron discípulos del mismo Hegel, no criticaron ciertos rasgos de su pensamiento. No pretendieron enmendar a Hegel. Atacaron la idea misma del esencialismo y, con ella, todos los cauces por los que discurría el pensamiento del hombre moderno acerca de sí mismo y de su mundo. Su ataque fue y sigue siendo una rebelión contra la concepción que el hombre se forja de sí mismo en la moderna sociedad industrial.

El ataque contra Hegel fue inmediato y partió de diversos flancos. No podemos hablar aquí, en una obra de teología sistemática, de las rebeldías individuales, como las de Schelling, Schopenhauer, Kierkegaard o Marx. Nos basta decir que en aquellas décadas (1830-1850) se sentaron las bases del destino histórico y la expresión cultural del mundo occidental propias del siglo xx. En la teología sistemática hemos de mostrar las características de la revolución existencialista y confrontar el sentido de la existencia, que se fue desarrollando en el existencialismo, con los símbolos religiosos que indican la condición humana.

Todos los ataques existencialistas coinciden en la afirmación de que la situación existencial del hombre constituye un estado de alienación de su naturaleza esencial. Hegel es consciente de esta alienación, pero cree que ha sido vencida y que el hombre se ha reconciliado con su verdadero ser. Según todos los existencialistas, esta creencia constituye el error fundamental de Hegel. La reconciliación del hombre con su verdadero ser es objeto de conjeturas y de esperanza, pero no es una realidad. El mundo no está reconciliado consigo mismo, ni en lo individual —como lo demuestra Kierkegaard—, ni en lo social —como lo demuestra Marx—, ni en la vida —como lo demuestran Schopenhauer y Nietzsche. La existencia es alienación y no reconciliación; es deshumanización y no expresión de la humanidad esencial. La existencia es el proceso en el que el hombre se hace cosa y deja de ser persona. La historia no es la auto-manifestación divina, sino una serie de conflictos irreconciliados, que amenazan al hombre con su propia destrucción. La existencia del individuo está henchida de congoja y se ve amenazada por la falta de sentido. Todos los existencialistas coinciden en esta descripción de la condición humana y, en consecuencia, se oponen al esencialismo de Hegel. Creen que el esencialismo hegeliano es un intento de ocultar la verdad acerca de la situación real del hombre.

Se ha pretendido distinguir entre un existencialismo ateo y un existencialismo teísta. Cierto es que a algunos existencialistas podríamos llamarlos "ateos", por lo menos en lo que respecta a sus intenciones, y que a otros existencialistas podríamos llamarlos "teístas". Pero, en realidad, no existe un existencialismo ateo ni un existencialismo teísta. El existencialismo nos ofrece un análisis de lo que significa existir. Nos muestra el contraste que se da entre una descripción esencialista y un análisis existencialista. Desarrolla la cuestión implícita en la existencia, pero no trata de darle una respuesta, ni en términos ateos ni en términos teístas. Cuando los existencialistas formulan unas respuestas, lo hacen según la terminología de ciertas tradiciones religiosas o cuasirreligiosas, pero sin que la deduzcan de su análisis existencialista. Pascal deduce sus respuestas de la tradición agustiniana, Kierkegaard de la tradición luterana, Marcel de la tradición tomista, Dostoiewski de la tradición ortodoxa griega. O bien deducen sus respuestas de las tradiciones humanistas, como lo hacen Marx, Sartre, Nietzsche, Heidegger y Jaspers. Ninguno de estos autores ha sido capaz de desarrollar sus respuestas a partir de las cuestiones por ellos formuladas. Las respuestas de los humanistas proceden de las fuentes ocultas de la religión. Son objetos de preocupación última o de fe, aunque revestidos de una forma secular. Así pues, desaparece toda distinción entre un existencialismo ateo y un existencialismo teísta. El existencialismo es un análisis de la condición humana. Y las respuestas a las cuestiones implícitas en la humana condición son siempre, abierta u ocultamente, religiosas.

4. El pensamiento existencial y el pensamiento existencialista

Por razón de una mayor claridad filológica, conviene distinguir entre las palabras existencial y existencialista. La primera hace referencia a una actitud humana, la segunda a una escuela filosófica. Lo opuesto a existencial es distanciado, objetivo; lo opuesto a existencialista es esencialista. En el pensamiento existencial, el sujeto mismo se halla implicado en la cuestión debatida. En el pensamiento no existencial, el sujeto está distanciado de la cuestión debatida. Por su misma naturaleza, la teología es existencial; por su misma naturaleza, la ciencia no es existencial. La filosofía incluye elementos de ambas actitudes. Por su intención, no es existencial; pero en realidad, es una combinación siempre cambiante de elementos personales y elementos objetivos. De ahí la inutilidad de todo intento de crear lo que se ha llamado una "filosofía científica".

Aunque existencial no es lo mismo que existencialista, ambos términos proceden de una raíz común: "existencia". Hablando en general, es posible describir las estructuras esenciales en términos objetivos y la condición existencial en términos de compromiso personal. Pero esta afirmación requiere enérgicas precisiones. Existe un elemento de implicación personal en la construcción de las figuras geométricas, y existe un elemento de objetividad en la observación de la propia congoja y alienación. Al lógico y al matemático los mueve el *eros*, que incluye el deseo y la pasión. El teólogo existencial, al analizar la existencia, descubre las estructuras de la misma gracias a su imparcialidad cognoscitiva, incluso si son estructuras de destrucción. Y entre estos dos polos existe una extensa gama de implicación personal mezclada con imparcialidad objetiva, que podemos observar en la biología, la historia y la psicología. Sin embargo, llamamos "existencial" a aquella actitud cognoscitiva en la que predomina el elemento de implicación personal, y viceversa. Este elemento de implicación personal ha llegado a ser tan dominante, que los análisis existencialistas más portentosos los han llevado a cabo los poetas, novelistas y pintores. Pero incluso tales artistas sólo lograron zafarse de la subjetividad irrelevante sometiéndose a una observación imparcial y objetiva. En consecuencia, el arte y la literatura existencialista utilizan el material elaborado por los métodos objetivos de la psicología terapéutica. La implicación personal y la imparcialidad objetiva no son dos alternativas conflictivas sino dos polos: no hay análisis existencialista sin una objetividad no existencial.

5. El existencialismo y la teología cristiana

El cristianismo afirma que Jesús es el Cristo. El término "el Cristo" indica, por acusado contraste, la situación existencial del hombre, ya que el Cristo, el Mesías, es aquel de quien se supone que ha de traer el "nuevo eón", la regeneración universal, la nueva realidad. Esta nueva realidad presupone una vieja realidad que, según las descripciones proféticas y apocalípticas, es el estado de alienación del hombre y de su mundo con respecto a Dios. El mundo alienado está regido por las estructuras del mal, simbolizadas por los poderes demoníacos. Tales poderes gobiernan las almas individuales, las naciones e incluso la naturaleza, y generan todas las formas de la congoja. Es de la incumbencia del Mesías conquistarlos y establecer una nueva realidad de la que estén excluidos los poderes demoníacos y las estructuras de destrucción.

El existencialismo ha analizado el "viejo eón", es decir, la condición del hombre y de su mundo en el estado de alienación. En tal análisis, el existencialismo es el aliado natural del cristianismo. Immanuel Kant dijo una vez que las matemáticas constituyen una gran ventura para la razón humana. En el mismo sentido podríamos afirmar nosotros que el existencialismo constituye una gran ventura para la teología cristiana, puesto que su ayuda ha sido decisiva para redescubrir la interpretación cristiana clásica de la existencia humana. Ningún intento teológico lo habría hecho mejor. Esta ayuda positiva no la ha prestado únicamente la filosofía existencial sino también la psicología analítica, la literatura, la poesía, el drama y el arte. En todos estos dominios, existe un inmenso acervo de material que la teología puede organizar y del que puede servirse cuando trata de presentar al Cristo como la respuesta a las cuestiones implícitas en la existencia. En los primeros siglos, fueron sobre todo los teólogos monásticos quienes acometieron la realización de una labor similar, analizándose a sí mismos y a los miembros de sus pequeñas comunidades de un modo tan penetrante que son pocas las intuiciones actuales sobre la condición humana que ellos no anticipasen en su época. La literatura devocional y penitencial constituye una impresionante demostración de ello. Pero aquella tradición se perdió bajo el impulso de las

filosofías y las teologías de la pura conciencia, representadas
sobre todo por el cartesianismo y el calvinismo. Pese a sus diferencias, ambas escuelas se aliaron para reprimir la vertiente
inconsciente y semiconsciente de la naturaleza humana, impi-
diendo así la plena comprensión de la condición existencial del
hombre (y, esto, a pesar de la doctrina de Calvino sobre la
total depravación del hombre y el agustinianismo de la escuela
cartesiana). El existencialismo y la teología contemporánea, tras
recuperar aquellos elementos de la naturaleza humana que su-
primió la psicología del consciente, deberían aliarse y analizar
conjuntamente las características de la existencia en todas sus
manifestaciones, tanto conscientes como inconscientes.

El teólogo sistemático no puede realizar esta labor por sí
solo; necesita la ayuda de los representantes creadores del existencialismo en todos los ámbitos de la cultura y el apoyo de los
que exploran en la práctica la condición humana: ministros,
educadores, psicoanalistas y consejeros. A la luz del material
que recibe de todos ellos, el teólogo tiene que reinterpretar los
símbolos religiosos y los conceptos teológicos tradicionales. Tiene que percatarse de que ciertos términos como "pecado" y
"juicio", aunque siguen siendo verdaderos, han perdido su poder expresivo y sólo pueden recuperarlo si se incorporan plenamente las intuiciones que el existencialismo (e incluso la psicología de las profundidades) nos aporta sobre la naturaleza humana. De todos modos, el teólogo bíblico tiene razón cuando
sostiene que todas estas intuiciones pueden encontrarse en la
Biblia, como también la tienen los católicos al señalar que se
encuentran en los Padres de la Iglesia. La cuestión no estriba
en saber si algo puede encontrarse en algún lugar —casi todo
puede encontrarse en alguna parte—, sino en determinar si una
época histórica está presta para redescubrir una verdad perdida. Quien lea, por ejemplo, el Eclesiastés o el libro de Job a
la luz de los análisis existencialistas, verá en tales libros muchas
más cosas que las que antes era capaz de descubrir en ellos.
Y lo mismo puede decirse de muchos otros pasajes del Antiguo
y del Nuevo Testamento.

Se ha criticado al existencialismo por su excesivo "pesimismo". Algunos de sus términos, como "non-ser", "finitud", "congoja", "culpabilidad", "falta de sentido" y "desespero", parecen
justificar tal juicio. La misma crítica se ha formulado contra

muchos pasajes bíblicos, como, por ejemplo, la descripción paulina de la condición humana que hallamos en los capítulos 1 y 7 de su epístola a los romanos. Pero estos pasajes de Pablo sólo son pesimistas (en el sentido de desesperanzados), cuando los leemos aisladamente y sin la respuesta a la cuestión en ellos implícita.

No ocurre esto mismo, ciertamente, en la teología sistemática. En ella debe evitarse la palabra "pesimismo" referida a las descripciones de la naturaleza humana, porque este término designa un estado de ánimo y no un concepto o una descripción. Además, desde el punto de vista de la estructura sistemática, hemos de añadir que los elementos existenciales sólo son una parte de la condición humana, puesto que tienen que combinarse, de manera ambigua, con los elementos esenciales; de lo contrario, nunca llegarían a ser. Tanto los elementos esenciales como los elementos existenciales son siempre abstracciones de la realidad concreta del ser, es decir, de la "vida". Tal es el tema de la cuarta parte de la *Teología sistemática*. De todas formas, las abstracciones son necesarias para el análisis, incluso en el caso de ser fuertemente negativas. Y aunque nos sea de difícil aceptación, ningún análisis existencialista de la condición humana puede eludir esta negatividad —como nunca pudo eludirla la doctrina del pecado en la teología tradicional.

B. LA TRANSICIÓN DE LA ESENCIA A LA EXISTENCIA Y EL SÍMBOLO DE "LA CAÍDA"

1. EL SÍMBOLO DE "LA CAÍDA" Y LA FILOSOFÍA OCCIDENTAL

El símbolo de "la caída" constituye un capítulo decisivo de la tradición cristiana. Aunque habitualmente asociado al relato bíblico de "la caída de Adán", su significado trasciende este mito y cobra una significación antropológica universal. El literalismo bíblico prestó un mal servicio al cristianismo cuando identificó la importancia dada al símbolo de la caída con la interpretación literalista de la narración del Génesis. La teología no necesita examinar a fondo este literalismo, pero nosotros hemos de comprender de qué modo ha repercutido en la Iglesia cristiana entorpeciendo su labor apologética. Con toda claridad y sin ambigüedades, la teología tiene que presentar "la caída" como un símbolo de la situación humana en todos los tiempos, y no como la narración de un acontecimiento que sucedió en un remoto antaño.

Con objeto de hacer más aguda aún esta comprensión, en el presente sistema teológico utilizamos la expresión "transición de la esencia a la existencia", la cual, por así decirlo, constituye una "semidesmitologización" del mito de la caída, y de este modo eliminamos el elemento "antaño". Pero la desmitologización no es completa, puesto que la frase "transición de la esencia a la existencia" contiene todavía un elemento temporal. Y si hablamos de lo divino en términos temporales, hablamos todavía en términos míticos, aunque hayamos sustituido las figuras y las situaciones mitológicas por unos conceptos tan abstractos como "esencia" y "existencia". No es posible una desmitologización total al hablar de lo divino. Cuando Platón describió la transición de la esencia a la existencia, utilizó una expresión mitológica —y habló de la "caída del alma". Sabía que la existencia no es una cuestión de necesidad esencial sino un hecho, y por eso la "caída del alma" es una narración que ha de expresarse en símbolos míticos. De haber entendido la existencia como una implicación lógica de la esencia, nos habría presentado la existencia misma como algo esencial. Simbólicamente hablando, habría considerado el pecado como algo creado, como una consecuencia necesaria de la naturaleza esencial del hombre. Pero el pecado no es algo creado, y la transición de la esencia a la existencia es un hecho, una narración para contar, y no un paso dialéctico derivado. Por consiguiente, no es posible desmitologizarla por completo.

En este punto, tanto el idealismo como el naturalismo se oponen al símbolo cristiano (y platónico) de la caída. El esencialismo del sistema hegeliano se cumple en términos idealistas. En él, como en todo idealismo, la caída se reduce a la diferencia entre la idealidad y la realidad, y se considera entonces la realidad como algo que tiende a lo ideal. La caída no es una ruptura sino una realización imperfecta. Lo real se aproxima a su plena realización a lo largo del proceso histórico, o cumple, en principio, esa plena realización suya en el período actual de la historia. El cristianismo y el existencialismo consideran la forma progresivista (o revolucionaria) de la fe idealista como utopía, y la forma conservadora de la misma como ideología. A ambas las interpretan como una especie de autoengaño e idolatría, porque ninguna de las dos asume a fondo el poder autocontradictorio de la libertad humana y la implicación demoníaca de la historia.

La caída, en el sentido de transición de la esencia a la existencia, no sólo es negada por el idealismo sino también por el naturalismo —aunque por el otro lado, por así decirlo. El naturalismo da por supuesta la existencia, sin que se preocupe por el origen de su negatividad. No intenta responder a la pregunta de por qué el hombre siente la negatividad como algo que no debería existir y de la que él es responsable. Rechaza tenazmente, e incluso con cinismo, ciertos símbolos como el de la caída, las descripciones de la condición humana y algunos conceptos como los de "alienación" y "el hombre contra sí mismo". En cierta ocasión oí decir a un filósofo naturalista que "el hombre carece de una condición propia". Sin embargo, los pensadores naturalistas suelen evitar la resignación o el cinismo incorporándose algunos elementos del idealismo, tanto en su forma más progresivista como en la forma más realista del estoicismo. En ambos casos trascienden el puro naturalismo, pero no llegan al símbolo de la caída. Tampoco recaba este símbolo, en el antiguo estoicismo, la creencia en el deterioro de la existencia histórica del hombre y en el abismo de separación que media entre los necios y los discretos. Y por lo que respecta al neo-estoicismo, se halla impregnado de tantos elementos idealistas que no puede alcanzar la gran profundidad del realismo cristiano.

Cuando comparamos un símbolo cristiano, como el de la caída, con algunas filosofías como el idealismo, el naturalismo o el neo-estoicismo, cabe preguntarnos si es posible relacionar las ideas que yacen a estos distintos niveles, es decir, al nivel del simbolismo religioso por un lado y al nivel de los conceptos filosóficos por el otro. Pero, como ya explicamos en el capítulo del primer volumen consagrado a la filosofía y la teología, existe una interpenetración de niveles entre la teología y la filosofía. Cuando el filósofo idealista o naturalista afirma que "no existe ninguna condición humana", en realidad adopta una decisión existencial acerca de una cuestión de preo-

cupación última. Y al expresar esta decisión suya en términos
conceptuales, se convierte en teólogo. Del mismo modo, cuando
el teólogo dice que la existencia se halla alienada de la esencia, no sólo adopta una decisión existencial, sino que, al expresar su decisión en conceptos ontológicos, se convierte en filósofo. El filósofo no puede evitar las decisiones existenciales, ni
el teólogo los conceptos ontológicos. Aunque sean opuestas sus
intenciones, resultan comparables sus modos de proceder. Esto
justifica que establezcamos una comparación entre el símbolo
de la caída y el pensamiento filosófico occidental, y que preco-
nicemos la alianza del existencialismo y la teología.

2. La libertad finita como posibilidad de transición de la esencia a la existencia

El relato que aparece en los capítulos 1-3 del Génesis, si lo
consideramos como un mito, puede orientar nuestra descripción
de la transición operada desde el ser esencial al ser existencial.
Dicho relato constituye la mejor y más profunda expresión de
la conciencia que posee el hombre de su alienación existencial
y nos proporciona el esquema con arreglo al cual es posible dis-
currir sobre la transición de la esencia a la existencia, puesto
que nos señala: primero, la posibilidad de la caída; segundo, los
motivos de la misma; tercero, el hecho en sí de la caída; y cuarto, las consecuencias que acarrea. Tal es el orden y el esquema
al que se ajustan los capítulos que siguen a continuación.

En la parte titulada "El ser y Dios" del primer volumen,
discutimos la polaridad de libertad y destino en relación al ser
como tal y en relación a los seres humanos en particular. Partiendo de la solución que allí dimos, podemos responder ahora
en términos de "libertad" a la cuestión de cómo es posible la
transición de la esencia a la existencia, puesto que la libertad
siempre se halla sujeta a su unidad polar con el destino. Pero
esto es dar tan sólo el primer paso hacia la formulación de una
respuesta. En aquella misma sección del primer volumen, describimos la conciencia que el hombre posee de su finitud y de
la finitud universal, y analizamos luego la situación del ser que
al mismo tiempo se halla relacionado con la infinitud y excluido
de ella. Esto constituye el segundo paso hacia la formulación de

una respuesta, es decir, que no se trata aquí de la libertad como tal, sino de la libertad finita. A diferencia de todas las demás creaturas, el hombre tiene libertad. Las creaturas poseen ciertas analogías con la libertad, aunque no la libertad misma. Pero el hombre es finito: está excluido de lo infinito al que pertenece. Podríamos decir que la naturaleza es necesidad finita, Dios libertad infinita y el hombre libertad finita. La libertad finita es lo que hace posible la transición de la esencia a la existencia.

El hombre es libre en la medida en que posee un lenguaje. Gracias al lenguaje, dispone de los universales que lo liberan de la esclavitud a la situación concreta a la que están sujetos incluso los animales superiores. Es libre en la medida en que es capaz de interrogarse acerca del mundo que le rodea y que le incluye, y de penetrar en niveles cada vez más profundos de la realidad. Es libre en la medida en que puede acoger unos imperativos incondicionales de orden moral y lógico, que entrañan la posibilidad humana de trascender las condiciones que determinan todo ser finito. Es libre en la medida en que tiene el poder de deliberar y decidir más allá de los mecanismos de estímulo y respuesta. Es libre en la medida en que puede manejar y construir unas estructuras imaginarias más allá de las estructuras reales a las que él, como todos los seres, se halla sujeto. Es libre en la medida en que posee la facultad de crear otros mundos más allá del mundo concreto, de crear el mundo de los instrumentos y de los productos técnicos, el mundo de las expresiones artísticas, el mundo de las estructuras teóricas y de las organizaciones prácticas. Finalmente, el hombre es libre en la medida en que tiene el poder de contradecirse a sí mismo y contradecir su naturaleza esencial. Es libre incluso frente a su libertad, es decir, puede renunciar a su humanidad. Esta cualidad final de su libertad es la que nos proporciona el tercer paso para la formulación de una respuesta a la cuestión de cómo es posible la transición de la esencia a la existencia.

La libertad del hombre es una libertad finita. Todas las potencialidades que constituyen su libertad se hallan limitadas por el polo opuesto, su destino. En la naturaleza, el destino tiene carácter de necesidad. A pesar de las analogías con el destino humano, Dios es su propio destino. Esto significa que trasciende la polaridad de libertad y destino. En el hombre, libertad

y destino se limitan recíprocamente, porque el hombre posee
una libertad finita. Es cierta tal limitación en todo acto de
libertad humana, y lo es asimismo en la cualidad final de la
humana libertad, es decir, en el poder de renunciar a la propia
libertad. Incluso la libertad de autocontradecirse está limitada
por el destino, porque como libertad finita, sólo puede darse
en el contexto de la transición universal de la esencia a la existencia. No hay una caída individual. En la narración del Génesis, los dos sexos y la naturaleza, representada por la serpiente,
actúan de consuno. La transición de la esencia a la existencia
es posible porque la libertad finita actúa en el marco de un destino universal. Y éste constituye el cuarto paso hacia la formulación de una respuesta.

La teología tradicional discurrió acerca de la posibilidad de
la caída en términos del *potuit peccare* de Adán —su libertad
de pecar. No vio que esta libertad era inseparable de la estructura total de la libertad de Adán y, por ello, la consideró como
un don divino equívoco. Calvino creyó que la libertad de caer
era una debilidad del hombre, lamentable desde el punto de
vista de la felicidad humana, puesto que significaba la condenación eterna para la mayoría de los seres humanos (por ejemplo, para todos los paganos). Este don únicamente era comprensible desde el punto de vista de la gloria divina, en cuya
virtud Dios decidió revelar su majestad no sólo a través de la
salvación de los hombres sino también a través de su condenación. Pero la libertad de distanciarse de Dios es una cualidad
de la estructura de la libertad como tal. La posibilidad de
la caída depende de todas las cualidades de la libertad humana consideradas en su unidad. Simbólicamente hablando, es
la imagen de Dios en el hombre lo que hace posible la caída.
Sólo aquel que es la imagen de Dios tiene el poder de separarse
de Dios. Su grandeza es al mismo tiempo su debilidad. Ni siquiera Dios podría suprimir la una sin suprimir la otra. Y de
no haber recibido el hombre esta posibilidad de pecar, habría
sido una cosa más entre las cosas, incapaz de servir a la gloria
divina tanto en su salvación como en su condenación. De ahí
que la doctrina de la caída se haya considerado siempre como
la doctrina de la caída del hombre, aunque sin dejar de verla
asimismo como un acontecimiento cósmico.

3. La "inocencia soñadora" y la tentación

Después de examinar de qué modo es posible la transición de la esencia a la existencia, llegamos ahora al problema de dilucidar los motivos que inducen a esta transición. Para formular una respuesta, hemos de poseer una imagen del estado del ser esencial en el que actúan tales motivos. La dificultad estriba en que el estado del ser esencial no es un estado real del desarrollo humano que podamos conocer directa o indirectamente. La naturaleza esencial del hombre está presente en todas las etapas de su desarrollo, aunque en distorsión existencial. En el mito y en el dogma, la naturaleza esencial del hombre ha sido proyectada en el pasado como una historia anterior a la historia, simbolizada como una edad de oro o paraíso. En términos psicológicos, podemos interpretar este estado como el estado de la "inocencia soñadora". Ambas palabras indican algo que precede a la existencia real. Algo que tiene potencialidad, pero no realidad. Algo que no ocupa ningún lugar, que es *ou topos* (utopía). Algo que carece de tiempo: precede a la temporalidad y es suprahistórico. Soñar es un estado de la mente que es, a la vez, real y no real —como lo es la potencialidad. El soñar anticipa lo real, del mismo modo que todo lo real está de algún modo presente en lo potencial. En el momento de despertar, las imágenes del sueño desaparecen como imágenes, pero retornan como realidades. La realidad es ciertamente distinta de las imágenes del sueño, pero no totalmente distinta, ya que lo real está presente en lo potencial en forma de anticipación. Por tales razones, resulta adecuada la metáfora "soñadora" para describir el estado del ser esencial.

La palabra "inocencia" indica asimismo la potencialidad no actualizada: sólo se es inocente con respecto a algo que, de actualizarse, acabaría con el estado de inocencia. Esta palabra posee tres connotaciones. Puede significar falta de experiencia real, falta de responsabilidad personal y falta de culpa moral. En el uso metafórico de ella que aquí sugerimos, posee los tres sentidos. Designa el estado anterior a la realidad, a la existencia y a la historia. Si usamos la metáfora "inocencia soñadora", aparecen ciertas connotaciones concretas tomadas de la experiencia humana. Recordamos los primeros períodos de la vida de un niño. El ejemplo más notorio es el desarrollo de su conciencia sexual. Hasta cierta edad, el niño es inconsciente de sus potencialidades sexuales. En el difícil período de la transición de la potencialidad a la realidad, tiene lugar en él un despertar. El niño adquiere experiencia, responsabilidad y culpa, y pierde el estado de inocencia soñadora. Este ejemplo es palpable en la narración bíblica, donde la conciencia sexual constituye la primera consecuencia de la pérdida de la inocencia. Pero no deberíamos confundir este uso metafórico del término "inocencia" con la falsa afirmación de que un ser humano recién nacido se halla en un estado de impecabilidad. Toda vida está sujeta a las condiciones de la existencia. La palabra "inocencia", lo mismo que la palabra "soñadora", no la usamos en su sentido propio sino en su sentido analógico, y es de este modo como puede proporcionarnos una primera comprensión psicológica del estado del ser esencial o potencial.

El estado de inocencia soñadora conduce más allá de sí mismo. La posibilidad de la transición a la existencia se experimenta como tentación. La tentación es inevitable, porque el estado de inocencia soñadora es incontestado e indeciso. No es una perfección. Los teólogos ortodoxos han acumulado perfección tras perfección en el Adán anterior a la caída, equiparándolo a la figura de Cristo. Tal proceder no sólo es absurdo, sino que hace enteramente ininteligible la caída. La mera potencialidad o inocencia soñadora no es perfección. Sólo lo es la unión consciente de esencia y existencia: Dios es perfecto, porque trasciende la esencia y la existencia. El símbolo "Adán antes de la caída" debe entenderse, pues, como la inocencia soñadora de potencialidades aún indecisas.

Hemos de proseguir nuestro análisis del concepto de "libertad finita", si ahora nos preguntamos qué es lo que conduce la inocencia soñadora más allá de sí misma. El hombre no sólo es finito, como lo es toda creatura; además, es consciente de su finitud. Y esta conciencia es la "congoja".[2] Hasta la última década, no se ha asociado el término "congoja" con la palabra alemana y danesa Angst (angustia), que procede del latín an-

2. Para ser fieles a la terminología de P. Tillich y tal como ya hicimos en el primer volumen de esta obra, traducimos el término inglés *anxiety* por "congoja" y reservamos la palabra "angustia" para traducir el vocablo alemán y danés Angst o el inglés *anguish*. — N. del T.

gustiae, "angosturas". Gracias a Sören Kierkegaard, la palabra *Angst*, angustia, se ha convertido en un concepto central del existencialismo y expresa la conciencia de ser un ser finito, una mezcla de ser y non-ser o un ser amenazado por el non-ser. Todas las creaturas están impulsadas por la congoja, ya que la finitud y la congoja son lo mismo. Pero, en el hombre, la libertad va unida a la congoja. Podríamos decir que la libertad del hombre es una "libertad en la congoja" o "una libertad acongojada" (en alemán, *sich ängstigende Freiheit*). Esta congoja es una de las fuerzas motrices de la transición de la esencia a la existencia. Kierkegaard sobre todo ha utilizado este concepto de congoja para describir (no para explicar) la transición de la esencia a la existencia.

Mediante esta idea y el análisis de la estructura de la libertad finita, podemos mostrar de dos modos distintos, aunque interrelacionados, los motivos que inducen a la transición de la esencia a la existencia. Existe un elemento en la narración del Génesis al que a menudo no se ha prestado la debida atención —la prohibición divina de no comer del árbol de la ciencia. Todo mandato presupone que lo mandado no ha sido aún realizado. La prohibición divina presupone una cierta divergencia entre el creador y la creatura, divergencia que hace necesario el mandato, aunque éste sólo se dé para poner a prueba la obediencia de la creatura. Esta hendidura entre el creador y la creatura constituye el punto más importante en la interpretación de la caída, ya que presupone un pecado que todavía no es pecado, pero que tampoco es ya inocencia. Se trata del deseo de pecar. Quizás a este estado de deseo podríamos llamarlo la "libertad despierta". En el estado de inocencia soñadora, la libertad y el destino están en armonía, pero ninguno de ellos se halla actualizado. Su unidad es esencial o potencial; es una unidad finita y, por ende, susceptible de tensiones y ruptura —como en el caso de la inocencia incontestada. La tensión surge en el momento en que la libertad finita se hace consciente de sí misma y tiende a convertirse en real. Podríamos llamarlo el momento del despertar de la libertad. Pero en este mismo momento se desencadena una reacción, que procede de la unidad esencial de la libertad y el destino. La inocencia soñadora quiere protegerse a sí misma. Esta reacción se simboliza en el relato bíblico como la prohibición divina contra la actualiza-

ción de la propia libertad potencial y contra la adquisición de
conocimiento y poder. El hombre está entre dos fuegos: el
deseo de actualizar su libertad y la exigencia de preservar su
inocencia soñadora. Y haciendo uso del poder de su libertad
finita, se decide por lo primero.

Podemos efectuar este mismo análisis, por decirlo así, desde
dentro, es decir, desde la conciencia acongojada que el hombre
tiene de su libertad finita. En el momento en que el hombre cobra conciencia de su libertad, se ve embargado asimismo por
la conciencia de que aquella es una situación peligrosa. El hombre experimenta una doble amenaza, que se enraiza en su libertad finita y se expresa en forma de congoja. El hombre experimenta la congoja de perderse a sí mismo al no actualizarse ni
actualizar sus potencialidades y la congoja de perderse igualmente al actualizarse y actualizar sus potencialidades. El hombre se halla ante el dilema de preservar su inocencia soñadora
renunciando a experimentar la realidad del ser o de perder su
inocencia gracias al conocimiento, el poder y la culpa. La congoja suscitada por esta situación constituye el estado de tentación. Y el hombre se decide por la propia actualización, poniendo así fin a su inocencia soñadora.

También ahora la inocencia sexual es la que psicológicamente nos ofrece la analogía más adecuada. El adolescente típico
siente la congoja de perderse a sí mismo tanto si se actualiza
como si no se actualiza sexualmente. Por una parte, los tabús
que la sociedad le impone lo dominan al confirmarle su propia
congoja ante la pérdida de su inocencia y al hacerlo culpable
por haber actualizado su potencialidad. Por otra parte, teme no
actualizarse sexualmente y sacrificar así sus potencialidades
para preservar su inocencia. Habitualmente se decide por la
actualización, como universalmente se deciden a hacerlo los
hombres. Las excepciones (por ejemplo, en el contexto de un
ascetismo consciente) limitan, pero no suprimen, esta analogía
con lo que suele ser la situación humana.

Este análisis de la tentación, tal como acabamos de efectuar-
lo, no entraña la menor referencia al conflicto entre la parte
corporal y la parte espiritual del hombre como una posible
causa suya. La doctrina del hombre aquí esbozada implica una
comprensión "monista" de la naturaleza humana, opuesta a una
comprensión dualista de la misma. El hombre es un todo, cuyo

ser esencial está caracterizado por la inocencia soñadora, cuya libertad finita posibilita la transición de la esencia a la existencia, cuya libertad despierta lo sitúa entre dos congojas que lo amenazan con la pérdida de sí mismo, cuya decisión va en contra de la preservación de su inocencia soñadora y a favor de su propia actualización. Mitológicamente hablando, el fruto del árbol de la tentación pertenece tanto al ámbito de los sentidos como al ámbito espiritual.

4. EL ELEMENTO MORAL Y EL ELEMENTO TRÁGICO EN LA TRANSICIÓN DEL SER ESENCIAL AL SER EXISTENCIAL

La transición de la esencia a la existencia constituye el hecho original. No es el primer hecho en un sentido temporal, ni un hecho contemporáneo o anterior a otros hechos, sino aquello que confiere validez a todo hecho. Es lo que hay de real en todo hecho. Nosotros existimos y existe el mundo a nuestro alrededor. Éste es el hecho original. Y esto significa que la transición de la esencia a la existencia es una cualidad universal del ser finito. No es un acontecimiento del pasado, puesto que, ontológicamente, precede a todo cuanto ocurre en el tiempo y el espacio, sino que establece las condiciones de la existencia espacial y temporal, y se hace manifiesto en toda persona individual cuando en ella tiene lugar el paso de la inocencia soñadora a la actualización y la culpa.

Si la transición de la esencia a la existencia se expresa en forma mitológica —tal como debe hacer el lenguaje religioso—, entonces se nos presenta como un acontecimiento del pasado, aunque sea tanto del pasado como del presente y del futuro. El acontecimiento del pasado al que hace referencia la teología tradicional es la narración de la caída que hallamos en el libro del Génesis. Quizá ningún texto literario ha sido objeto de tantas interpretaciones como el tercer capítulo del Génesis. Esto se debe, en parte, a su unicidad —incluso en la literatura bíblica—, en parte, a su profundidad psicológica y, en parte, a su fuerza religiosa. En lenguaje mitológico, este texto describe la transición de la esencia a la existencia como un acontecimiento único que acaeció antaño en cierto lugar y a ciertas personas —primero a Eva y luego a Adán. El mismo Dios aparece en el relato como una persona individual en el tiempo y el espacio bajo la típica "figura de padre". Toda la descripción es de neto carácter ético-psicológico y refleja la experiencia diaria de unos hombres que vivían en unas condiciones sociales y culturales peculiares. Pero, a pesar de ello, pretende tener una validez universal. El predominio de los aspectos psicológicos y éticos no excluye la presencia de otros factores en la narración bíblica. La serpiente representa las tendencias dinámicas de la naturaleza; luego aparece el carácter mágico de los dos árboles, el despertar de la conciencia sexual y la maldición sobre la descendencia de Adán, el cuerpo de la mujer, los animales y la tierra.

Tales rasgos de la narración bíblica demuestran que bajo su forma ético-psicológica se oculta un mito cósmico y que la "desmitologización" profética de este mito no eliminó los elementos míticos sino que los subordinó al punto de vista ético. El mito cósmico reaparece en la Biblia tanto en forma del combate que libra lo divino contra los poderes demoníacos y los poderes del caos y la oscuridad, como en el mito de la caída de los ángeles y en la interpretación que ve en la serpiente del Edén la corporalización de un ángel caído. Todos estos ejemplos apuntan claramente a las presuposiciones e implicaciones cósmicas de la caída de Adán. Pero lo que confiere un mayor énfasis al carácter cósmico de la caída es el mito de la caída trascendente de las almas. Aunque de origen probablemente órfico, quien primero narró este mito fue Platón al oponer la esencia a la existencia. Luego recibió una forma cristiana en Orígenes, una expresión humanista en Kant y se halla presente en muchas otras filosofías y teologías de la era cristiana. Todos estos autores han admitido que la existencia no puede surgir en el seno de la existencia, es decir, no puede proceder de un acontecimiento singular ocurrido en el espacio y en el tiempo. Han admitido, pues, que la existencia posee una dimensión universal.

El mito de la caída trascendente no es directamente bíblico, pero tampoco contradice a la Biblia. Afirma el elemento ético-psicológico de la caída y completa las dimensiones cósmicas de la misma que hallamos en la literatura bíblica. Lo que suscita el mito de la caída trascendente es el carácter universalmente trágico de la existencia. Este mito significa que la misma constitución de la existencia implica la transición de la esencia a la existencia. El acto individual de la alienación existencial no es el acto aislado de un individuo aislado; es un acto de libertad que, no obstante, se halla hincado en el destino universal de la existencia. En todo acto individual se actualiza el carácter alienado o caído del ser. Toda decisión ética es un acto tanto de libertad individual como de destino universal. Esto es lo que justifica las dos formas del mito de la caída. Obviamente, ambas son mitos, y ambas son absurdas si las consideramos en su sentido literal y no en su condición simbólica. La existencia está enraizada tanto en la libertad ética como en el destino trágico. Si negamos uno u otro de tales enraizamientos, la situación humana se hace incomprensible. Pero la unidad de ambos constituye el mayor problema con que se enfrenta la doctrina del hombre. De todos los aspectos del mito cósmico del Génesis, la doctrina del "pecado original" ha sido el más violentamente atacado desde principios del siglo xviii. Este concepto fue lo primero que criticó la Ilustración y, en la actualidad, la repudiación del mismo es uno de los últimos puntos defendidos por el humanismo contemporáneo. Dos razones explican la violencia con que la mentalidad moderna ha combatido la idea del pecado original. En primer lugar, porque su forma mitológica la interpretaron en sentido literal tanto los que la impugnaban como los que la defendían y, por consiguiente, resultó inaceptable para el pensamiento histórico-crítico que entonces se iniciaba. En segundo lugar, porque la doctrina del pecado original parecía implicar una valoración negativa del hombre, y esto contradecía radicalmente el nuevo sentimiento que en pro de la vida y del mundo había desarrollado la sociedad industrial. Se temía que este pesimismo acerca del hombre frenase el tremendo empuje con que el hombre moderno estaba transformando técnica, política y educacionalmente el mundo y la sociedad. Hubo y todavía subsiste el recelo de que esta valoración negativa de la capacidad moral e intelectual del hombre pueda acarrear unas consecuencias autoritarias y totalitarias. La teología debe adoptar —y a menudo así lo ha hecho— la actitud histórico-crítica frente al mito bíblico y eclesiástico. Más aún, debe subrayar la valoración positiva del hombre en su naturaleza esencial. Debe unirse al humanismo clásico para defender la bondad creada del hombre contra las negaciones naturalistas y existencialistas de su grandeza y dignidad. Al mismo tiempo, la teología debería reinterpretar la doctrina del pecado original poniendo de manifiesto la autoalienación existencial del hombre y echando mano de los análisis existencialistas de la condición humana. De este modo, debe desarrollar una doctrina realista del hombre, en la que se equilibren el elemento ético y el elemento trágico de su autoalienación. Y es muy posible que esta labor exija la supresión definitiva en el vocabulario teológico de ciertos términos como "pecado original" o "pecado hereditario" y su sustitución por una descripción de la interpretación del elemento moral y el elemento trágico en la situación humana.

La base empírica para una descripción de este tipo ha llegado a ser prodigiosamente amplia en nuestros días. Tanto la psicología analítica como la sociología analítica nos han mostrado de qué modo el destino y la libertad, la tragedia y la responsabilidad se entretejen en todo ser humano desde su primera infancia y en todos los grupos sociales y políticos a lo largo de la historia de la humanidad. La Iglesia cristiana, en su descripción de la situación humana, ha observado un constante equilibrio entre ambos extremos, aunque a menudo lo ha hecho con un lenguaje inadecuado y siempre en direcciones conflictivas. Agustín luchó por una concepción tan alejada del maniqueísmo como del pelagianismo; Lutero rechazó a Erasmo, pero fue interpretado por Flacius Illyricus como semimaniqueo; los jansenistas se vieron acusados por los jesuitas de destruir la racionalidad del hombre; la teología liberal es criticada tanto por la neo-ortodoxia como por cierto existencialismo (por ejemplo, Sartre y Kafka), quienes le imputan algunos rasgos maniqueos. El cristianismo no puede eludir tales tensiones. Simultáneamente tiene que reconocer la universalidad trágica de la alienación y la responsabilidad personal que le alcanza al hombre por ella.

5. Creación y caída

La unión del elemento moral y del elemento trágico en la condición humana suscita la cuestión de la relación que media en la existencia entre el hombre y el universo, y, por consiguiente, la cuestión de la creación y la caída. Tanto en los mitos no bíblicos como en los mitos bíblicos, al hombre se le considera responsable de la caída, aunque se conciba ésta como un acontecimiento cósmico, como la transición universal de la bondad esencial a la alienación existencial. En los mitos, ciertas figuras subhumanas y suprahumanas influyen en la decisión del hombre. Pero es el hombre en sí quien decide y quien recibe luego la maldición divina que su decisión le acarrea. En la narración del Génesis, la serpiente es la que representa la dinámica de la naturaleza en el hombre y a su alrededor. Pero la serpiente carece de todo poder. Sólo a través del hombre puede producirse la transición de la esencia a la existencia. Más tarde, otras doctrinas combinaron el símbolo de los ángeles rebeldes con el símbolo de la serpiente. Pero, aun así, no se pretendió eximir al hombre de su responsabilidad, puesto que la caída de Lucifer, aunque dio paso a la tentación del hombre, no fue la causa de su caída. El mito de la caída de los ángeles no nos ayuda a desentrañar el enigma de la existencia, sino que entraña un enigma todavía mayor, a saber, cómo los "espíritus puros", que perciben eternamente la gloria divina, pueden sentir la tentación de apartarse de Dios. Esta forma de interpretar la caída del hombre requiere una mayor elucidación que la misma caída. Podemos criticar este mito porque confunde los poderes del ser con los seres. Lo que hay de verdad en la doctrina de los poderes angélicos y demoníacos es la existencia de estructuras supraindividuales de bondad y estructuras supraindividuales de maldad. Ángeles y demonios no son sino los nombres mitológicos con que el hombre designa los poderes constructivos y destructivos del ser, poderes que andan ambiguamente entretejidos y en mutua lucha en el seno de una misma persona, de un mismo grupo social y de una misma situación histórica. No son seres sino poderes del ser que dependen de la estructura total de la existencia y se hallan implícitos en la ambigüedad de la vida. El hombre es responsable de la transición de la esencia a la existencia, porque posee una libertad finita y porque en él confluyen todas las dimensiones de la realidad.

Por otra parte, ya vimos que la libertad del hombre está hincada en el destino universal y que, por consiguiente, la transición de la esencia a la existencia es a la vez de índole

moral y de índole trágica. Pero esto nos obliga a preguntarnos
de qué modo se relaciona la existencia universal con la existencia del hombre. Por lo que respecta a la caída, ¿cuál es la
relación que existe entre el hombre y la naturaleza? Y si el
universo participa igualmente en la caída, ¿cuál es la relación
que existe entre la creación y la caída?

El literalismo bíblico nos diría que la caída del hombre
modificó las estructuras de la naturaleza. La maldición divina
contra Adán y Eva implica un cambio en la naturaleza del
hombre y en la naturaleza que rodea al hombre. Si rechazamos
por absurdo este literalismo, ¿qué significa entonces la expresión "mundo caído"? Si las estructuras de la naturaleza fueron
siempre lo que son en la actualidad, ¿cómo podemos hablar
de la participación de la naturaleza —incluyendo en ella la
base natural del hombre— en la alienación existencial humana?
¿Fue el hombre quien corrompió la naturaleza? ¿Tiene algún
sentido este juego de palabras?

La respuesta más obvia a tales preguntas es que la transición de la esencia a la existencia no es un acontecimiento
que tuvo lugar en el tiempo y el espacio, sino la cualidad transhistórica de todos los acontecimientos que se dan en el tiempo
y el espacio. Y eso es igualmente cierto tanto por lo que respecta al hombre como a la naturaleza. "Adán antes de la caída"
y "la naturaleza antes de la maldición" son estados de potencialidad. No son estados reales. El estado real es esta existencia
en la que el hombre se halla junto con todo el universo, y no
hubo tiempo alguno en que esto fuese de otro modo. La noción
de un momento *en* el tiempo en el que el hombre y la naturaleza pasaron del bien al mal es absurda y carece de todo fundamento tanto en la experiencia como en la revelación.

A la luz de esta afirmación, podemos preguntarnos si no sería
menos desorientador que abandonásemos por completo el concepto de "mundo caído" y estableciésemos una distinción radical entre el hombre y la naturaleza. ¿No sería más realista afirmar que
sólo el hombre puede hacerse culpable porque es el único que
puede adoptar unas decisiones responsables, y que la naturaleza
es inocente? Son muchos los que aceptan esta distinción, porque parece solventar un problema harto complejo de un modo
muy simple. Pero es demasiado simple esta solución para que
sea verdadera. Puesto que despoja a la condición humana

de su elemento trágico, del elemento del destino. Si la alienación se basara únicamente en las decisiones responsables de la persona individual, todo individuo tendría siempre la posibilidad de contradecir o no contradecir su naturaleza esencial. No habría razón alguna para negar que el hombre pudo evitar y ha evitado por completo el pecado. Éste fue el punto de vista pelagiano, aunque Pelagio tuvo que admitir que los malos ejemplos influyen en las decisiones de los individuos libres y responsables. Pero en esta concepción no se afirma nada que se parezca a la "esclavitud de la voluntad" y no presta la menor atención al elemento trágico de la condición humana, que es manifiesto desde los primeros años de la infancia. En la tradición cristiana, hombres como Agustín, Lutero y Calvino han rechazado este punto de vista. Las ideas pelagianas ya fueron repudiadas por la Iglesia primitiva, y las ideas semipelagianas, que habían cobrado fuerza en la Iglesia medieval, fueron descartadas por los reformadores. En la actualidad, los teólogos neo-ortodoxos y existencialistas rechazan asimismo las ideas neo-pelagianas del moralismo protestante contemporáneo. El cristianismo conoce y nunca podrá renunciar a su conocimiento de la universalidad trágica de la alienación existencial.

Sin embargo, esto significa que el cristianismo ha de rechazar la separación idealista entre una naturaleza inocente, por un lado, y el hombre culpable, por el otro lado. Tal recusación es relativamente fácil en nuestro tiempo debido a los atisbos logrados sobre el desarrollo del hombre y su relación con la naturaleza dentro y fuera de sí mismo. En primer lugar, cabe demostrar que en el desarrollo del hombre no existe ninguna discontinuidad absoluta entre la esclavitud animal y la libertad humana. Existen saltos entre los diversos estadios de este proceso, pero existe asimismo una transformación paulatina y continua. Es imposible decir en qué punto de la evolución natural la naturaleza animal es sustituida por la naturaleza que, según nuestra experiencia actual, conocemos como humana y que es cualitativamente distinta de la naturaleza animal. Y no puede negarse la posibilidad de que ambas naturalezas estuviesen antes en mutuo conflicto en el mismo ser. En segundo lugar, no es posible determinar en qué momentos del desarrollo del individuo humano empieza y termina su responsabilidad. El pensamiento legal sitúa este momento más bien en una etapa tardía del proceso individual. Pero, incluso en la madurez, existen ciertos límites a la responsabilidad del hombre y algunos de ellos son tan terminantes que la moral y la ley deben tenerlos en cuenta. La "responsabilidad" presupone haber alcanzado el pleno desarrollo de la capacidad de "responder" como persona. Pero son numerosos los estados en que la centralidad del hombre queda disminuida por el cansancio, la enfermedad, la intoxicación, los impulsos neuróticos y las rupturas psicopáticas. Todo esto no elimina la responsabilidad, sino que pone de manifiesto el elemento de destino que existe en todo acto de libertad. En tercer lugar, hemos de referirnos al actual redescubrimiento del inconsciente y el poder determinante que ejerce sobre las decisiones conscientes del hombre. La literatura existencialista del pasado y de nuestra época, así como los actuales movimientos psicoanalíticos, describen detalladamente este proceso. Uno de los hechos más significativos acerca de la dinámica de la personalidad humana lo constituye la ignorancia intencional sobre los motivos reales del propio obrar. En sí mismos los motivos son tensiones corporales o psíquicas, a menudo muy distantes de lo que parece ser la razón consciente de una decisión centrada. Tal decisión todavía es libre, pero la suya es una libertad dentro de los límites del destino. En cuarto lugar, debemos tener en cuenta la dimensión social de las tensiones inconscientes. El equívoco término "inconsciente colectivo" señala la realidad de dicha dimensión. El yo centrado no sólo está sujeto a las influencias de su contexto social, conscientemente constatado y admitido, sino también a las influencias que gozan de plena efectividad en una sociedad determinada aunque no sean aprehendidas ni formuladas. Todo esto demuestra que la independencia de una decisión individual es tan sólo la mitad de la verdad.

Las fuerzas biológicas, psicológicas y sociológicas ejercen una real influencia sobre toda decisión individual. El universo actúa a través de nosotros como parte que somos de este universo.

En este punto se nos podría objetar que las anteriores consideraciones, si bien refutan la libertad moral pelagiana, entronizan en cambio un destino trágico maniqueo. Pero no es así. La libertad moral sólo se hace "pelagiana" si se la separa del destino trágico; y el destino trágico sólo se hace "maniqueo" si se le separa de la libertad moral. Ambos, libertad y destino, se pertenecen mutuamente. La libertad no es una libertad de indeterminación, que convertiría toda decisión moral en un accidente, sin relación alguna con la persona que actúa. La libertad es, por el contrario, la posibilidad de un acto total y centrado de la personalidad, un acto en el que todos los impulsos e influencias que constituyen el destino del hombre se integran en la unidad centrada de una decisión. Ninguno de estos impulsos determina aisladamente la decisión. (Sólo en los estados de desintegración se halla determinada la personalidad por sus compulsiones). Pero todos son efectivos al unirse y actuar a través del centro que decide. De este modo, el universo participa en todo acto de libertad humana y representa su elemento de destino.

Inversamente, por doquier en el universo existen analogías de una libertad efectiva. En todas partes, desde las estructuras atómicas hasta los animales más altamente desarrollados, hallamos reacciones totales y centradas a las que podemos llamar "espontáneas" en la dimensión de la vida orgánica. Desde luego, tales reacciones estructuradas y espontáneas de la naturaleza no humana, no son acciones responsables y no entrañan la menor culpabilidad. Pero tampoco parece adecuado calificar por ello de "inocente" a la naturaleza. Lógicamente, no es correcto hablar de inocencia cuando no existe la menor posibilidad de ser culpable. Y así como existen analogías de la libertad humana en la naturaleza, también se dan analogías de la bondad y de la maldad humanas en todas las partes del universo. Conviene recordar ahora que Isaías profetizó la consecución de la paz por parte de la naturaleza en el advenimiento del nuevo *eón*, mostrando así que él no calificaría de "inocente" a la naturaleza. Tampoco afirmaría tal cosa el autor que, en el tercer capítulo del Génesis, nos habla de la maldición de la tierra. Ni tampoco lo haría Pablo cuando, en el octavo capítulo de la epístola a los romanos, nos habla de que la sujeción a la futilidad constituye el sino de la naturaleza. Cierto es que todas estas expresiones son de carácter poético-mítico. Pero no podían dejar de serlo, puesto que únicamente la comprensión poética descubre la vida interior de la naturaleza. Sin embargo, son expresiones substancialmente realistas y sin duda más realistas que las utopías morales que oponen el hombre inmoral a la naturaleza inocente. Del mismo modo que la naturaleza, en el hombre, participa del bien y el mal que el hombre realiza, así también la naturaleza, fuera del hombre, nos muestra ciertas analogías con el bien y el mal realizados por el hombre. El hombre penetra en la naturaleza del mismo modo que la naturaleza penetra en el hombre. Ambos participan recíprocamente uno del otro, sin que puedan ser separados uno del otro. Por esto resulta posible e incluso necesario utilizar el término "mundo caído" y aplicar el concepto de existencia (en oposición a la esencia) tanto al universo como al hombre.

La universalidad trágica de la existencia, el elemento del destino en la libertad humana y el símbolo del "mundo caído" suscitan por su misma índole el problema de determinar si el pecado es ontológicamente necesario o si se trata de una mera cuestión de responsabilidad y culpa personal. La descripción que acabamos de efectuar, ¿acaso no "ontologiza constantemente" la realidad de la caída y de la alienación? Tales cuestiones revisten una singular urgencia en cuanto afirmemos (como así debemos afirmarlo) que existe un punto en el que coinciden la creación y la caída, a pesar de ser lógicamente distintas.

La respuesta a estas cuestiones (que han planteado varios críticos del primer volumen de esta obra, sobre todo Reinhold Niebuhr en su contribución al libro *La teología de Paul Tillich*) nos la da una interpretación de lo que significa la coincidencia de creación y caída. Puesto que creación y caída coinciden porque no existe ningún punto en el tiempo y el espacio en el que la bondad creada esté actualizada y tenga existencia. Rechazar la interpretación literal de la narración del paraíso acarrea necesariamente esta consecuencia. No existió ninguna "utopía" en el pasado, como tampoco existirá en el futuro. La creación actualizada y la existencia alienada son idénticas. Sólo el literalismo bíblico tiene el derecho teológico de negar esta aserción. Pero quien descarta la idea de un estadio histórico de bondad esencial no debe tratar de eludir las consecuencias que de ello se siguen. Y esto todavía resulta más obvio si aplicamos el símbolo de la creación a la totalidad del proceso temporal. Si Dios está creando ahora y aquí, todo lo creado participa en la transición de la esencia a la existencia. Dios crea al recién nacido; pero, al ser creado, el recién nacido incide en el estado de alienación existencial. Tal es el punto en que coinciden la creación y la caída. Pero no se trata de una coincidencia lógica; porque el niño, al crecer y llegar a la madurez, afirma este estado de alienación por unos actos de libertad que implican responsabilidad y culpa. La creación es buena en su índole esencial. Al actualizarse, incurre en la alienación universal gracias a la libertad y el destino. Que numerosos críticos vacilen ante la aceptación de estas aseveraciones obviamente realistas se debe a su justificado temor de que el pecado pueda convertirse entonces en una necesidad racional, como así ocurre en los sistemas puramente esencialistas. No obstante, pese a tal recelo, la teología debe insistir en que el salto de la esencia a la existencia constituye el hecho original —es decir, en que dicho salto es propiamente un salto y no una necesidad estructural. A pesar de su universalidad trágica, la existencia no puede inferirse de la esencia.

C. LAS MARCAS DE LA ALIENACIÓN DEL HOMBRE Y EL CONCEPTO DE PECADO

1. Alienación y pecado

El estado de existencia es el estado de alienación. El hombre se halla alienado del fondo de su ser, de los demás seres y de sí mismo. La transición de la esencia a la existencia desemboca en la culpa personal y en la tragedia universal. Es, pues, preciso que esbocemos ahora una descripción de la alienación existencial y de sus implicaciones autodestructivas. Pero, previamente, hemos de dar una respuesta a la cuestión que ya hemos formulado en las páginas anteriores: ¿Qué relación existe entre el concepto de alienación y el concepto tradicional de pecado?

La "alienación" como término filosófico es una creación de Hegel, que la utilizó sobre todo en su doctrina de la naturaleza como espíritu alienado (*Geist*). Pero su descubrimiento de la alienación fue muy anterior al desarrollo de su filosofía de la naturaleza. En sus fragmentarios escritos de juventud, Hegel describió los procesos vitales como dotados de una unidad original, que luego queda rota por la fisura abierta entre subje-

tividad y objetividad y por la sustitución del amor por la ley.
De este concepto de alienación, y no del que Hegel utilizó
luego en su filosofía de la naturaleza, es del que se sirvieron
algunos de sus discípulos, sobre todo Marx, para alzarse contra Hegel y rechazar su controvertida afirmación de que la
alienación es superada en la historia por la reconcialiación. El
individuo está alienado y no reconciliado; la sociedad se halla
alienada y no reconciliada; la existencia es alienación. Sedu-
cidos por la fuerza de esta intuición, adoptaron una actitud revolucionaria frente al mundo entonces existente y se convirtieron en existencialistas mucho antes de iniciarse el siglo xx.

La alienación, en el sentido en que la usaron los antihegelia-
nos, indica la característica fundamental de la condición humana. El hombre, tal como existe, no es lo que es en su esencia
y lo que debería ser. Está alienado de su verdadero ser. La
profundidad del término "alienación" yace en la implicación
de que el hombre pertenece esencialmente a aquello de lo que
está alienado. El hombre no es extraño a su verdadero ser, ya
que pertenece a él. Es juzgado por su ser, pero no puede
separarse enteramente de él, aunque le sea hostil. La hostilidad
que el hombre siente hacia Dios prueba de un modo incon-
testable que pertenece a Dios. Donde es posible el odio, allí
y sólo allí es posible el amor.

La alienación no es un término bíblico, pero está implícita
en numerosas descripciones bíblicas de la condición humana.
Está implícita en los símbolos de la expulsión del paraíso, en
la hostilidad que reina entre el hombre y la naturaleza, en el
odio mortal que enfrenta a un hermano contra el otro hermano,
en la separación que se abre entre las naciones debido a la
confusión del lenguaje y en las constantes quejas de los profetas contra sus reyes y contra el pueblo que se vuelve hacia
los dioses extranjeros. También está implícita en las palabras
con que Pablo afirma que el hombre corrompió la imagen de
Dios convirtiéndola en la de los ídolos, en su descripción clásica del "hombre contra sí mismo" y en su visión de la hostilidad
que siente el hombre contra el hombre como fruto de sus
deseos pervertidos. En todas estas interpretaciones de la condición humana, se halla implícitamente afirmada la alienación.
En consecuencia, no es ciertamente antibíblico el empleo de
este término para describir la situación existencial del hombre.

Pero, con todo, la "alienación" no puede sustituir al "pecado" —aunque sean obvias las razones que abonan todos los intentos de sustituir el vocablo pecado por alguna otra palabra. El uso que se ha dado a este término lo ha despojado casi por completo de su genuino sentido bíblico. Pablo solía hablar de "pecado", en singular y sin artículo. Lo concebía como un poder cuasipersonal que regía este mundo. Pero en las Iglesias cristianas, tanto en la católica como en las protestantes, ha prevalecido el uso de este término en plural, y los "pecados" han pasado a ser simples desviaciones de las leyes morales. Esta significación guarda escasa afinidad con el "pecado" entendido como el estado de alienación con respecto a aquello a lo que pertenecemos —Dios, uno mismo, nuestro mundo. De ahí que nosotros examinemos aquí las características del pecado bajo el título de "alienación", puesto que la misma palabra "alienación" implica una reinterpretación del pecado desde un punto de vista religioso.

De todos modos, no es posible prescindir de la palabra "pecado", porque expresa precisamente aquello que el término "alienación" no connota, es decir, el acto personal de separarse de aquello a lo que uno pertenece. El "pecado" expresa con el máximo vigor el carácter personal de la alienación, frente al aspecto trágico de la misma. Expresa la libertad y la culpa personales, en contraposición a la culpa trágica y al destino universal de la alienación. La palabra "pecado" puede y debe salvarse, no sólo porque la emplean reiteradamente la literatura clásica y la liturgia, sino sobre todo porque el rigor de que se halla dotada es cual índice acusador que señala el elemento de responsabilidad personal en la propia alienación. La condición del hombre es la alienación, pero esta alienación suya es pecado. No se trata de un estado de cosas objetivo, como lo son las leyes de la naturaleza, sino de una cuestión tanto de libertad personal como de destino universal. Por esta razón, el término "pecado" sólo debe usarse después de reinterpretarlo religiosamente. Y uno de los mejores medios para llevar a cabo esta reinterpretación es el término "alienación".

También es preciso reinterpretar los términos "original" o "hereditario" referidos al pecado. Pero, en este caso, la reinterpretación puede exigir la recusación de tales términos. Ambos se refieren al carácter universal de la alienación, puesto que expresan su elemento de destino. Pero también ambos se hallan tan cargados de absurdidades literalistas que resulta prácticamente imposible seguir utilizándolos como hasta ahora.

Si alguien habla de "pecados" y con ello se refiere a unos actos especiales considerados como pecaminosos, debería ser siempre consciente de que tales "pecados" no son sino una expresión del "pecado". No es la desobediencia a la ley lo que hace pecaminoso un acto, sino el hecho de ser una expresión de la alienación del hombre con respecto a Dios, con respecto a los hombres y con respecto a sí mismo. De ahí que Pablo considere como pecado todo lo que no procede de la fe, es decir, de la unidad con Dios. Y de ahí que, en otro contexto (según palabras de Jesús), todas las leyes queden resumidas en la ley del amor, con la que se vence la alienación. El amor como tendencia que pugna por reunir lo que está separado constituye lo opuesto a la alienación. En la fe y el amor el pecado es vencido, porque la alienación queda superada por la reunión.

2. LA ALIENACIÓN COMO "DESCREENCIA"

La confesión de Augsburgo define el pecado como aquel estado en que el hombre "carece de fe en Dios y se halla embargado por la concupiscencia" (*sine fide erga deum et cum concupiscentia*). A estas dos expresiones de la alienación cabría añadir una tercera expresión, es decir, la *hybris* (ὕβρις), el llamado pecado espiritual del orgullo o la autoelevación, que, según Agustín y Lutero, precede al llamado pecado sensual. Así, los tres conceptos de "descreencia", "concupiscencia" e *hybris* vienen a ser como las marcas de la alienación humana. Pero es preciso una reinterpretación de las mismas para que podamos aunar nuestras visiones de la condición existencial del hombre.

La descreencia, según los reformadores, no es la nolición o la incapacidad que experimenta el hombre para creer las doctrinas de la Iglesia, sino que, como la fe, es un acto de la personalidad total que incluye elementos prácticos, teóricos y emocionales. Si contásemos con una palabra que expresase la

negación de la fe, algo así como "no-fe",[3] deberíamos usarla
en lugar de la palabra "descreencia", ya que ésta posee una
inevitable connotación que la asocia al término "creencia", y
creencia ha llegado a significar la aceptación de aseveraciones
que no son evidentes. Para el cristianismo protestante, el vocablo "descreencia" significa el acto o el estado en que el hombre, en la totalidad de su ser, se separa de Dios. El hombre,
en su autorrealización existencial, se vuelve hacia sí mismo
y hacia su mundo, y así pierde su unidad esencial con el fondo
de su ser y de su mundo. Pero esto tiene lugar tanto en virtud
de la responsabilidad individual como en virtud de la universalidad trágica. Libertad y destino coinciden en uno y el mismo
acto humano. El hombre, al actualizarse, se vuelve hacia sí
mismo y se separa de Dios en los ámbitos del conocimiento,
de la voluntad y de la emoción. La descreencia es la ruptura de
la participación cognoscitiva del hombre en Dios. No se la
debería llamar "negación" de Dios, porque la formulación de
preguntas y respuestas, tanto positivas como negativas, ya presupone la pérdida de la unión cognoscitiva con Dios. Quien
pregunta por Dios, ya está alienado de Dios, aunque no esté
cercenado de Él. La descreencia es la separación practicada
entre la voluntad del hombre y la voluntad de Dios. No se la
debería llamar "desobediencia", porque hablar de mandamientos, de obediencia y de desobediencia ya presupone que se
ha operado la separación entre dos voluntades distintas. Quien
necesita una ley que le dicte cómo tiene que actuar o no actuar,
ya está alienado de aquello que constituye el origen de la ley
que le exige obediencia. La descreencia es asimismo el abando-
no empírico de la beatitud de la vida divina para pasar a los
placeres de una vida separada. No se la debería llamar "amor
a sí mismo", porque para poseer un yo que no sólo puede ser
amado por Dios sino que a su vez puede amar a Dios, el propio
centro personal ya tiene que haber abandonado el centro divino
al que pertenece y en el que andan unidos el amor a sí mismo
y el amor a Dios.

Todo esto es lo que implica el término "descreencia". El
estado de descreencia constituye la primera marca de la "alie-

---

3. En realidad, el idioma castellano posee el término "infidelidad" —o
"infiel"— que antaño tuvieron exactamente este significado. — *N. del T.*

nación", y su misma índole justifica el uso de este término. La descreencia del hombre es su alienación de Dios en el centro mismo de su ser. Ésta es la comprensión religiosa del pecado tal como la redescubrieron los reformadores y como luego se perdió de nuevo en la mayor parte de la vida y del pensamiento protestantes.

Si se concibe la descreencia como la alienación del hombre con respecto a Dios en el centro de su yo, entonces la teología protestante puede aceptar la interpretación agustiniana del pecado como amor que se ha apartado de Dios para encaminarse a uno mismo. En último término, la no-fe es idéntica al no-amor; ambos manifiestan la alienación del hombre con respecto a Dios. Para Agustín, el pecado es el amor que desea los bienes finitos por sí mismos y no en función del bien último. Es posible justificar el amor a sí mismo y al mundo si afirma todas las cosas finitas como manifestaciones del infinito y, por esta razón, quiere unirse a ellas. Pero el amor a sí mismo y al mundo es un amor distorsionado si, a través de lo finito, no ahonda hasta alcanzar su fondo infinito. Si este amor se aparta del fondo infinito para limitarse a sus manifestaciones finitas, entonces se convierte en descreencia. Esta ruptura de la unidad esencial del hombre con Dios, constituye la característica más íntima del pecado: es la alienación tanto en términos de fe como en términos de amor.

Existe, sin embargo, una diferencia entre ambas definiciones de pecado. El concepto de fe implica un elemento de "a pesar de", es decir, el coraje de aceptar que somos aceptados a pesar del pecado, la alienación y el desespero. Cuando se formula esta cuestión —y se formula con el apasionamiento y el desespero con que se la formularon los reformadores—, queda establecida la primacía de la fe. Esta reunión con Dios del alienado es la "reconciliación", y tiene el carácter de "a pesar de", puesto que es el mismo Dios quien desea que nos reconciliemos con Él. Por esta razón, el protestantismo sostiene la primacía de la fe, tanto en la doctrina del pecado como en la doctrina de la salvación.

Según Agustín, el poder místico de la gracia, que se ejerce gracias a la mediación de la Iglesia y de los sacramentos, restablece la unión entre Dios y el hombre. La gracia, como infusión del amor, es el poder que vence la alienación. Por consiguiente, según Agustín y la Iglesia católica romana, es el amor el que detenta la primacía tanto en la doctrina del pecado como en la doctrina de la salvación. Para los reformadores, la alienación es vencida por la reconciliación personal con Dios y por el amor que se sigue de esta reconciliación. Para Agustín, la alienación es vencida por el amor infuso de Dios y por la fe que doctrinalmente expresa la Iglesia católica romana. Pero, a pesar de esta profunda diferencia, existe un punto en el que coinciden ambas doctrinas. Las dos subrayan el carácter religioso del pecado, tal como se expresa en el término "alienación". La primera marca de la alienación —la descreencia— incluye el "no-amor". El pecado es una cuestión que atañe a nuestra relación con Dios y no a nuestra relación con las autoridades eclesiásticas, morales o sociales. El pecado es un concepto religioso, no en el sentido con que suele utilizarse en contextos religiosos, sino en el sentido de que indica la relación existente entre el hombre y Dios en términos de alienación y de una posible reunión.

3. La alienación como "hybris"

En el estado de alienación, el hombre se halla fuera del centro divino al que esencialmente pertenece su propio centro. Así el hombre es el centro de sí mismo y de su mundo. La posibilidad —y, con ella, la tentación— de abandonar su centro esencial, le es dada al hombre porque estructuralmente es el único ser plenamente centrado. No sólo es el único que tiene conciencia (lo cual constituye una elevada, pero incompleta, centralidad), sino que además tiene conciencia de sí mismo, es decir, posee una plena centralidad. Esta centralidad estructural confiere al hombre su grandeza, su dignidad y su ser, es decir, le da el ser la "imagen de Dios". Indica su capacidad de trascenderse a sí mismo y a su mundo, de contemplarse a sí mismo y a su mundo, y de verse en perspectiva como el centro en el que convergen todas las partes de su mundo. Ser un yo y tener un mundo constituyen el reto que le es hecho al hombre como la perfección de la creación.

Pero esta perfección es, al mismo tiempo, su tentación. El hombre se siente tentado a convertirse existencialmente en el centro de sí mismo y de su mundo. Cuando se considera a sí mismo y a su mundo, cobra conciencia de su libertad y, con ella, de su infinitud potencial. Cobra conciencia de que no está sujeto a ninguna situación especial ni a ningún elemento de ella. Pero, al mismo tiempo, el hombre sabe que es finito. Fue esta situación la que indujo a los griegos a designar a los hombres como "los mortales" y a atribuir a los dioses la potencial infinitud humana llamándoles "los inmortales". El hombre sólo pudo crear las imágenes de los dioses inmortales porque era consciente de su propia infinitud potencial. Estar situado entre la finitud real y la infinitud potencial, capacita al hombre para llamar "mortales" a los hombres y sólo a ellos (aunque todos los seres tengan que morir), y para dar el nombre de "inmortales" a las imágenes divinas de los hombres. Si el hombre no reconoce esta situación —es decir, si no reconoce que está excluido de la infinitud de los dioses— cae en la *hybris*. Se encumbra por encima de los límites de su ser finito y provoca la cólera divina que lo destruye. Tal es el tema principal de la tragedia griega.

No podemos traducir adecuadamente el término *hybris*, aunque la realidad que designa la hallamos descrita tanto en la tragedia griega como en el Antiguo Testamento. La expresan con la mayor precisión las palabras con que la serpiente promete a Eva que el hombre será igual a Dios si come del árbol del conocimiento. La *hybris* es la autoelevación del hombre a la esfera de lo divino. El hombre, por su grandeza, es capaz de esta autoelevación. En la tragedia griega, lo que representa a la *hybris* humana no es lo mezquino, lo feo y lo vulgar, sino los héroes grandiosos, hermosos y preeminentes, que detentan la fuerza y el valor. Del mismo modo, los profetas del Antiguo Testamento amenazan a los poderosos de su pueblo —los reyes, los sacerdotes, los jueces, los ricos y los ilustres. Y amenazan asimismo a todo el pueblo, aquel pueblo considerado como el más importante de todos, el pueblo elegido, Israel. La grandeza, por su dinámica intrínseca, conduce a la *hybris*. Sólo unos pocos hombres representan la grandeza en la tragedia de la historia humana. Pero todo ser humano participa en la grandeza y es representado por los pocos que la encarnan. La grandeza del hombre radica en el hecho de ser infinito, y es precisamente en esta tentación de la *hybris* en la que universalmente incide el hombre por su destino y por su libertad. De ahí que no podamos traducir *hybris* por "orgullo". El orgullo es una cualidad moral, opuesta a la humildad. Pero la *hybris* no es la cualidad peculiar de la índole moral del hombre. Es universalmente humana: puede aparecer en todos los actos tanto de humildad como de orgullo. Aunque ampliemos el significado de orgullo para que incluya la *hybris*, parece menos desorientador el uso del término "autoelevación" para expresar la *hybris*.

A la *hybris* se la ha llamado "pecado espiritual", y de él se han deducido luego todas las demás formas del pecado, incluso las formas sensuales. Pero la *hybris* no es una de las formas que reviste el pecado. Es el pecado en su forma total, es decir, la otra faz de la descreencia, de ese apartarse del centro divino al que no obstante el hombre pertenece. Es ese volverse hacia uno mismo como centro de sí mismo y de su mundo. Pero ese volverse hacia sí mismo no es un acto que realice una parte especial del hombre, como su espíritu, por ejemplo. Toda la vida del hombre, incluso su vida sensual, es espiritual. Y es en la totalidad de su ser personal donde el hombre se constituye en el centro de su mundo. Tal es su *hybris*; y tal es lo que se ha llamado "pecado espiritual", cuyo principal síntoma está constituido por el hecho de que el hombre no reconoce su finitud. El hombre identifica una verdad parcial con la verdad última, como hizo Hegel, por ejemplo, cuando pretendió haber creado un sistema final que contenía toda posible verdad. Las reacciones existencialistas y naturalistas contra su sistema y la catástrofe que suscitaron tales ataques fueron la respuesta a su *hybris* metafísica, a su ignorancia de la finitud del hombre. De un modo similar, los hombres han identificado su bondad limitada con la bondad absoluta, como, por ejemplo, los fariseos y sus sucesores tanto en el cristianismo como en el secularismo. También en estos casos la autodestrucción trágica siguió a la *hybris*, como lo han demostrado las catástrofes experimentadas por el judaísmo, el puritanismo y el moralismo burgués. Y el hombre identifica su creatividad cultural con la creatividad divina. Atribuye un valor infinito a sus creaciones culturales finitas, las erige en ídolos y las eleva a objetos de preocupación última. La respuesta divina a la *hybris* cultural del hombre es la desintegración y ocaso de todas las grandes culturas que se han dado en el transcurso de la historia.

Todos estos ejemplos proceden de las formas de *hybris* que revisten una importancia histórica y trascienden el destino individual. Irrefutablemente nos muestran el carácter universalmente humano de la autoelevación. Pero la autoelevación de un grupo humano se produce por la autoelevación de sus individuos. Todo individuo dentro y fuera del grupo social incide en momentos de *hybris*. En todos los hombres alienta el oculto deseo de ser como Dios, y todos actúan de conformidad con esta autovaloración y autoafirmación propias. Nadie quiere reconocer en términos concretos su finitud, su debilidad y sus errores, su ignorancia y su inseguridad, su aislamiento y su congoja. Y si alguien está dispuesto a reconocerlas, convierte esta disposición suya en un nuevo instrumento de *hybris*. Una estructura demoníaca induce al hombre a confundir la autoafirmación natural con la autoelevación destructiva.

4. La alienación como "concupiscencia"

La calidad de todos los actos en los que el hombre se afirma existencialmente tiene una doble vertiente: en ellos, por un lado, el hombre separa su centro del centro divino (descreencia) y, por el otro, se constituye en centro de sí mismo y de su mundo (*hybris*). Surge, pues, la pregunta de por qué el hombre se siente tentado a centrarse sobre sí mismo. La respuesta es que esto sitúa al hombre de tal modo que ha de referir la totalidad de su mundo a sí mismo. Lo eleva por encima de su particularidad y lo hace universal sobre la base de su particularidad. Tal es la tentación que embarga al hombre en su situación entre la finitud y la infinitud. Todo individuo, por estar separado de la totalidad, desea operar su reunión con ella. Su "pobreza" le incita a buscar la abundancia. Tal es la raíz del amor en todas sus formas. Pero la posibilidad de alcanzar una abundancia ilimitada es la tentación que acecha al hombre, ya que el hombre es un yo y tiene un mundo. *Concupiscentia*, la "concupiscencia", es el nombre clásico con el que designamos este deseo —el deseo ilimitado de vincular la entera realidad al propio yo. Este deseo hace referencia a todos los aspectos de la relación que establece el hombre consigo mismo y con su mundo. Hace referencia tanto al hambre física como al sexo, tanto al conocimiento como al poder, tanto a la riqueza material como a los valores espirituales. Pero a menudo se ha restringido este significado omnienglobante de la "concupiscencia" a una significación particular, es decir, al ansia de placer sexual. Incluso ciertos teólogos como Agustín y Lutero, que consideraban el pecado espiritual como básico, tendieron a identificar la concupiscencia con el deseo sexual. Es comprensible que Agustín sostuviera esta concepción, porque nunca superó la depreciación helenística y, sobre todo, neoplatónica del sexo. Pero resulta contradictorio y de difícil comprensión que aún perduren algunos residuos de tal tradición en la teología y en la ética de los reformadores, quienes no siempre rechazan explícitamente la doctrina, extraña al protestantismo, según la cual el pecado "hereditario" está enraizado en el placer sexual que procura el acto de la generación. Si la palabra "concupiscencia" se emplea únicamente en este sentido limitado, es indudable que no puede designar el estado de alienación general y sería preferible que la abandonásemos por completo, puesto que la ambigüedad de que adolece este término es una de las numerosas imprecisiones lingüísticas que han dado pie a la ambigüedad de la actitud cristiana frente al sexo. La Iglesia nunca ha sido capaz de abordar adecuadamente este problema, ético y religioso, de una importancia central. Así, pues, explicitar ahora la plena significación de la "concupiscencia" puede contribuir eficazmente a resolver esta situación.

La doctrina de la concupiscencia —considerada en su sentido omnienglobante— puede fundamentarse en numerosos estudios y en las más profundas intuiciones de la literatura existencialista, el arte, la filosofía y la psicología. Bastará que mencionemos ante todo unos pocos ejemplos, en los que el sentido de la concupiscencia se expresa unas veces por ciertas figuras simbólicas y otras veces por medio de análisis. Cuando Kierkegaard nos describe la figura del emperador Nerón, recurre a un tema del cristianismo primitivo para elaborar una psicología de la concupiscencia. Nerón encarna las implicaciones demoníacas de todo poder ilimitado; representa al hombre singular que ha logrado vincular a su persona el universo entero mediante el ejercicio de un poder que utiliza en provecho propio todo cuanto se le antoja. Kierkegaard nos describe el inmenso vacío interior que se fragua en esta situación y que conduce a la determinación de labrar la muerte de cuanto a uno le rodea, incluso uno mismo. De un modo similar interpreta Kierkegaard la figura del Don Juan de Mozart, creando la figura complementaria de Johannes, el seductor. Con la misma penetración psicológica, nos muestra ahora el vacío y el desespero engendrados por ese ilimitado anhelo sexual que impide la fecunda unión amorosa con la compañera sexual. Como en el símbolo de Nerón, también aquí se manifiesta el carácter autodesafiante de la concupiscencia. Podríamos añadir como tercer ejemplo la figura del Fausto de Goethe, cuyo ilimitado anhelo se sitúa en el ámbito del conocimiento, al que quedan subordinados tanto el poder como el sexo. Para "saberlo todo", Fausto acepta el pacto que el diablo le propone. Pero es ese "todo", y no el conocimiento como tal, lo que genera la tentación demoníaca. El conocimiento como tal, lo mismo que el poder y el sexo como tales, no constituye un objeto de concupiscencia, pero sí lo es el deseo de vincular cognoscitivamente el universo entero a uno mismo y a su propia particularidad finita.

El carácter ilimitado del deseo de saber, del deseo sexual y del deseo de poder es lo que convierte tales deseos en síntomas de la concupiscencia. Y esto es manifiesto en dos descripciones conceptuales de la misma: la "libido" de Freud y la "voluntad de poder" de Nietzsche. La contribución de tales conceptos al redescubrimiento de la visión cristiana de la condición del hombre ha sido inmensa. Pero ambos ignoran el contraste que existe entre el ser esencial y el ser existencial del hombre: interpretan al ser humano exclusivamente en términos de concupiscencia existencial y omiten toda referencia al *eros* esencial del hombre, eros que se vincula a un contenido preciso.

Según Freud, la libido es el deseo ilimitado del hombre de librarse de sus tensiones biológicas, en especial de sus tensiones sexuales, y lograr que la descarga de tales tensiones le produzca placer. Freud demostró la presencia de elementos libidinosos en las experiencias y las actividades más altamente espirituales del hombre y, con ello, redescubrió las intuiciones subyacentes en la tradición monástica del riguroso examen de conciencia, tal como se practicaba en el cristianismo primitivo y medieval. La importancia que Freud atribuye a estos elementos, que son inseparables de los instintos sexuales del hombre, está plenamente justificada y concuerda con el realismo de la interpretación cristiana de la condición del hombre. No deberíamos rechazar el pensamiento freudiano en nombre de unos falsos tabús sexuales que sólo son pseudocristianos. Freud, en su leal realismo, tiene más de cristiano que estos tabús. Desde un ángulo específico, describe con toda exactitud el significado de la concupiscencia. Esto es particularmente obvio en la forma como describe las consecuencias de la concupiscencia y su anhelo nunca satisfecho. Cuando habla del "instinto de muerte" (*Todestrieb*, que traduciríamos mejor por "tendencia a la muerte"), nos ofrece una descripción del deseo de eludir el dolor que suscita la libido nunca satisfecha. El hombre, como todo ser superior, desea retornar al nivel inferior de la vida del que procede. El sufrimiento de vivir en el más alto nivel le induce a refugiarse en el nivel inferior. La libido que, esté o no esté reprimida, nunca es satisfecha, es lo que suscita en el hombre el deseo de desembarazarse de sí mismo en cuanto hombre. En estas observaciones acerca del "desagrado" que el hombre siente por su creatividad, Freud cala más hondo en la condición humana que la mayor parte de sus seguidores y críticos. Y es de aconsejar que, hasta este punto, siga los análisis de Freud el teólogo que quiera ofrecernos una interpretación de la alienación humana.

Pero la teología no puede aceptar la doctrina freudiana de la libido como una reinterpretación suficiente del concepto de concupiscencia. Freud no vio que su descripción de la naturaleza humana sólo se adecua al hombre en su condición existencial, pero no en su naturaleza esencial. Lo inextinguible de la libido es una marca de la alienación del hombre que contradice su bondad esencial o creada. En la relación esencial del hombre consigo mismo y con su mundo, la libido no es la concupiscencia. No es el deseo infinito de vincular el universo a la existencia particular de uno, sino un elemento del amor unido a sus otras cualidades —*eros, philia* y *ágape*. El amor no excluye el deseo: asume la libido. Pero la libido que va unida al amor no es infinita. Como todo amor, tiende hacia la persona determinada con la que quiere unirse el portador del amor. El amor quiere al otro ser, y lo quiere en forma de libido, *eros, philia* o *ágape*. La concupiscencia, o libido distorsionada, quiere el propio placer que le procura el otro ser, pero no quiere a ese otro ser. Tal es la enorme diferencia que media entre la libido como amor y la libido como concupiscencia. Freud no estableció esta diferencia debido a su actitud puritana con respecto al sexo: el hombre sólo puede llegar a ser creador a través de la represión y la sublimación de la libido. En la concepción de Freud, ningún *eros* creador incluye al sexo. Comparado con hombres como Lutero, Freud es un asceta en ésta su presuposición fundamental acerca de la naturaleza del hombre. El protestantismo clásico niega estas presuposiciones en cuanto se refieren al hombre en su naturaleza esencial o creada, ya que en ésta es real el deseo de unirse con la persona que es objeto de su amor por el bien de ella. Y este deseo no es infinito sino preciso. No es concupiscencia sino amor.

El análisis del concepto freudiano de la libido ha dado lugar a que se formulasen importantes discernimientos acerca de la naturaleza de la concupiscencia y de su opuesto. Pero otro concepto, igualmente importante para la teología cristiana, es la "voluntad de poder" nietzscheana, cuya influencia sobre el pensamiento contemporáneo se ha ejercido, entre otros cauces, a través de los psicólogos de la profundidad, que han interpretado la libido humana más bien en términos de poder que en términos de sexo. Pero se ha dado asimismo una influencia más directa, sobre todo en política y en teoría social. La "voluntad de poder" es, en parte, un concepto y, en parte, un símbolo. No debe entenderse, pues, en su sentido literal. La "voluntad de poder" no significa ni la voluntad como un acto psicológico consciente ni el poder como el control que ejerce el hombre sobre el hombre. La voluntad consciente de adquirir poder sobre los hombres está enraizada en el deseo inconsciente de afirmar el propio poder de ser. La "voluntad de poder" es un símbolo ontológico de la autoafirmación natural del hombre en cuanto éste posee el poder de ser. Pero no está limitada al hombre, sino que es una cualidad de todo cuanto existe. Pertenece a la bondad creada y es un símbolo poderoso de la autorrealización dinámica que caracteriza la vida.

Sin embargo, como la libido freudiana, también la "voluntad de poder" nietzscheana resulta borrosa si es descrita de tal forma que no queda claramente establecida la diferencia entre la autoafirmación esencial del hombre y su deseo existencial de ilimitado poder de ser. Nietzsche sigue la doctrina de Schopenhauer, que considera a la voluntad como el ansia infinita de poder en todo ser viviente, ansia que en el hombre engendra el deseo de alcanzar la quietud por la autonegación de la voluntad. En este punto es obvia la analogía que existe entre Schopenhauer y Freud. Para ambos, el anhelo infinito y nunca satisfecho es el que conduce al hombre a su autonegación. Nietzsche, en cambio, trata de vencer esta tendencia a la autonegación apelando con toda energía a un coraje que asume las negatividades del ser. En este punto, se halla manifiestamente influido por el estoicismo y el protestantismo. Pero, a diferencia tanto del uno como del otro, no nos indica las normas y principios por las que debemos juzgar la voluntad de poder. Ésta es siempre ilimitada y posee rasgos demoníaco-destructivos. Es, pues, un nuevo concepto y un nuevo símbolo de la concupiscencia.

No la libido en sí ni la voluntad de poder en sí son características de la concupiscencia. Ambas pasan a ser expresiones de la concupiscencia y la alienación cuando no están unidas al amor y, por consiguiente, carecen de todo objeto determinado.

5. LA ALIENACIÓN COMO HECHO Y COMO ACTO

La teología clásica ha establecido siempre una distinción entre el pecado original y el pecado concreto. El "pecado original" es el acto de desobediencia de Adán y la disposición pecaminosa que suscitó este acto en todos los seres humanos. Por eso, al pecado original se le ha llamado asimismo pecado hereditario (*Erbsünde,* en alemán). Según esta concepción, la caída de Adán corrompió la totalidad de la raza humana. Se ha descrito de muy diversas formas cómo tuvo lugar la caída de Adán, pero su resultado, es decir, el hecho de que la humanidad en su conjunto viva en la alienación, ha sido generalmente aceptado. Por consiguiente, nadie puede eludir el pecado; la alienación constituye la característica universal del destino humano. Sin embargo, es disparatada y literalmente absurda la suposición de que en Adán pudiera combinarse la condición humana con la realización de un acto enteramente libre. Esto exime al individuo humano del carácter universal humano, puesto que le atribuye una libertad sin atribuirle un destino (exactamente del mismo modo que ciertos tipos de cristología han afirmado en Cristo un destino desprovisto de libertad). Lo primero deshumaniza a Adán, como lo segundo deshumaniza a Cristo. Debemos entender a Adán como el hombre esencial y como el hombre que simboliza la transición de la esencia a la existencia. El pecado original o hereditario ni es original ni hereditario; es el destino universal de alienación propio de todo hombre. Cuando Agustín hablaba de una *massa perditionis*, una "masa de perdición", daba expresión a su intuición, opuesta a la doctrina de Pelagio, de que el hombre en su alienación es un ser social y no podemos considerarlo aisladamente como un sujeto capaz de adoptar decisiones libres. En toda descripción de la condición humana debe quedar salvaguardada la unidad de libertad y destino.

El pecado es un hecho universal antes de que llegue a ser un acto individual o, con mayor exactitud, el pecado como acto individual actualiza el hecho universal de la alienación. Como acto individual, el pecado es una cuestión de libertad, de responsabilidad y de culpa personal. Pero esta libertad se halla engarzada en el destino universal de alienación de tal modo que en todo acto libre está implícito el destino de alienación y, viceversa, el destino de alienación es actualizado por todos los actos libres. Por consiguiente, es imposible separar el pecado como hecho del pecado como acto. Ambos se hallan íntimamente entretejidos, y su unidad es una experiencia inmediata de todo aquel que se siente culpable. Incluso en el caso de hacernos plenamente responsables de un acto de alienación —como siempre deberíamos hacer—, nos damos cuenta de que este acto depende de todo nuestro ser, es decir, del ser que incluye los actos libres del pasado y el destino, integrado tanto por nuestro propio destino como por el destino universal de la humanidad.

La alienación como hecho se ha explicado en términos deterministas: físicamente, por un determinismo mecánico; biológicamente, por las teorías de la decadencia del poder biológico de la vida; psicológicamente, como la fuerza compulsiva del inconsciente; sociológicamente, como el resultado de la dominación clasista; culturalmente, como la ausencia de ajuste docente. Ninguna de tales razones explica la conciencia de responsabilidad personal que siente el hombre por sus actos en el estado de alienación. Pero todas estas teorías contribuyen a la comprensión del elemento "destino" de la condición humana. En este sentido, la teología cristiana tiene que aceptarlas todas; pero debe decir además que ninguna descripción del elemento "destino" en el estado de alienación puede eliminar la experiencia de la libertad finita y, en consecuencia, la responsabilidad por cada acto en el que se actualiza la alienación. Las explicaciones deterministas de la condición humana no niegan necesariamente la responsabilidad personal del hombre, como de hecho así lo reconoce el mismo determinista si se halla en una situación en la que, por ejemplo, se ve coaccionado para que se retracte de su convicción determinista. En tal situación, el determinista tiene clara conciencia de su responsabilidad, tanto si resiste como si se somete a la coacción. Y es esta experiencia la que importa cuando se describe la condición humana, y no la mera explicación hipotética de las causas de su decisión. La doctrina de la universalidad de la alienación no convierte en ilusoria la conciencia de culpa que tiene el hombre; pero sí libera a éste del supuesto falaz de que en todos los momentos posee una libertad indeterminada para decidirse por lo que se le antoje —por el bien o por el mal, por Dios o contra Dios.

Desde los tiempos del período bíblico, la Iglesia cristiana ha dividido los pecados concretos de los hombres, según su gravedad, en pecados mortales y pecados veniales. Más tarde añadió los pecados capitales, pero siempre ha trazado una línea tajante entre los pecados cometidos antes y los pecados cometidos después del bautismo. Tales diferencias son decisivas para la labor de los sacerdotes, en lo que se refiere al uso de los sacramentos por parte del individuo cristiano y a su anticipación del destino eterno, ya que las diversas clases de pecado se hallan en estricta correspondencia con los diversos tipos de gracia, tanto en la vida actual como en la vida futura. Para el examen de esta concepción y de sus consecuencias prácticas, puede servirnos de orientación el interés psicológico y docente que por ella ha manifestado la Iglesia católica romana. La Iglesia mira hasta qué punto existe una participación y una culpa personal en todo acto pecaminoso, y tiene derecho a sopesar las diferencias de culpabilidad —de la misma forma que el juez sopesa la responsabilidad y el castigo de un delincuente. Pero todo este esquema de cantidades y relatividades se hace irreligioso en el momento en que se aplica a la relación del hombre con Dios. El protestantismo formuló esta cuestión tanto en lo que respecta al pecado como a la gracia. Sólo existe "el pecado", ese apartarse de Dios y de "la gracia" o reunión con Dios. Estas categorías son cualitativas y absolutas, no cuantitativas y relativas. El pecado es alienación; la gracia es reconciliación. Precisamente porque la gracia reconciliadora de Dios es incondicional, el hombre no necesita referirse a su propia condición y a los grados de su culpa. Tiene la certeza de un perdón total estando en la situación de culpa total. Tal es la fuerza consoladora de la comprensión protestante del pecado y de la gracia en lo que respecta a nuestra personal relación con Dios. Nos confiere una certeza que nunca puede admitir la posición católica. Pero el protestantismo ha de reconocer al mismo tiempo que, debido a su concepción del pecado y de la gracia como categorías absolutas, ha perdido gran parte de la penetración psicológica y la flexibilidad docente de la posición católica. A menudo se ha deteriorado tanto que ha llegado a convertirse en un rígido moralismo, es decir, en lo diametralmente opuesto a lo que originariamente pretendía ser el protestantismo. El derrumbamiento de este moralismo bajo la influencia de la psicología profunda debería ser el primer paso hacia una revalorización de la comprensión católica de las infinitas complejidades de la vida espiritual del hombre y hacia la necesidad de que se tengan en cuenta tanto los elementos relativos del pecado y la gracia como sus elementos absolutos. La aparición, ahora, del deber de "aconsejar" como uno de los cometidos parroquiales del ministro protestante constituye un paso importante en esta dirección.

6. ALIENACIÓN INDIVIDUAL Y COLECTIVA

Hasta ahora nuestra descripción de la alienación se ha circunscrito exclusivamente a la persona individual, a su libertad y destino, a su culpabilidad y posible reconciliación. Pero algunos acontecimientos recientes, protagonizados a veces por toda una nación, han hecho apremiante la cuestión de la culpabilidad colectiva. La conciencia humana nunca olvidó por completo este problema, ya que siempre existieron autoridades, clases sociales y movimientos que atentaron contra la naturaleza esencial del hombre y acarrearon la destrucción de los grupos humanos a los que ellos pertenecían. Tanto el judaísmo como el cristianismo subrayaron enérgicamente la culpabilidad personal de los individuos, pero no pudieron cerrar los ojos ante ciertos problemas como el sufrimiento de los hijos a causa de los pecados de sus padres. La reprobación social que afligía a los descendientes, personalmente inocentes, de padres moralmente condenados, no dejó de subsistir en la era cristiana. Y, en estos últimos años, hemos visto como naciones enteras han sido moralmente condenadas por las atrocidades perpetradas por sus gobernantes y por muchos de sus súbditos a quienes los primeros impusieron la comisión de crímenes. Y una confesión de culpabilidad se ha exigido a toda la nación e incluso a aquellos que se opusieron al grupo gobernante y sufrieron a causa de su oposición.

Esto último nos indica la diferencia fundamental que existe entre una persona y un grupo social. Contrariamente al individuo centrado al que llamamos "persona", el grupo social no posee ningún centro natural de decisión. Un grupo social es una estructura de poder, y en toda estructura de poder algunos individuos determinan las acciones de todos los demás que integran el grupo. Por consiguiente, siempre existe un conflicto potencial o real en el seno del grupo, aunque su manifestación externa sea la acción solidaria del grupo como un todo. Un grupo social, como tal, ni está alienado ni está reconciliado. No existe ninguna culpabilidad colectiva. Pero existe el destino universal de la humanidad que, en un grupo determinado, se convierte en su destino particular sin que por ello deje de ser universal. Todo individuo participa de este destino y no puede desentenderse del mismo.

Pero el destino se halla inseparablemente unido a la libertad. Por eso la culpa individual participa en la creación del destino universal de la humanidad y en la creación del destino particular del grupo social al que pertenece una persona. El individuo no es culpable de los crímenes perpetrados por los miembros de su grupo, si él, personalmente, no los cometió. Los ciudadanos no son culpables de los crímenes cometidos en su ciudad; pero sí son culpables en tanto que participan en el destino del hombre como un todo y en el destino de su ciudad en particular; ya que sus actos, en los que la libertad iba unida al destino, contribuyeron a formar el destino en el que parti-

cipan. Son culpables, no de haber cometido los crímenes de que
se acusa a su grupo, sino de haber contribuido al destino en el
que acaecieron tales crímenes. En este sentido indirecto, las
mismas víctimas de la tiranía de un país son culpables de tal
tiranía. Pero también lo son los súbditos de otros países y la
humanidad en conjunto, puesto que el destino de caer bajo el
poder de una tiranía, incluso de una tiranía criminal, forma
parte del destino universal del hombre de estar alienado de
aquello que él es esencialmente.

Si se aceptasen estas consideraciones, a las naciones victorio-
sas no les estaría permitido explotar su victoria en nombre de
una presunta "culpabilidad colectiva" de la nación conquistada. Y todos los súbditos de ésta, aunque hubiesen sufrido por
su oposición a los crímenes cometidos, estarían obligados a
aceptar la parte de responsabilidad que les corresponde por el
destino de su país. Quizás de un modo inconsciente y muy a
pesar suyo, pero aun así con plena responsabilidad, todos ellos
secundaron la preparación, sostenimiento o recrudecimiento de
las condiciones que dieron pie a los crímenes realmente perpetrados.

D. LA AUTODESTRUCCIÓN EXISTENCIAL
Y LA DOCTRINA DEL MAL

1. LA PÉRDIDA DEL YO Y LA PÉRDIDA DEL MUNDO
EN EL ESTADO DE ALIENACIÓN

El hombre, juntamente con su mundo, se encuentra en alienación existencial: descreencia, *hybris* y concupiscencia. Cada
manifestación del estado alienado contradice su ser esencial, su
potencialidad de bondad. Contradice la estructura creada de sí
mismo y de su mundo, y la interdependencia de ambos. Y la
autocontradicción desemboca en la autodestrucción. Los elementos del ser esencial, que se alzan uno contra otro, tienden a
destruirse mutuamente y a aniquilar el conjunto al que pertenecen. En las condiciones de alienación existencial, la destrucción no está ocasionada por una fuerza externa. No es obra de
una interferencia divina o demoníaca especial, sino la conse-

cuencia de la misma estructura de alienación. Podríamos describir esta estructura con un término aparentemente paradójico, "estructura de destrucción" —señalando así el hecho de que la destrucción no es una posición independiente en el conjunto de la realidad, sino que depende de la estructura de aquello en lo cual y sobre lo cual actúa destructivamente. Aquí, lo mismo que en todos los ámbitos del ser, el non-ser depende del ser, lo negativo de lo positivo, la muerte de la vida. Por eso, incluso la destrucción posee unas estructuras. "Tiende" al caos; pero mientras no se alcanza el caos, la destrucción debe seguir las estructuras de la totalidad; y si se alcanza el caos, entonces desaparecen tanto la estructura como la destrucción.

Como señalamos anteriormente, la estructura básica del ser finito es la polaridad del yo y el mundo. Únicamente en el hombre esta polaridad se halla plenamente realizada. Únicamente el hombre posee un yo enteramente centrado y un universo estructurado al que pertenece y al que, al mismo tiempo, es capaz de mirar. Todos los demás seres que entran en el campo de nuestra experiencia sólo están parcialmente centrados y, en consecuencia, están sujetos a su medio ambiente. También el hombre tiene un medio ambiente, pero lo tiene como parte de su mundo. Puede trascenderlo y de hecho lo trasciende en cada palabra que pronuncia. Tiene libertad para convertir a su mundo en un objeto al que él observa, y tiene libertad para convertirse a sí mismo en un objeto que él puede contemplar. En esta situación de libertad finita, puede perder su yo y su mundo, pero la pérdida de uno implica necesariamente la pérdida del otro. Ésta es la "estructura de destrucción" básica que incluye a todas las demás. Su análisis constituye el primer paso para la comprensión de lo que suele definirse como el "mal".

El término "mal" puede usarse en un sentido amplio y en un sentido más restringido. En sentido amplio abarca todo lo negativo e incluye tanto la destrucción como la alienación —es decir, la condición existencial del hombre en todas sus peculiaridades. Si se utiliza la palabra "mal" en este sentido, se considera entonces que el pecado es un mal entre otros males, y a veces se le llama "mal moral", es decir, la negación de lo que es moralmente bueno. Una de las razones que abonan el uso del término "mal" en este sentido amplio, es el hecho de que así podemos ver el pecado en sus dos funciones, es decir, como la causa de la autodestrucción y como uno de sus elementos —y entonces la autodestrucción tanto significa el pecado acrecentado como el resultado del pecado. En lenguaje clásico, diríamos que Dios castiga el pecado arrojando al pecador a un pecado mayor. Aquí el pecado es tanto la causa del mal como el mal en sí. Siempre deberíamos recordar que, aun en este caso, el pecado es un mal debido a sus consecuencias autodestructivas.

Pero, teniendo en cuenta lo que antecede, quizás resulta más adecuado el uso de la palabra "mal" en su sentido más restringido, es decir, como las consecuencias del estado de pecado y alienación. Así podemos diferenciar la doctrina del mal de la doctrina del pecado. En este sentido usaremos, pues, la palabra "mal" de ahora en adelante. Y por eso la doctrina del mal viene a continuación de la doctrina del pecado que hemos esbozado en los capítulos anteriores. Tal proceder tiene además la ventaja de clarificar los conceptos propios de la teodicea. Si alguien pregunta cómo un Dios omnipotente y que es todo amor puede permitir el mal, la respuesta no podemos ya formularla en los mismos términos de la pregunta. Primero es preciso insistir en la respuesta a esa otra pregunta: ¿Cómo podría permitir Dios el pecado? —y esta pregunta queda contestada en el mismo momento en que es formulada. No permitir el pecado equivaldría a no permitir la libertad, y esto sería negar la verdadera naturaleza del hombre, su libertad finita. Sólo después de esta respuesta podemos definir el mal como la estructura de autodestrucción implícita en la naturaleza de la alienación universal.

La pérdida del yo, como primera y fundamental marca del mal, es la pérdida del propio centro determinante; es la desintegración del yo centrado llevada a cabo por las tendencias disruptivas a las que no es posible integrar en la unidad. Mientras permanecen centradas, estas tendencias constituyen la persona como un todo. Pero cuando se enfrentan entre sí, quebrantan a la persona. Cuanto más profundo es este cuarteamiento, mayor es la amenaza que se cierne sobre el ser del hombre como hombre. El yo centrado del hombre puede quebrarse y, con la pérdida del yo, el hombre pierde su mundo.

La pérdida del yo es la pérdida del propio centro determinante, la desintegración de la unidad de la persona. En los conflictos morales y las disrupciones psicopatológicas, aisladamente o en interdependencia, se hace manifiesta esta desintegración. La horripilante experiencia de "caerse a pedazos" se apodera de la persona. En la medida en que esto sucede, el propio mundo se rompe también a pedazos. Deja de ser un mundo, en el sentido de un todo significativo. Las cosas ya no hablan al hombre; pierden su poder de entrar en una relación significativa con el hombre, porque el mismo hombre ha perdido este poder. En casos extremos, se experimenta la completa irrealidad del propio mundo; nada le queda al hombre, excepto la conciencia de su propia vaciedad. Tales experiencias son extremas, pero las situaciones extremas nos revelan las posibilidades existentes en la situación ordinaria. En el hombre, como ser plenamente centrado, siempre están presentes las posibilidades de disrupción. El hombre no puede dar por supuesta su centralidad. Ésta es ciertamente una forma, pero no una forma vacía. Sólo es real en unidad con su contenido. La forma de la centralidad confiere al yo el centro que lo que es necesita para ser. No existe ningún yo vacío, ninguna subjetividad pura. Si está sujeto a la *hybris* y a la concupiscencia, el yo puede acercarse al estado de desintegración. Que el yo finito intente ser el centro de todo, hace que poco a poco deje de ser el centro de nada. Ambos, el yo y el mundo, están amenazados. El hombre se convierte en un yo limitado, que depende de un medio ambiente limitado. Ha perdido su mundo; ya sólo tiene su medio ambiente.

Este hecho implica la crítica fundamental de las teorías ambientales del hombre. Tales teorías afirman una visión de la naturaleza esencial del hombre que realmente describe la alienación existencial del hombre *respecto a* su naturaleza esencial. Esencialmente, el hombre tiene un mundo porque tiene un yo plenamente centrado. Por eso es capaz de trascender todo medio ambiente en la dirección de su mundo. Sólo la pérdida de su mundo lo somete a la servidumbre de un medio ambiente que, en realidad, no es *su* medio ambiente, es decir, el resultado de un encuentro creador con su mundo representado por una parte del mismo. El verdadero medio ambiente del hombre es el universo, y todo medio ambiente particular es una parte del universo. Sólo en el estado de alienación podemos describir al hombre como un mero objeto del impacto ambiental.

2. Los conflictos internos de las polaridades ontológicas en el estado de alienación

a) *La separación de libertad y destino.* — La interdependencia existente, en el estado de alienación, entre la pérdida del yo y la pérdida del mundo resulta patente en la pérdida interdependiente de los elementos polares del ser. La primera polaridad es la constituida por la libertad y el destino. En el ser esencial, esto es, en el estado de inocencia soñadora, la libertad y el destino se hallan mutuamente imbricados, son distintos pero no están separados, viven en tensión pero no en conflicto. Ambos están enraizados en el fondo del ser, es decir, en el lugar de donde ambos surgen y el fondo de su unidad polar. Pero en cuanto se despierta la libertad, se inicia un proceso en cuya virtud la libertad se separa del destino al que pertenece. Y así se convierte en arbitrariedad. Los actos deliberados son los actos en los que la libertad tiende a separarse del destino. Bajo el control de la *hybris* y de la concupiscencia, la libertad deja de referirse a los objetos propuestos por el destino y se refiere, en cambio, a un número indeterminado de contenidos. Cuando el hombre se yergue como centro del universo, la libertad pierde su determinación. De un modo indeterminado y arbitrario, la libertad se endereza hacia unos objetos, personas y cosas que son enteramente contingentes para el sujeto que por ellos opta, y que, por ende, pueden ser sustituidos por otros objetos, personas y cosas igualmente contingentes y, en definitiva, extraños al sujeto. El existencialismo, secundado por la psicología profunda, describe la dialéctica de esta situación en términos de desazón, vaciedad y absurdidad. Si no existe la menor relación esencial entre un agente libre y los objetos de su libertad, entonces ninguna opción es objetivamente preferible a ninguna otra, todo compromiso por una causa o persona carece de sentido, y ningún designio primordial puede establecerse. No se presta atención o se prescinde de las indicaciones procedentes del propio destino. Ésta es, ciertamente, la descripción de una situación extrema; pero, en su radicalismo, puede revelarnos la tendencia fundamental del estado de alienación universal.

En la misma medida en que la libertad se deforma convirtiéndose en arbitrariedad, también el destino sufre una distorsión y se hace necesidad mecánica. Si la libertad del hombre no está encauzada por el destino o no es más que una serie de actos contingentes y arbitrarios, cae bajo el dominio de unas fuerzas recíprocamente enfrentadas y desprovistas de un centro de decisión. Lo que parece ser libre demuestra entonces que está condicionado por compulsiones internas y por causas externas. Algunas partes del yo se apoderan del centro de la persona y lo determinan sin estar unidas a las otras partes. Una incitación contingente sustituye a ese centro, que debería concertar todas las incitaciones en una decisión centrada, pero que ahora ya no es capaz de hacerlo. Tal es la naturaleza ontológica del estado que la teología clásica definió como la "esclavitud de la voluntad". Ante esta "estructura de destrucción", podríamos decir: el hombre ha utilizado su libertad para deteriorar esta libertad; y su destino ha sido perder su destino.

La controversia tradicional entre el indeterminismo y el determinismo refleja esta distorsión de la libertad y del destino que los convierte respectivamente en arbitrariedad y necesidad mecánica. Lo mismo que la teoría ambiental del hombre, tanto el indeterminismo como el determinismo son teorías de la naturaleza esencial del hombre expresadas en términos que no son sino descripciones de su naturaleza alienada. El indeterminismo convierte la libertad humana en una cuestión de contingencia y, con ello, elimina la misma responsabilidad que, en un principio, trataba de defender contra el determinismo. Y el determinismo somete la libertad humana a la necesidad mecánica, transformando así al hombre en algo completamente condicionado que, como tal, carece de todo destino —incluso del destino de poseer una *verdadera* teoría del determinismo—, porque bajo el dominio de la necesidad mecánica no existe ni verdad ni destino. El indeterminismo, lo mismo que el determinismo, es un espejo del estado de alienación del hombre (en lo que se refiere a la libertad y al destino).

b) *La separación de dinámica y forma* — Todo ser vivo (y, analógicamente, todo ser) va más allá de sí mismo y de la forma por medio de la cual tiene ser. En la naturaleza esencial del hombre, la dinámica y la forma están siempre unidas. Incluso para trascender una forma dada, se precisa otra forma. En el ser esencial existen formas de la autotrascendencia de la forma. Su unidad con la dinámica del ser nunca queda rota. De un modo fragmentario podemos ver esta unidad en aquellas personas, tanto seculares como religiosas, en las que la gracia es efectiva. Contrastando con tales "símbolos de reunión", la ruptura existencial de dinámica y forma es obvia. Bajo el dominio de la *hybris* y de la concupiscencia, el hombre se ve lanzado en todas direcciones sin una meta definida ni un contenido preciso. Su dinámica se convierte en una informe urgencia de autotrascenderse. Ya no es la forma nueva que suscita imperiosamente la autotrascendencia de la persona, sino que la dinámica se ha convertido en una meta en sí misma. Podríamos hablar de la "tentación de lo nuevo" que, en sí misma, constituye un elemento necesario de toda autoactualización creadora, pero que, en la distorsión existencial, sacrifica lo creador a lo nuevo. No se crea nada real si falta la forma, ya que sin ella nada es real.

Pero la forma, sin la dinámica, es igualmente destructiva. Si se arranca una forma de la dinámica en la que fue creada y se impone a una dinámica a la que no pertenece, se convierte en ley externa. Entonces es opresiva y suscita un legalismo sin creatividad o los estallidos rebeldes de las fuerzas dinámicas que desembocan en el caos y a menudo, por reacción, en procedimientos más enérgicos de supresión. Tales vicisitudes son propias de la condición humana tanto en la vida personal como en la vida social y lo mismo en el ámbito religioso que en el ámbito cultural. Es incesante el paso de la ley al caos y del caos a la ley. Es incesante el quebrantamiento de la forma por parte de la vitalidad y de la vitalidad por parte de la forma. Pero si desaparece uno de ambos polos, desaparece asimismo el otro. La dinámica, la vitalidad y la tendencia a quebrantar la forma acaban en el caos y el vacío. Acaban perdiéndose ellas mismas al separarse de la forma. Y la forma, la estructura y la ley acaban en la rigidez y la vaciedad. Acaban perdiéndose ellas mismas al separarse de la dinámica.

Ésta es la crítica fundamental que cabe aducir contra todas las doctrinas del hombre que describen su naturaleza esencial tanto en términos meramente dinámicos como en términos meramente formales. Ya nos hemos referido a algunas de ellas al hablar de la doctrina de la concupiscencia. Si se concibe al hombre como una libido esencialmente ilimitada o como una voluntad de poder asimismo ilimitada, el fundamento de tal comprensión del hombre no es su naturaleza esencial, sino su estado de alienación existencial. La incapacidad de alcanzar una forma en la que de modo provisional o definitivo se dé satisfacción a la dinámica de la naturaleza humana, constituye una expresión de la alienación del hombre con respecto a sí mismo y a la unidad esencial de dinámica y forma. Esta misma crítica es la que hemos de oponer a las interpretaciones de la naturaleza humana que despojan al hombre de la dinámica de su ser cuando reducen el verdadero ser humano a un sistema de formas lógicas, morales y estéticas a las que el hombre debe sujetarse. Las filosofías del sentido común, lo mismo que algunas doctrinas racionalistas e idealistas, eliminan la dinámica en la autorrealización del hombre. De este modo, la creatividad queda sustituida por la sujeción a la ley —y ésta es una de las características del hombre en estado de alienación.

Así, pues, ambos tipos de doctrina del hombre —el dinámico y el formal— nos describen la condición existencial del hombre. Tal es su verdad y tal es la limitación de esta verdad suya.

c) *La separación de individualización y participación* — La vida se individualiza en todas sus formas; pero, al mismo tiempo, la participación mutua del ser en el "ser" mantiene la unidad del ser. Ambos polos son interdependientes. Cuanto más individualizado es un ser, mayor es su capacidad de participación. El hombre, como ser completamente individualizado, participa del mundo en su totalidad por la percepción, la imaginación y la acción. En principio, no existen límites para esta participación, ya que el hombre es un yo completamente centrado. Pero, en el estado de alienación, el hombre se encierra en sí mismo y suprime toda participación. Al mismo tiempo, cae bajo el poder de ciertos objetos que tienden a convertirlo en un mero objeto desprovisto de un yo. Cuando la subjetividad se separa de la objetividad, los objetos devoran el ya vacío caparazón de la subjetividad.

Las descripciones sociológicas y psicológicas de esta situación nos han demostrado de manera convincente la interdependencia que existe entre el aislamiento del individuo humano y su inmersión en lo colectivo. Sin embargo, tales descripciones se refieren a una situación histórica particular, predominantemente la nuestra. Y, así, nos dan la impresión de que la situa-

ción a la que se refieren se halla histórica y sociológicamente
condicionada y que podría ser fundamentalmente distinta si
fuesen distintas las circunstancias. La teología debe unirse al
existencialismo en la denuncia del carácter universalmente humano que posee la interdependencia del aislamiento y la inmersión en lo colectivo. Cierto es que las situaciones especiales
nos revelan con mayor intensidad los elementos que integran
la situación existencial del hombre. Nos los revelan, pero no
los crean. En la sociedad industrial de Occidente, se habla
mucho del peligro de despersonalización u "objetivación" (convertirse en un objeto, en una cosa). Pero en todas las socieda-
des acechan al hombre unos peligros de esta misma índole,
porque la separación de individualización y participación constituye una marca del estado general de alienación. Tales peligros son los que suscitan las estructuras de destrucción y se
sitúan al nivel en que actúa el mal en toda la historia.

Esta situación se refleja asimismo en aquellas doctrinas del
hombre que pretenden describir su naturaleza esencial, pero
que sólo nos ofrecen una información veraz de la alienación
humana. La subjetividad aislada aparece en las epistemologías
idealistas que reducen el hombre a un sujeto cognoscente (*ens
cogitans*) que percibe, analiza y controla la realidad. El acto de
conocer queda así despojado de toda participación del sujeto
total en la totalidad del objeto. Ningún *eros* mueve al sujeto
en su aprehensión del objeto, ni al objeto en su entrega al
sujeto. Esta ausencia total de *eros* es necesaria en ciertos niveles de abstracción; pero como determinación de la actitud cognoscitiva globalmente considerada, constituye un síntoma de
alienación. Y puesto que el hombre es una parte de su mundo,
acaba convirtiéndose en un mero objeto entre los demás objetos. Pasa a ser una parte de un todo físicamente calculable,
y así se convierte a su vez en un objeto enteramente calculable. Esto es lo que ocurre cuando se explica el nivel psicológico del hombre con razones fisiológicas y químicas o cuando
se le define en términos de mecanismos psicológicos independientes. En ambos casos se elabora una objetivación teórica
que luego cabe utilizar y, de hecho, se utiliza para tratar a los
hombres en la práctica como si fuesen meros objetos. La situación de alienación se refleja, pues, tanto en la actitud teórica
como en la actitud práctica que considera a los hombres como

meros objetos. Ambas son "estructuras de autodestrucción", es decir, las causas fundamentales del mal.

3. Finitud y alienación

a) *Muerte, finitud y culpa.* — Alienado del poder último de ser, el hombre está determinado por su finitud. Se halla abandonado a su sino natural. Viene de la nada y a la nada retorna. Se encuentra sometido al imperio de la muerte y se ve espoleado por la congoja de tener que morir. Ésta es, de hecho, la primera respuesta a la cuestión acerca de la relación que media entre el pecado y la muerte. Con arreglo a la religión bíblica, se da por sentado que el hombre es mortal por naturaleza. La afirmación de la inmortalidad, como cualidad natural del hombre, no es una doctrina cristiana, aunque sea posiblemente una doctrina platónica. Pero el mismo Platón puso un interrogante final a los argumentos en favor de la inmortalidad del alma que Sócrates desarrolló en los últimos diálogos antes de su muerte. Y, ciertamente, la naturaleza de la vida eterna que Platón atribuye al alma guarda escasa semejanza con las creencias populares que acerca del "más allá" profesan numerosos cristianos. Platón nos habla de la participación del alma en el reino eterno de las esencias (ideas), de su caída y de su posible retorno a tal reino —que en modo alguno es un reino de carácter espacial o temporal. En la narración bíblica del paraíso, se nos ofrece una interpretación absolutamente distinta de la relación que existe entre la caída y la muerte. Los símbolos bíblicos se hallan a mayor distancia todavía de la imagen popular de la inmortalidad. Según el relato del Génesis, el hombre procede del polvo y retorna luego al polvo. Sólo es inmortal mientras le está permitido comer del árbol de la vida, el árbol portador del fruto divino o fruto de la vida eterna. El simbolismo es obvio. La participación en lo eterno hace eterno al hombre; la separación de lo eterno deja abandonado al hombre a su finitud natural. Fieles a estas ideas, los primeros Padres de la Iglesia dieron el nombre de "remedio de inmortalidad" al manjar sacramental de la cena del Señor, y la Iglesia oriental centró el mensaje de Cristo en su resurrección, considerándola como el momento en que la vida eterna les es ofrecida a quienes, de lo contrario, quedarían abandonados a su mortalidad natural. En el estado de alienación, el hombre está abandonado a su naturaleza finita y tiene que morir. El pecado no engendra la muerte, sino que confiere a la muerte un poder que sólo es vencido por la participación en lo eterno. La idea de que la "caída" ha cambiado físicamente la estructura celular o psicológica del hombre (¿y de la naturaleza?) es absurda y nada tiene de bíblica.

Cuando el hombre está abandonado a su "tener que morir", la congoja esencial que en él suscita el non-ser se transforma en horror a la muerte. La congoja del non-ser no deja de estar presente en todo lo finito. Consciente o inconscientemente informa la totalidad del proceso vital —como el corazón, cuyo latido nunca cesa, aunque no siempre lo advirtamos. Es propia del estado potencial de inocencia soñadora, pero lo es asimismo del estado de amenazada e incontestada unidad con Dios que se nos manifiesta en la imagen de Jesús como el Cristo. La dramática descripción de la congoja que embargó a Jesús cuando tuvo que morir nos confirma el carácter universal de la relación que vincula la congoja a la finitud.

En la situación de alienación, el elemento de culpabilidad altera la índole de la congoja. La pérdida de nuestra eternidad potencial la experimentamos como algo de lo que somos responsables a pesar de su trágica y universal realidad. El pecado es el aguijón de la muerte, no su causa física. Transforma la acongojada conciencia de que tenemos que morir en la dolorosa constatación de una eternidad perdida. Por esta razón, la congoja de tener que morir puede entrañar el deseo de desembarazarse de uno mismo. Se desea la propia aniquilación para así librarse de la substancia de la muerte, no sólo como término de la vida, sino también como culpa. En la situación de alienación, la congoja de la muerte es algo más que la simple congoja de la aniquilación. Convierte la muerte en un mal, en una estructura de destrucción.

La transformación de la finitud esencial en mal existencial constituye una característica general del estado de alienación. Nos la describen los más recientes análisis, tanto cristianos como no cristianos, de la situación humana, y la hallamos reflejada con singular intensidad en la literatura existencialista de nuestros días. Tales descripciones revisten una extremada importancia para la teología, y ésta puede aceptarlas siempre que mantenga una distinción tajante entre finitud y alienación, tal como hemos hecho en nuestro análisis de la muerte. De lo contrario, por muy valioso que sea el material que nos proporcionan, deben ser revisadas a la luz de la doctrina de la creación y de la distinción entre ser esencial y ser existencial.

b) *Alienación, tiempo y espacio.* — Ninguna descripción de las estructuras del mal puede ser exhaustiva. Intentarlo sería acometer una labor infinita. Las páginas de la literatura universal sobreabundan del mal acaecido en todo tiempo y lugar. Continuamente se descubren nuevas realizaciones del mal. La literatura bíblica está llena de ellas, pero también lo está la literatura de las demás religiones y las obras de la cultura secular. La teología no debe olvidar esta experiencia universal de las formas que reviste el mal. No puede enumerarlas, pero puede y debe señalar algunas de sus estructuras básicas. Como estructuras del mal, son estructuras de autodestrucción. Se basan en las estructuras de la finitud; pero les añaden los elementos destructivos y las transforman del mismo modo que la culpa transforma la congoja de la muerte.

La naturaleza categorial de la finitud, integrada por tiempo, espacio, causalidad y substancia, es válida como estructura de la totalidad de la creación. Pero la función que desempeñan estas categorías de la finitud queda alterada bajo las condiciones de la existencia. En las categorías, es manifiesta la unidad del ser y del non-ser de todos los seres finitos. Por consiguiente, las categorías suscitan congoja; pero el coraje puede afirmarlas, siempre que se experimente el predominio del ser sobre el non-ser. En el estado de alienación, se pierde la relación con el poder último del ser. Y de ahí que las categorías controlen la existencia y provoquen una doble reacción a su respecto —la resistencia y el desespero.

Cuando experimentamos el tiempo sin el "ahora eterno" que debemos a la presencia del poder del ser en sí, conocemos el tiempo como mera transitoriedad sin presencia real. Lo vemos tal como nos lo sugieren los mitos relativos a los dioses del tiempo, es decir, como un poder demoníaco que destruye lo que ha creado. Todos los intentos del hombre para contrarrestar este poder resultan ociosos. El hombre trata de prolongar el reducido lapso de tiempo que le ha sido concedido; trata

de llenar la brevedad de su vida con tantas cosas tansitorias
como le es posible; trata de crear un recuerdo suyo que perdure luego en un futuro que ya no será el suyo; imagina que
su vida va a continuar después de haber llegado al fin de su
tiempo e imagina así una perpetuidad al margen de la eternidad.

Tales actitudes son otras tantas formas de la resistencia que
el hombre opone a la amenaza última del non-ser implícita en
la categoría del tiempo. El derrumbamiento de esta resistencia
en sus múltiples formas constituye uno de los elementos de la
estructura del desespero. No es la experiencia del tiempo como
tal la que engendra el desespero, sino más bien el descalabro
sufrido por el hombre en la resistencia que opone al tiempo. De
suyo, esta resistencia le viene impuesta al hombre por su pertenencia esencial a lo eterno, su exclusión de lo eterno en el
estado de alienación y su deseo de transformar los momentos
fugaces de su tiempo en una presencia perdurable. Pero la aver-
sión existencial que el hombre siente por la aceptación de su
temporalidad, hace que el tiempo se convierta para él en una
estructura demoníaca de destrucción.

Cuando experimentamos el espacio sin el "aquí eterno" que
debemos a la presencia del poder del ser en sí, conocemos el
espacio como una contingencia espacial, esto es, sin que sea un
lugar necesario al que el hombre pertenece. Lo vemos como el
resultado de la acción de unos poderes divino-demoníacos (Heráclito) que para nada tienen en cuenta la relación interior que
vincula la persona humana a un lugar físico, sociológico o psicológico "en el que se asienta firmemente". El hombre trata
de contrarrestar esta situación. En un sentido absoluto, trata de
procurarse un lugar definido que sea propio suyo. En todo anhelo por una "morada" final alienta este deseo. Pero el hombre
no triunfa en su empeño: sigue siendo un "peregrino en la tierra" y, finalmente, "su propio país le resulta extraño" (Job).
Pero también llega a este mismo resultado cuando trata de
hacer suyos el mayor número posible de lugares por medio de
un imperialismo real o imaginario. Sustituye entonces la dimensión del "aquí eterno" por la dimensión del "aquí universal".
Trata de contrarrestar la "mutua contigüidad" espacial que implica su finitud, pero es vencido en su intento y se ve arrojado
al desespero del desarraigo último.

Observaciones similares a éstas podríamos hacerlas igualmente acerca de las demás categorías, por ejemplo, acerca de los reiterados esfuerzos realizados por el hombre para convertirse en una causa absoluta contrapuesta a la cadena sin fin de causas en la que él es una causa entre otras causas, y acerca de su pretensión de atribuirse una substancia absoluta frente a la fugaz caducidad que observa tanto en la substancia como en los accidentes. Tales intentos no son sino la expresión de que el hombre ha cobrado conciencia de su infinitud potencial. Pero necesariamente fracasan si se emprenden sin la presencia del fondo de toda dependencia causal y de todo cambio accidental. Sin el poder del ser en sí, el hombre no puede resistir el elemento del non-ser que integra tanto la causalidad como la substancia, y esta imposibilidad suya de resistir el non-ser constituye otro elemento de la estructura del desespero.

c) *Alienación, sufrimiento y aislamiento.* — Los conflictos en el seno de las polaridades ontológicas y la transformación que sufren las categorías de la finitud bajo las condiciones de la alienación entrañan diversas consecuencias en todas direcciones para la condición humana. Vamos a hablar ahora de dos ejemplos cimeros de tales consecuencias —el sufrimiento y el aislamiento. El primero concierne al hombre en sí mismo; el segundo, al hombre en su relación con los demás. No podemos separarlos; son interdependientes, aunque distinguibles entre sí.

El sufrimiento, como la muerte, es un elemento de la finitud. En el estado de inocencia soñadora, el sufrimiento no está eliminado sino transformado en beatitud. Bajo las condiciones de la existencia, el hombre queda mutilado de esta beatitud, y el sufrimiento lo embarga de un modo destructivo. El sufrimiento se convierte en una estructura de destrucción —en un mal. Para comprender el cristianismo y las grandes religiones orientales, sobre todo el budismo, reviste una importancia decisiva la distinción entre el sufrimiento como elemento de la finitud esencial y el sufrimiento como elemento de la alienación existencial. Cuando no se establece esta distinción, como en el budismo, la finitud y el mal se identifican. La salvación pasa a ser entonces la salvación de la finitud y del sufrimiento que ésta implica. Pero no es —como en el cristianismo— la salvación de la alienación que transforma el sufrimiento en una estructura de destrucción. La interpretación budista del sufrimiento es correcta en cuanto deduce el sufrimiento de la voluntad de ser. Se vence, pues, el sufrimiento por la autonegación del deseo, engendrado por la voluntad, de ser algo particular. El cristianismo, por el contrario, exige que se acepte con un coraje último el sufrimiento como elemento de la finitud y, en consecuencia, que se venza el sufrimiento que depende de la alienación existencial y es mera destrucción. El cristianismo sabe que tal victoria sobre el sufrimiento destructivo sólo es parcialmente posible en el tiempo y el espacio. Pero que se luche o que no se luche por alcanzar esta victoria fragmentaria constituye toda la diferencia que media entre la cultura occidental y la cultura oriental —como así nos lo muestra la simple comparación de ambas. Esto altera profundamente el valor que en una y otra se confiere al individuo, a la personalidad, a la comunidad y a la historia. De hecho, esto ha determinado el destino histórico de la humanidad.

Es válida la distinción entre el sufrimiento como expresión de la finitud y el sufrimiento como resultado de la alienación, pese a que nunca podemos afirmarla en concreto debido a la ambigüedad que caracteriza a la vida como tal vida. Pero podemos hablar del tipo de sufrimiento cuyo sentido percibimos, a diferencia, por ejemplo, del tipo de sufrimiento que carece de sentido. El sufrimiento es plenamente significativo en cuanto reclama la protección y curación del ser que se ve embargado por el dolor. El sufrimiento puede mostrar los límites y las potencialidades de un ser vivo. Que esto suceda o que no suceda depende ciertamente del carácter objetivo del sufrimiento, pero depende asimismo del modo como lo soporte el sujeto doliente. Existen formas de sufrimiento que destruyen en el sujeto la posibilidad de que actúe como tal sujeto, y eso ocurre en los casos de destrucción psicopática, o cuando las condiciones externas son deshumanizantes, o cuando se da una radical disminución de la resistencia corporal. La existencia está llena de momentos en los que el hombre atenazado por el dolor no puede discernir ningún sentido en su sufrimiento. Desde luego, esta situación no está implícita en el ser esencial. Su fundamento se halla en la transición de la esencia a la existencia y en los conflictos que acarrea la autorrealización del ser en su encuentro con los seres. Está implícita, pues, en la existencia.

Una de las causas —sin duda la principal— del sufrimiento que carece de sentido es la "soledad" del ser individual, su deseo de vencer esta soledad uniéndose a otros seres y la hostilidad que experimenta cuando ve rechazado este deseo suyo. De nuevo es preciso que distingamos aquí entre las estructuras esenciales y las estructuras existenciales de la soledad. Todo ser vivo está estructuralmente centrado; pero el hombre posee un yo plenamente centrado. Esta centralidad separa al hombre de toda la realidad que no se identifica con él. El hombre está solo en su mundo y, cuanto más solo, más consciente es de sí mismo como tal. Por otra parte, su completa centralidad lo capacita para participar ilimitadamente en su mundo; y el amor, como poder dinámico de la vida, lo arrastra a esta participación. En el estado de ser esencial, la participación está limitada por la finitud, pero no impedida por el rechazo de los demás. La estructura de la finitud es buena en sí misma, pero bajo las condiciones de la alienación se convierte en una estructura de destrucción. En la finitud esencial, el estar solo constituye una expresión de la entera centralidad del hombre y podríamos darle el nombre de "solitud". Esta "solitud" es la condición precisa para establecer la relación con el otro. Sólo quien es capaz de soledad es asimismo capaz de comunión, ya que en la soledad el hombre experimenta la dimensión de lo último, el verdadero fundamento de la comunión entre quienes están solos. En la alienación existencial, el hombre está cercenado en las dimensiones de lo último y es dejado solo —en el aislamiento. No obstante, este aislamiento resulta intolerable y arrastra al hombre a un tipo de participación en la que su yo solitario se rinde a lo "colectivo".

Pero, en esta rendición, el individuo no es aceptado por ningún otro individuo, sino tan sólo por aquello a lo que todos tienen que rendir su solitud potencial, esto es, el espíritu de lo colectivo. Por consiguiente, el individuo sigue buscando al otro ser humano y es parcial o totalmente rechazado por él, ya que este otro ser es asimismo un individuo solitario, incapaz de comunión porque es incapaz de solitud. Tal rechazo por parte del otro es el origen de numerosas hostilidades no sólo contra quienes le rechazan a uno, sino también contra uno mismo. De este modo, la alienación existencial distorsiona la estructura esencial de la solitud y la comunión convirtiéndola en un manantial de infinito sufrimiento. En la dialéctica del aislamiento, siempre son interdependientes la destrucción de los demás y la propia destrucción.

Cuando no se afirma la distinción entre la solitud esencial y el aislamiento existencial, la unidad última sólo es posible por la aniquilación del individuo aislado y su desaparición en el seno de una substancia indiferenciada. La solución a la que se aspira en un misticismo radical es análoga a la respuesta que el budismo da al problema del sufrimiento. No existe aislamiento alguno en lo último; pero tampoco existen en él ni solitud ni comunión, porque se ha disuelto el yo centrado del individuo. Esta comparación nos demuestra la decisiva importancia que reviste la distinción entre solitud esencial y aislamiento existencial para la comprensión cristiana del mal y de la salvación.

d) *Alienación, duda y absurdidad.* — La finitud incluye la duda. La verdad es el todo (Hegel). Pero ningún ser finito posee el todo; por consiguiente, aceptar el hecho de que la duda pertenece al ser esencial del hombre es una manera de expresar la aceptación de su finitud. Incluso la inocencia soñadora implica duda. Por eso, en el mito bíblico del paraíso, la serpiente pudo apelar a la duda del hombre.

Esta duda esencial aparece en la duda metodológica de la ciencia lo mismo que en la incertidumbre del hombre acerca de sí mismo, de su mundo y del sentido último de ambos. No se precisa de prueba alguna para demostrar que, sin una impugnación radical de todo, no existe ninguna actitud cognoscitiva frente a la realidad. Esta impugnación presupone tanto unas cosas que se tienen (sin las cuales no sería posible una impugnación de ellas) como unas cosas que no se tienen (sin las cuales no sería necesaria tal impugnación). Esta situación de duda esencial se da en el hombre incluso en el estado de alienación y le confiere la posibilidad de analizar y controlar la realidad en la medida en que está dispuesto a utilizarla con rectitud y sentido de sacrificio.

Pero la finitud incluye asimismo otras muchas incertidumbres; es una manera de expresar la inseguridad general del ser finito, la contingencia de todo su ser, el hecho de que no es por sí mismo sino que "ha sido arrojado en el ser" (Heidegger), el hecho de que carece de un lugar y de una presencia que le son absolutamente necesarios. Esta inseguridad también aparece en la elección de las relaciones personales y en otros ámbitos del encuentro humano con la realidad. Aparece asimismo en lo indefinido de los sentimientos y en el riesgo que entraña toda decisión. Finalmente, aparece también en la duda acerca del propio yo y del mundo como tal, y aparece como la duda o incertidumbre acerca del ser como ser.

Todas estas formas de inseguridad e incertidumbre pertenecen a la finitud esencial del hombre, a la bondad de lo creado en cuanto creado. Así, pues, en el estado de pura potencialidad se dan la inseguridad y la incertidumbre, pero ambas son aceptadas gracias al poder que entraña la dimensión de lo eterno. En esta dimensión yace una seguridad o certeza última a la que no anulan las inseguridades e incertidumbres preliminares de la finitud (ni siquiera la congoja que suscita el hecho de ser consciente de ellas). Más bien se asumen tales inseguridades e incertidumbres con el coraje con que se acepta la propia finitud.

La situación cambia por completo si, en el estado de alienación, queda excluida la dimensión de lo último. Entonces, la inseguridad se hace absoluta e induce a desesperar de la misma posibilidad de ser. La duda se hace absoluta e induce a rechazar desesperadamente la aceptación de cualquier verdad finita. Y, de la inseguridad y la duda juntas, nace la experiencia de que la estructura de la finitud se ha convertido en una estructura de destrucción existencial.

El carácter destructivo de que adolecen la inseguridad y la duda existenciales, se pone de manifiesto en la índole de los esfuerzos con los que el hombre intenta rehuir el desespero: trata de absolutizar una seguridad o una certeza finitas. La amenaza de un derrumbamiento total induce al hombre a crearse unas defensas, a veces brutales, a veces fanáticas, a veces deshonestas, pero siempre insuficientes y destructivas, ya que no existe seguridad ni certeza alguna en el seno de la finitud. La fuerza destructiva puede dirigirse contra quienes representan la amenaza a la falsa seguridad y certidumbre, sobre todo contra quienes la combaten o la impugnan. La guerra y la persecución obedecen en parte a esta dialéctica. Pero si tales defensas resultan insuficientes, la fuerza destructiva se ejerce directamente contra el mismo sujeto. Éste se ve sumido entonces en la desazón, la vaciedad, el cinismo y la experiencia de la absurdidad. E incluso puede ocurrir que, para huir de esta situación extrema, el hombre niegue su duda, no con una respuesta real o imaginaria a la misma, sino con su indiferencia ante toda pregunta o respuesta. De este modo destruye su auténtica humanidad y se convierte en un eslabón de la gran cadena de trabajo y placer. Queda así despojado de todo sentido, incluso en la forma del que sufre en la absurdidad. Ni siquiera le queda entonces la plenitud de sentido que reviste una sincera interrogación acerca del sentido.

Podemos observar en todas estas descripciones que sólo en parte es válida la distinción entre el pecado y el mal. El pecado mismo está presente en el mal que es la consecuencia autodestructiva del pecado. El elemento de responsabilidad no está ausente de las estructuras de destrucción tales como el sufrimiento desprovisto de sentido, el aislamiento, la duda cínica, la absurdidad o el desespero. Por otra parte, cada una de estas estructuras depende del estado universal de alienación y de sus consecuencias autodestructivas. Desde este punto de vista, resulta justificable que se hable de "pecado" en un contexto y de "mal" en otro contexto. La diferencia entre ambos términos es más de enfoque que de contenido.

En los análisis sociológicos y psicológicos que se llevan a cabo en nuestros días, otra cuestión ha cobrado una importancia de primer orden: la cuestión de determinar hasta qué punto son universalmente humanas las estructuras de destrucción y hasta qué punto se hallan históricamente condicionadas. La respuesta estriba en comprender que su aparición histórica sólo es posible gracias a su presencia universal, es decir, estructural. La alienación es una cualidad de la estructura de la existencia, pero determinar de qué manera ha solido manifestarse la alienación es una cuestión que incumbe a la historia. Siempre existen estructuras de destrucción en la historia, pero sólo son posibles porque en ella existen estructuras de la finitud que pueden ser transformadas en estructuras de alienación. Son numerosos los análisis sociológicos y existencialistas del hombre en la sociedad industrial que destacan la pérdida de su yo y de su mundo, su mecanización y objetivación, su aislamiento y sumisión a lo colectivo, su experiencia de la vaciedad y de la absurdidad. Tales análisis son verdaderos en todo aquello que abarcan, pero resultan falaces si el mal de que adolece la condición humana en nuestro período histórico lo infieren de la estructura de la sociedad industrial. Esta deducción implica la creencia de que los cambios a introducir en la estructura de nuestra sociedad cambiarían, por sí mismos, la condición existencial del hombre. Todos los sistemas utópicos son de esta índole, y su principal error consiste en no establecer ninguna distinción entre la situación existencial del hombre y sus manifestaciones en los distintos períodos históricos. En todas las épocas existen estructuras de destrucción, que presentan numerosas analogías con las estructuras particulares de nuestra época. La alienación del hombre con respecto a su ser esencial constituye el carácter universal de la existencia y es de una inagotable fecundidad en la producción de los males peculiares de cada época histórica.

Las estructuras de destrucción no son las únicas marcas de la existencia. Se hallan compensadas por las estructuras de curación y de re-unión de lo alienado. Pero esta ambigüedad de la vida no es razón suficiente para que los males de una época histórica se deduzcan utópicamente de las estructuras de aquella época sin la menor referencia a la situación de universal alienación.

4. EL SIGNIFICADO DEL DESESPERO Y SUS SÍMBOLOS

a) *El desespero y el problema del suicidio.* — Las estructuras del mal que acabamos de describir conducen al hombre al estado de "desespero". En diversos momentos hemos indicado los elementos que integran el desespero, pero no hemos hablado de la naturaleza del desespero como un todo. Y ésta es la labor que debe acometer la teología sistemática. En general, se suele tratar el desespero como un problema psicológico o como un problema ético. Y es ciertamente lo uno y lo otro; pero es, asimismo, algo más que lo uno y lo otro: es el exponente final de la condición humana, el límite que el hombre no puede traspasar. En el desespero, no en la muerte, el hombre llega al fin de sus posibilidades. La misma palabra desespero significa "sin esperanza" y expresa la impresión que experimenta el hombre ante una situación para la que no existe "ninguna salida" (Sartre). En alemán, la palabra *Verzweiflung* vincula el desespero a la duda (*Zweifel*). La sílaba *ver* indica una duda que carece de toda posible respuesta. La descripción más impresionante del desespero nos la ofrece Kierkegaard en su obra, *La enfermedad hasta la muerte,* en la que "muerte" significa más allá de toda posible curación. Y de un modo similar nos habla Pablo de un desconsuelo que es el desconsuelo de este mundo y que conduce a la muerte.

El desespero es el estado del ineludible conflicto, del conflicto que surge entre, por una parte, lo que somos en potencia y, por ende, deberíamos ser en realidad, y, por la otra parte, lo que realmente somos por la combinación de libertad y destino. El dolor del desespero es la agonía de sentirse responsable por la pérdida del sentido de la propia existencia y de verse incapaz de recobrar este sentido. El hombre queda recluido en sí mismo y en el conflicto que le enfrenta con su propio yo. No puede escapar, porque nadie puede escapar de sí mismo. En esta situación es cuando surge la cuestión de si el suicidio puede ser un recurso para desembarazarse de sí mismo. Pero es indudable que el suicidio posee una significación mucho más amplia que la que parece atestiguar el número relativamente reducido de actos suicidas reales. En primer lugar, suele darse en la vida una tendencia suicida: el anhelo de un reposo sin conflictos. Y una consecuencia de este anhelo es el deseo humano de embriagarse (véase la doctrina freudiana del instinto de muerte y lo que antes hemos dicho acerca de la misma). En segundo lugar, siempre que nos atenaza un dolor intolerable, insuperable y sin sentido, experimentamos el deseo de eludirlo desembarazándonos de nosotros mismos. En tercer lugar, la situación de desespero es, a todas luces, una situación en la que surge el deseo de librarse de uno mismo y entonces la imagen del suicidio se presenta como el recurso más tentador. En cuarto lugar, se dan situaciones en las que es socavada la voluntad inconsciente de vivir y un suicidio psicológico pasa a ocupar su lugar en términos de no resistencia a la amenaza de aniquilación. En quinto lugar, todas las culturas predican la negación de la propia voluntad, no en términos de suicidio físico o psicológico, sino en términos de vaciar la vida de todos sus contenidos finitos para así hacer posible el logro de la identidad última.

Ante tales hechos, la cuestión de la autonegación de la vida debería ser objeto de una reflexión más cuidadosa que la que suele consagrarle la teología cristiana. El acto externo del suicidio no debería singularizarse por una condenación moral o religiosa particular, cuyo fundamento no es otro que la idea supersticiosa de que el suicidio excluye definitivamente la acción de la gracia salvífica. Pero, al mismo tiempo, deberían considerarse como una expresión de la alienación humana esas tendencias suicidas íntimas que se dan en todo ser humano.

La cuestión decisiva y teológicamente importante es ésta: ¿Por qué no puede considerarse el suicidio como un recurso para librarse del desespero? Es obvio que no existe tal problema para quienes creen imposible esa liberación del desespero, porque la vida después de la muerte sigue sujeta esencialmente a las mismas condiciones que antes, incluso las categorías de la finitud. Pero si consideramos en serio a la muerte, resulta innegable que el suicidio elimina las condiciones del desespero al nivel de la finitud. Podemos preguntarnos, no obstante, si éste es el único nivel o si el elemento de culpabilidad apunta en el desespero a la dimensión de lo último. Si afirmamos lo segundo —y sin duda el cristianismo tiene que afirmarlo—, el suicidio no constituye ninguna liberación final. No nos exime de la dimensión de lo último e incondicional. O, usando unos términos en cierto modo mitológicos, podemos decir que ningún problema personal es una cuestión de pura transitoriedad, sino que posee unas raíces eternas y exige una solución que incida en lo eterno. El suicidio (ya sea externo, psicológico o metafísico) es un intento logrado de salirse de la situación de desespero al nivel temporal. Pero es un intento frustrado de eludir el desespero en la dimensión de lo eterno. El problema de la salvación trasciende el nivel temporal, y la misma experiencia del desespero apunta a esta verdad.

b) *El símbolo de la "ira de Dios".* — La experiencia del desespero se refleja en el símbolo de la "ira de Dios". Los teólogos cristianos han usado, pero asimismo han criticado esta expresión. En general, las críticas han señalado que, en el paganismo, el concepto del "furor de los dioses" presupone la idea idolátrica de un dios finito cuyas emociones pueden ser suscitadas por otros seres finitos. Tal concepto contradice obviamente la divinidad de lo divino y su carácter incondicional.

Por consiguiente, tiene que ser reinterpretado o completamente abandonado por el pensamiento cristiano. La última alternativa fue la que adoptó Albert Ritschl, no sólo en nombre de la divinidad de lo divino, sino también en nombre del amor divino que, según él, constituye la verdadera naturaleza de Dios. Si hablamos de la "ira" de Dios, parece que creamos una hendidura en Dios entre su amor y su ira. Dios, por así decirlo, se ve arrastrado por su ira, y es su amor quien tiene que encontrar una salida a este conflicto. Se interpreta entonces la obra expiatoria de Cristo como la solución que permite a Dios perdonar aquello que despertó su ira, porque en la muerte de Cristo la ira de Dios queda satisfecha. Esta concepción, elaborada frecuentemente con categorías cuantitativas y mecánicas, viola claramente la majestad de Dios. Ritschl interpretó, pues, los pasajes del Nuevo Testamento que mencionan la ira de Dios, de tal forma que todo se centrase en el juicio último. Y así la ira de Dios es una expresión del lado negativo del juicio final. Deberíamos preguntarnos, no obstante, si la experiencia del desespero no justifica el uso del símbolo "ira de Dios" para expresar un elemento de la relación que media entre Dios y el hombre. Y ahora podemos referirnos a Lutero, que enfocó existencialmente este problema cuando dijo: "Tienes a Dios en la medida en que crees en Él". Para quienes son conscientes de su alienación de Dios, Dios mismo es la amenaza de la destrucción última y la faz divina cobra entonces unos rasgos demoníacos. Pero quienes se han reconciliado con Dios comprenden que, a pesar de que fue auténtica su experiencia de la ira de Dios, no fue la experiencia de un Dios distinto de Aquel con quien se han reconciliado. Más bien su experiencia fue la de cómo actuó a su respecto el Dios de amor. El amor divino se yergue contra todo aquello que está contra el amor —dejándolo abandonado a su autodestrucción— para salvar a quienes se hallan destruidos; pero, como que lo que está contra el amor aparece en las personas, es la persona la que se hunde en su autodestrucción. Ésta es la única manera con arreglo a la cual puede actuar el amor en aquel que rechaza el amor. Al mostrar a un hombre las consecuencias autodestructivas que entraña su recusación del amor, el amor actúa según su propia naturaleza, aunque quien experimenta esta acción del amor la considere como una amenaza a su ser. Y así es cómo concibe a Dios como el Dios de la ira, concepción que es justa en un principio pero falsa en última instancia. De todas formas, el conocimiento teórico de que su experiencia de Dios como el Dios de la ira no es la experiencia final de Dios, no empece la realidad de Dios como una amenaza y nada más que una amenaza a su ser. Sólo la aceptación del perdón puede transformar la imagen de un Dios airado en la imagen últimamente válida de un Dios de amor.

c) *El símbolo de la "condenación".* — La experiencia del desespero se expresa asimismo con el símbolo de la "condenación". Habitualmente se habla de la "eterna condenación". Pero esta expresión es teológicamente insostenible. Sólo Dios es eterno. Quienes participan de la eternidad divina y de la limitación de la finitud, han vencido el desespero que expresa la experiencia de la condenación. En el sentido teológicamente preciso de esta palabra, la eternidad es lo opuesto a la condenación. Pero si se entiende lo "eterno" como lo "sin fin", se atribuye una condenación sin fin a algo que, por su misma naturaleza, tiene un fin, es decir, el hombre finito. El tiempo del hombre termina con el hombre. Por consiguiente, debería eliminarse del vocabulario teológico esta expresión de "condenación eterna" y, en su lugar, debería hablarse de la condenación como una separación de lo eterno. Esto es lo que parece implicar el término "muerte eterna", que no puede significar ciertamente una muerte perpetua, ya que la muerte carece de toda duración. La experiencia de hallarnos separados de nuestra propia eternidad es el estado de desespero. Esta experiencia apunta, más allá de los límites de la temporalidad, a la situación del ser que se halla vinculado a la vida divina sin estar unido a ella por el acto central del amor personal. Ni la experiencia ni el lenguaje nos permiten dar mayores precisiones de esta situación, porque sólo podemos experimentar y hablar de lo negativo en unión de lo positivo. Pero hemos de decir aún que, incluso en el estado de separación, Dios actúa creativamente en nosotros tanto en el tiempo como en la eternidad —aunque su creatividad se ejerza en forma de destrucción. El hombre nunca está cercenado del fondo del ser, ni siquiera en el estado de condenación.

E. LA BÚSQUEDA DEL NUEVO SER
Y LA SIGNIFICACIÓN DE "CRISTO"

1. La existencia como hado o la esclavitud de la voluntad

En todo acto de autorrealización existencial, la libertad y el destino andan unidos. La existencia siempre es ambas cosas a la vez: un hecho y un acto. De ahí que, en el contexto de la alienación existencial, ningún acto pueda vencer tal alienación existencial. El destino esclaviza la libertad, pero no la elimina. Tal es la doctrina de la "esclavitud de la voluntad" que Lutero desarrolló en su lucha contra Erasmo, que muchos siglos antes Agustín sostuvo contra Pelagio y que, antes aún, Pablo proclamó frente a los judaizantes. En estos y en otros muchos casos, la significación del antipelagianismo teológico ha sido erróneamente entendido porque se le ha confundido con el determinismo filosófico. Se ha acusado a los teólogos antipelagianos de renunciar a la libertad humana y convertir al hombre en un objeto entre los demás objetos. A veces su lenguaje (incluso el de Pablo) se aproxima a este error "maniqueo". Y no es posible defender a algunos teólogos contra semejante acusación. Pero la concepción antipelagiana no lleva necesariamente aparejadas unas tendencias maniqueas, ya que la doctrina de la esclavitud de la voluntad presupone la libertad de la voluntad. Tan sólo lo que es esencialmente libre puede hallarse bajo la esclavitud existencial. Según nuestra experiencia, la "esclavitud de la voluntad" es una expresión que sólo puede aplicarse al hombre. La naturaleza también posee espontaneidad y centralidad, pero carece de libertad. Por consiguiente, no puede incurrir en ninguna esclavitud de la voluntad. Únicamente el hombre, por ser una libertad finita, es susceptible de sufrir las compulsiones de la alienación existencial.

A este nivel, Erasmo está en lo cierto cuando aduce ciertos pasajes bíblicos para oponerse a la doctrina luterana de la esclavitud de la voluntad, y cuando subraya que la responsabilidad moral es lo que hace hombre al hombre. Pero esto no lo negó Lutero ni los demás representantes del concepto de la esclavitud de la voluntad. Ninguno de ellos negó que el *hombre*, el ser que posee una libertad finita, se salve; pero todos creyeron que aquel que se salva es un pecador, es decir, el que se muestra pecador por el hecho de que su libertad contradice su naturaleza esencial. La gracia no crea un ser que deje de estar vinculado al ser que recibe la gracia. La gracia no destruye la libertad esencial, sino que lleva a término aquello que la libertad, en las condiciones de la existencia, no puede realizar, es decir, la gracia re-une lo alienado.

Sin embargo, la esclavitud de la voluntad es un hecho universal. Es la incapacidad del hombre de quebrar su alienación. A pesar del poder de su libertad finita, el hombre es incapaz de consumar su reunión con Dios. En el reino de las relaciones finitas, todas las decisiones son manifestaciones de la libertad esencial del hombre, pero no entrañan su reunión con Dios, no rebasan el ámbito de la "justicia civil", de las normas morales y legales. Pero incluso estas decisiones, pese a lo ambiguo de todas las estructuras de la vida, se refieren a lo no ambiguo y último. Con respecto a Dios, el hombre nada puede hacer sin Él. Para actuar tiene que recibir. El nuevo ser precede al nuevo actuar. Es el árbol el que produce los frutos, no los frutos el árbol. El hombre no puede domeñar sus compulsiones, excepto por el poder de aquello que en él yace a la raíz de tales compulsiones. Esta verdad psicológica es asimismo una verdad religiosa, la verdad de la "esclavitud de la voluntad".

Todos los intentos de vencer la alienación con el poder de la propia existencia alienada constituyen un inmenso esfuerzo y acaban en un trágico fracaso. Ningún júbilo suscitan en quien los acomete. De ahí que, según Lutero, la ley no se cumple plenamente si no se cumple con alegría, ya que la ley no es extraña a nuestro ser. Es nuestro mismo ser, pero expresado en forma de mandato. Y la plena realización de nuestro ser está henchida de júbilo. Pablo habla de la obediencia del hijo y del contraste que ofrece con la obediencia del esclavo. Pero, para actuar como hijos, tenemos que recibir la filiación: ha de ser re-establecida nuestra unión con Dios. Sólo un Nuevo Ser puede producir una nueva acción.

2. Los métodos de autosalvación y su fracaso

a) *Autosalvación y religión.* — El principio según el cual el ser precede al acto implica una crítica fundamental de la historia de la religión, por cuanto ésta es la historia de los intentos y los fracasos experimentados por el hombre en su empeño por salvarse. Aunque la religión atañe a las funciones de la vida espiritual del hombre y, en consecuencia, suele ser una expresión de la vida que aúna los elementos esenciales y existenciales de ésta, tenemos que referirnos a ella en el contexto actual en el que únicamente hablamos de la existencia. Porque la religión no es tan sólo una función de la vida; también es el lugar donde la vida recibe al vencedor de las ambigüedades de la vida, es decir, el Espíritu divino. Por consiguiente, la religión es el ámbito en que la búsqueda del Nuevo Ser surge frente a la hendidura que separa el ser esencial y el ser existencial. La cuestión de la salvación sólo puede formularse si la salvación ya está actuando, por muy fragmentaria que sea esta actuación. El puro desespero —el estado en que se carece de toda esperanza— no puede ir más allá de sí mismo. La búsqueda del Nuevo Ser presupone la presencia de este Nuevo Ser, como la indagación de la verdad presupone la presencia de la verdad. Este inevitable círculo confirma lo que dijimos en la parte metodológica de esta obra sobre la interdependencia de todas las partes del sistema teológico. El círculo teológico es consecuencia del carácter no deductivo, existencial de la teología. Para lo que ahora nos proponemos, esto significa que debemos elucidar el concepto de religión antes de estudiarlo sistemáticamente. La búsqueda del Cristo, así como los intentos de autosalvación, aparecen en la esfera religiosa. Pero identificar la religión con el intento de autosalvación es tan erróneo como identificar la religión con la revelación. La religión es ambigua, como toda la vida. Partiendo de unas experiencias reveladoras, la religión se convierte en autosalvación. Deforma lo que ha recibido y fracasa en lo que intenta conseguir. Tal es la tragedia de la religión.

b) *Métodos legalistas de autosalvación.* — Los métodos legalistas de autosalvación son los que revisten una mayor importancia y notoriedad en la historia de la religión. El judaísmo está en lo cierto cuando afirma que la obediencia a la ley no es legalismo. La ley es, ante todo, un don divino; muestra al hombre cuál es su naturaleza esencial, sus verdaderas relaciones con Dios, con los demás hombres y consigo mismo. En el seno de la alienación existencial, la ley hace patente la verdadera naturaleza del hombre. Pero lo hace en forma de mandamientos precisamente porque el hombre está alienado de lo que debería ser. De ahí arranca la posibilidad y la tentación del legalismo, una tentación que resulta casi irresistible. El hombre, viendo lo que él debería ser, sintiéndose acuciado por la congoja de perderse y confiando en sus propias fuerzas para actualizar su ser esencial, no repara en la esclavitud a la que se halla sujeta su voluntad e intenta alcanzar de nuevo lo que ha perdido. Pero esta situación de alienación, en la que la ley se convierte en mandamiento, es precisamente la situación en la que la ley no puede ser cumplida. Las condiciones de la existencia hacen que, simultáneamente, el mandamiento de la ley sea necesario y su cumplimiento imposible. Y esto es igualmente cierto de todo mandamiento particular y de la ley que todo lo abarca, es decir, la ley del amor. En el estado de alienación, el amor se ha convertido necesariamente en un mandamiento. Pero el amor no puede ser impuesto —ni siquiera cuando lo concebimos erróneamente como una emoción. No puede ser impuesto el amor, porque es el poder de aquella re-unión que precede y cumple el mandamiento antes de que éste sea formulado como tal.

Siempre que se ha establecido el legalismo como método de autosalvación, el resultado ha sido catastrófico. En todas las formas de legalismo, algo que es bueno, es decir, algo que está de acuerdo con la naturaleza esencial del hombre, llega a distorsionarse. Todas las formas de legalismo se fundamentan últimamente en una experiencia reveladora, acogida y considerada con toda seriedad. La grandeza de todos los legalismos estriba en su incondicional seriedad (que incluso se manifiesta en la obediencia a las leyes civiles y convencionales). Pero su distorsión radica en la pretensión de vencer el estado de alienación por la obediencia estricta al mandamiento de la ley.

El fracaso experimentado por el legalismo en su pretensión de lograr la re-unión de lo que está separado, puede conducir a una actitud de contemporización y medias tintas, a una total recusación de la ley, al desespero o —a través del desespero— a la búsqueda del Nuevo Ser. En última instancia, aquello que se trata de alcanzar no puede lograrlo nunca la radical sujeción a la ley.

c) *Métodos ascéticos de autosalvación.* — Entre el legalismo y su opuesto, el misticismo, está el ascetismo. Todas las formas de legalismo entrañan un elemento ascético. Para evitar el desorden de la concupiscencia, el asceta trata de extinguir completamente el deseo y, para ello, elimina tantos objetos de un posible deseo como a él le es dado hacerlo dentro de los límites de la existencia finita. También aquí una verdad queda deformada en cuanto se intenta usarla como método de autosalvación.

El término "ascetismo" se usa de diferentes modos. Designa la autorrestricción en relación con la obediencia a la ley. Como tal, es un elemento necesario de todo acto de autorrealización moral. Pone límites a la ilimitación de la libido y de la voluntad de poder, y las convierte en aceptación de la propia finitud. En este sentido, constituye un instrumento de la sabiduría y una exigencia del amor.

El ascetismo también es una restricción que no es exigida por sí misma, sino que se utiliza como un medio para lograr autodisciplinarse cuando objetivamente nos es exigida una autorrestricción. Tal ascetismo es admisible siempre que sea un ejercicio disciplinario y no pretenda ser más que esto. Pero siempre existe el riesgo de que sea valorado como un medio para alcanzar la autosalvación. Muy a menudo se considera como una victoria sobre la alienación el que por propia voluntad se deje de lado algo que, en sí, es objetivamente bueno.

Existe un peligro similar cuando se limita por ascetismo un bien finito para obtener otro bien finito. Esto es "ascetismo intramundano" y se halla tipificado en la actitud puritana frente al trabajo, el placer, la acumulación de dinero, etc. Tales cualidades ya obtuvieron su recompensa en el control técnico y económico que, con ellas, los hombres lograron ejercer sobre la naturaleza y la sociedad, pero ese control fue interpretado como expresión de la bendición divina. Aunque, doctrinalmente, la autorrestricción ascética no procura la bendición divina, es psicológicamente inevitable que el autocontrol ascético del puritano se convierta en una causa de esta bendición. De este modo se introdujo en las Iglesias protestantes la idea de la autosalvación lograda por medio de actos ascéticos, pese a que los fundamentos doctrinales del protestantismo se asientan en la más radical refutación de toda autosalvación.

La forma más importante de ascetismo, la que podríamos llamar "ascetismo ontológico", se fundamenta en la devaluación ontológica del ser finito. La finitud no tendría que existir, porque contradice al ser en sí. La finitud y la caída son idénticas, y el estado trágico de la realidad finita está más allá de la salvación. Sólo es posible un único camino de salvación: la completa negación de la realidad finita, vaciándose uno mismo de los múltiples contenidos del mundo que nos rodea. Las principales vías ascéticas de autosalvación que se han dado en la historia, suelen formar parte de un tipo místico de religión en el que se busca la autosalvación por una valoración mística allende la realidad finita.

Los métodos ascéticos de autosalvación fracasan en la medida en que intentan forzar la re-unión con el infinito por medio de actos conscientes de autonegación. Pero, en realidad, las apetencias concupiscentes no desaparecen de la naturaleza humana, sino que siguen presentes en ella, aunque reprimidas. Por consiguiente, muy a menudo reaparecen en forma de imaginación desbocada o transformadas en voluntad de dominio, fanatismo y tendencias sadomasoquistas o suicidas. Según el arte y la literatura medievales, no cabe duda de que lo demoníaco asoma en la ascética medieval.

Como elemento del proceso vital, el ascetismo es necesario; pero como intento de autosalvación, no es más que una peligrosa distorsión y un fracaso.

d) *Métodos místicos de autosalvación.* — Por lo regular, la forma ontológica del ascetismo suele presentarse en el misticismo. Por consiguiente, hemos de hablar ahora de los intentos místicos de autosalvación. Pero como los teólogos protestantes han acusado reiteradamente al misticismo de ser *tan sólo* una vía de autosalvación, tenemos que distinguir los diversos significados que posee el término "místico". Ante todo, "místico" es una categoría que señala como característica de lo divino su presencia en la experiencia. En este sentido, lo místico constituye el corazón de toda religión como tal religión. Una reli-

gión que no pueda decir "el mismo Dios está aquí presente"
se convierte en un sistema de reglas morales o doctrinales que
no son religiosas, aunque puedan dimanar de unas fuentes originariamente reveladoras. El misticismo, o la "presencia sensible de Dios", es una categoría esencial en la naturaleza de
toda religión y nada tiene que ver con la autosalvación.

Pero la autosalvación es evidente si se intenta alcanzar la
"re-unión" por medio de unos ejercicios corporales o mentales.
Gran parte del misticismo oriental y algunos misticismos occidentales son de esta índole. En este sentido, el misticismo es
amplia, aunque no plenamente, un intento de autosalvación,
una tentativa de trascendender todos los ámbitos del ser finito
con objeto de unir el ser finito con el infinito. Pero este intento,
como los demás intentos de autosalvación, constituye una fracaso. Nunca se logra una real unión del místico con Dios y,
aunque se lograra, nunca vencería la alienación de la existencia.
A los momentos de éxtasis siguen largos períodos de "sequedad
del alma" y, en general, la condición humana no cambia porque las condiciones de la existencia siguen incambiadas.

Sin embargo, el misticismo clásico niega la posibilidad de
autosalvarse en el postrer estadio del éxtasis. Cuando se ha
alcanzado este estadio, no es posible forzar la "re-unión" extática con lo último. Ésta tiene que ser un don, aunque quizá
no se dé nunca tal don. Este límite decisivo que entrañan los
métodos de autosalvación del misticismo, debería paliar las críticas, a menudo harto sumarias y endebles, que los teólogos
protestantes, tanto los seguidores de Ritschl como los neo-
ortodoxos, formulan contra los grandes místicos.

Si los teólogos prestaran una mayor atención a los límites
ya indicados por los propios místicos, tendrían que darnos una
valoración más positiva de esta gran tradición. Se comprendería entonces la existencia de lo que podríamos llamar un
"misticismo bautizado", en el que la experiencia mística depende de la aparición de la nueva realidad, sin que por ello
intente producirla. La forma que adopta este misticismo es
concreta, a diferencia del misticismo abstracto de los sistemas
místicos clásicos. Sigue la experiencia paulina del ser *en* Cristo", es decir, en el poder espiritual que es el Cristo. En principio, este misticismo se sitúa más allá de la actitud de autosalvación, aunque no se halla a salvo de reincidir en tal actitud,

ya que la autosalvación constituye una tentación para todas las formas religiosas, y las reincidencias en ella son frecuentes en pleno cristianismo.

e) *Métodos sacramental, doctrinal y emocional de autosalvación.* — A los métodos legalista, ascético y místico de autosalvación podemos añadirles ahora los métodos sacramental, doctrinal y emocional.

Aunque el método sacramental es más característico de la Iglesia católica romana y el método doctrinal lo es de la Iglesia protestante, sobre todo de las Iglesias luteranas, es posible examinarlos juntos. Se da tanta autosalvación doctrinal en el catolicismo romano y tanta autosalvación sacramental en el protestantismo luterano, que sería impropio hablar de una y otra por separado. En ambos casos, una manifestación particular del Nuevo Ser —que aparece en forma visual o verbal— queda convertida en una acción ritual o en una obra intelectual que, llevada a su realización plenaria, vence la alienación existencial. La salvación depende, pues, del acto sacramental que el sacerdote realiza y en el que el cristiano participa, o depende de las doctrinas verdaderas que la Iglesia formula y que el cristiano acepta. En el catolicismo romano, la acción sacramental queda justificada porque la Iglesia romana es una síntesis de la salvación que procede de Dios y la autosalvación que realiza el hombre. En el protestantismo, se eliminó el elemento pelagiano de la autosalvación, pero reapareció luego tanto en la ortodoxia como en el pietismo (fundamentalismo y revivalismo [4]). La ortodoxia clásica estableció una especie de "sacramentalismo de la pura doctrina". Bajo el nombre de "obediencia a la palabra de Dios", se exigió la obediencia a la letra de la Biblia; pero, como el sentido de la Biblia no es obvio, se exigió la obediencia a una interpretación particular de la Biblia, interpretación efectuada por una teología particular en un momento concreto de la historia (y esto todavía sigue exigiéndolo el fundamentalismo en nuestros días). Muchas veces, sobre todo en épocas de acusada conciencia crítica, esta actitud dio paso a un ascetismo intelectual o al sacrificio de la capacidad crítica

4. Se llama *revivalists* a ciertos predicadores protestantes, que van de pueblo en pueblo, intentando suscitar de nuevo el fervor religioso de la gente. Su estilo oratorio suele entrañar abundantes y abigarradas imágenes de los terrores infernales. — *N. del T.*

del hombre, puesto que esta exigencia es análoga a la que informa el ascetismo monástico o puritano, en el que se sacrifican todas las fuerzas vitales.

Tras mostrar la interdependencia que existe entre lo sacramental y lo doctrinal tanto en la teoría como en la práctica, podemos indicar ahora por separado cuáles son sus respectivas deficiencias. La autosalvación sacramental es la distorsión de la receptividad sacramental. En sí misma, la presencia sacramental de lo divino, cuyos modos de expresión rebasan ampliamente los llamados sacramentos, es diametralmente opuesta a la autosalvación. Pero, en su actualización religiosa en forma de ritos, pueden insertarse en ellos los elementos de autosalvación y deformar el sentido original de los ritos. Así es como se considera que la mera repetición de los ritos prescritos o la mera participación en un acto sacramental detentan un poder salvador. El sacramento es algo que nos es dado; por consiguiente, como tal, niega la autosalvación. Pero el uso que de él se hace, deja abierta la puerta de par en par a una actitud de autosalvación. La acongojada pregunta de si se ha cumplido o no con el rito o si se ha procedido conforme a la fórmula y a la actitud prescrita, muestra que no se ha alcanzado la "re-unión" con la fuente divina del acto sacramental. La autosalvación sacramental no sólo es un concepto altamente dialéctico, sino que es asimismo una imposibilidad real. Nunca puede proporcionar una "re-unión" con Dios.

Lo mismo podemos decir de la autosalvación doctrinal. En el protestantismo luterano, la frase "justificación por la fe" fue responsable en parte de que la doctrina se deformase hasta convertirse en un instrumento de autosalvación. La fe, como estado en que el ser se siente embargado por lo último, se alteró profundamente y pasó a ser la creencia en una doctrina. Y así, la fe, concebida como la recepción del mensaje de que uno es aceptado, se convirtió en una proposición que debía ser objeto de una afirmación intelectual. Pero la exigencia de tal afirmación no puede impedir que surjan nuevas preguntas: ¿Creo realmente? ¿No es mi creencia una supresión transitoria de la duda y de la sinceridad intelectual? Y si realmente no creo, ¿acaso puedo salvarme? Las terribles luchas interiores entre el deseo de ser sincero y el deseo de salvarse muestran el fracaso en que desemboca la autosalvación doctrinal.

La forma emocional de la autosalvación se alza frente a la forma sacramental y la forma doctrinal que acabamos de describir. El pietismo, por ejemplo, exigía un compromiso radical por parte del cristiano en términos de una experiencia de conversión y una dedicación devocional de la propia vida (con todos los elementos legales y doctrinales anejos a esta entrega de sí mismo). La tentación de la autosalvación está siempre presente en el pietismo y en todas las formas de "revivalismo", porque ambos provocan el deseo de unas emociones que no son auténticas, sino artificialmente creadas. Los evangelizadores y los que canalizan artificialmente las propias posibilidades emocionales hacia unas experiencias de conversión y santificación, dan lugar a esto. En tal situación, los elementos de autosalvación se sitúan en el ámbito de los actos divinos de salvación que uno desea apropiarse.

El encuentro personal con Dios y la "re-unión" con Él constituyen el corazón de toda auténtica religión. Presuponen la presencia de un poder de transformación y el hecho de que el hombre se orienta hacia lo último partiendo de todas sus preocupaciones preliminares. Sin embargo, en su forma distorsionada, la "piedad" se convierte en un instrumento con el que consumar una transformación en el interior de uno mismo. Pero todo cuanto es impuesto a la vida espiritual del hombre, tanto por uno mismo como por los demás, no deja de ser artificial y suscita congoja, fanatismo y la intensificación de los actos de piedad. De esta manera se hace patente el fracaso final que experimenta la forma pietista de autosalvación.

Todos los métodos de autosalvación deforman el camino de salvación. La regla general según la cual lo negativo vive de la distorsión de lo positivo, también es válida en este caso. Muestra la insuficiencia de una teología que identifica la religión con el intento humano de lograr la autosalvación, y una y otro los hace dimanantes del hombre en su estado de alienación. En realidad, incluso la conciencia de alienación y el deseo de salvación son las consecuencias de la presencia del poder salvador o, en otras palabras, son experiencias reveladoras. Y lo mismo podemos decir de todos los métodos de autosalvación. El legalismo presupone la recepción de la ley en una experiencia reveladora; el ascetismo, la conciencia de lo infinito que juzga lo finito; el misticismo, la experiencia de la ultimidad del ser y del sentido; la autosalvación sacramental, el don de la presencia sacramental; la autosalvación doctrinal, el don de la verdad manifiesta; y la autosalvación emocional, el poder transformador de lo sagrado. Sin tales presupuestos, ni siquiera podían iniciarse todos los intentos que el hombre ha realizado para consumar su autosalvación. La *falsa religio* no se identifica con las religiones históricas particulares, sino con los intentos de autosalvación que se dan en toda religión, incluso en el cristianismo.

3. Expectaciones históricas y no históricas del Nuevo Ser

La búsqueda del Nuevo Ser es universal, porque la condición humana y la ambigua victoria sobre ella son universales. Esa búsqueda aparece en todas las religiones. La expectación utópica de una nueva realidad se da incluso en los pocos lugares donde ha florecido una cultura enteramente autónoma —como en Grecia, en Roma y en la época moderna del mundo occidental. La substancia religiosa sigue siendo efectiva bajo una forma secular. La índole de esta búsqueda del Nuevo Ser cambia de una a otra religión y de una a otra cultura. Pero podemos distinguir dos tipos principales de ella aunque se hallan vinculados entre sí por una relación polar, es decir, que en parte están en conflicto, sin que por ello dejen de estar, en parte, unidos. La diferencia decisiva que los separa viene determinada por la función que en ellos desempeña la historia, puesto que puede andarse en busca del Nuevo Ser por encima de la historia y se puede concebir el Nuevo Ser como la meta hacia la que se encamina la historia. El primer tipo es predominantemente no histórico; el segundo tipo, en cambio, es predominantemente histórico.

La mayor parte de las religiones politeístas, por ejemplo, son predominantemente no históricas. Pero también son no históricas las reacciones contra el politeísmo, tanto las reacciones místicas que hallamos en el brahmanismo y budismo, como las reacciones humanistas que se dieron en la Grecia clásica. En ellas, como en otras expresiones de la preocupación última, el Nuevo Ser es el poder divino dentro de los límites de la finitud, poder que de muy variadas maneras vence a la condición humana. De este modo, lo divino se halla igualmente cerca e igualmente lejos de todas las épocas históricas. La salvación se inicia, ciertamente, en la historia, porque el hombre vive en la historia. Pero no se consuma a través de la historia. Si en esta concepción existe alguna visión de la historia, se la considera como un movimiento circular, que se repite incesantemente y que no crea nada nuevo. El Nuevo Ser no es la meta de la historia, sino que aparece en las epifanías de los dioses, en las realizaciones espirituales suscitadas por los ascetas y videntes, en las encarnaciones divinas, en los oráculos y en la elevación espiritual. Los hombres reciben individualmente estas manifestaciones divinas y pueden comunicarlas a sus discípulos; pero tales manifestaciones no van dirigidas a los grupos. Un grupo, tanto si se trata de una familia como de la humanidad en conjunto, no participa en las realizaciones del Nuevo Ser. La miseria que aflige al género humano en la historia no será alterada, pero los hombres uno a uno pueden trascender la esfera total de la existencia —cosas, hombres y dioses. En esta interpretación, el Nuevo Ser es la negación de todos los seres y la sola afirmación del Fondo del Ser. Podríamos decir que el precio que se paga por el Nuevo Ser es la negación de todo cuanto tiene ser. Tal es la raíz de la diferencia que media entre Oriente y Occidente en sus respectivas visiones de la vida.

En Occidente, la religión y la cultura han sido determinadas por el tipo histórico, es decir, por la expectación de la aparición del Nuevo Ser en el transcurso del proceso histórico. Esta creencia es común a la antigua Persia, al judaísmo, al cristianismo, al Islam y asimismo, aunque en forma secularizada, a algunas concepciones extremas del humanismo moderno. Se espera el Nuevo Ser sobre todo en la dirección horizontal más que en la dirección vertical. Se afirma toda la realidad, porque se la considera esencialmente buena. Su alienación existencial no invalida esa bondad esencial suya. Pero la expectación del Nuevo Ser es la expectación de una realidad transformada. La transformación tiene lugar en y a través de un proceso histórico que es único, irrepetible e irreversible. Los grupos históricos, como las familias, las naciones y la Iglesia, son los portadores de este proceso; y los individuos lo son únicamente en relación con los grupos históricos. La actualización del Nuevo Ser es distinta según sean las distintas formas que adopta el

tipo histórico de expectación. Tiene lugar a lo largo de un progreso paulatino, en una gradación cualitativa perfectamente definida, en el centro mismo del proceso histórico total o al fin
del mismo, cuando la historia se eleva a la eternidad. A menudo se combinan algunas de estas posibilidades —cuyo estudio
sistemático no es ahora de nuestra incumbencia. Pero podemos
dejar sentado que en el cristianismo el acontecimiento decisivo
se cumple en el centro de la historia y que es precisamente este
acontecimiento el que confiere un centro a la historia; que el
cristianismo es asimismo consciente del "todavía no", que con
tanto énfasis subraya el judaísmo; y que el cristianismo conoce
las posibilidades reveladoras que entraña cada momento de la
historia. Todo esto se halla implícito en la denominación de
"Cristo", nombre con que el cristianismo designa al portador
del Nuevo Ser en su manifestación final.

4. El símbolo de "Cristo", su sentido histórico y transhistórico

La historia del símbolo "Mesías" ("Cristo") nos dice que su
origen trasciende tanto el cristianismo como el judaísmo, y con
ello nos confirma la universal expectación humana de una nueva realidad. Cuando el cristianismo se sirvió de este símbolo
para significar lo que creía que era el acontecimiento central
de la historia, aceptó —como anteriormente lo había hecho la
religión del Antiguo Testamento— un enorme acervo de material simbólico que procedía de la organización social del mundo semita y egipcio, y, en particular, de la institución política
de la monarquía. El Mesías, "el ungido", es el rey: vence a
los enemigos y establece la paz y la justicia. Cuanto más se
trascendió el sentido político del Mesías, más simbólica se hizo
la figura del rey y más rasgos mitológicos se le añadieron. Pero
el Mesías siempre quedó vinculado a la historia, es decir, a un
grupo histórico concreto, a su pasado y a su futuro. El Mesías
no salva a los hombres conduciéndolos fuera de la existencia
histórica; el Mesías existe para transformar la existencia histórica. El hombre entra, pues, en una nueva realidad que incluye
a la sociedad y a la naturaleza. Según el pensamiento mesiánico, el Nuevo Ser no exige el sacrificio del ser finito; muy al

contrario, lleva a la plenitud la totalidad del ser finito al vencer su alienación existencial.

El carácter estrictamente histórico de la idea mesiánica hizo posible que se transfiriese la función mesiánica a una nación, a un pequeño grupo dentro de una nación (el resto), a una clase social (el proletariado), etc. Y así fue posible amalgamar la figura mesiánica con otras figuras, como la del "Siervo de Yahvé", el "Hijo del Hombre" y el "Hombre de lo Alto". A veces, incluso fue posible algo mucho más importante: que la expectación histórica del Nuevo Ser pudiera incluir la expectación no histórica del mismo. A este respecto, el cristianismo puede presumir de ser el tipo universal de expectación. La búsqueda universal del Nuevo Ser es una consecuencia de la revelación universal. Cuando el cristianismo reivindica su carácter universal, implícitamente afirma que las diferentes formas que ha revestido la búsqueda del Nuevo Ser desembocan finalmente en Jesús como el Cristo. El cristianismo debe mostrar —y siempre ha tratado de hacerlo— que la expectación histórica del Nuevo Ser incluye asimismo la expectación no histórica, mientras que la expectación no histórica es incapaz de incluir la expectación histórica. Para que el cristianismo sea universalmente válido, debe unir la dirección horizontal de la expectación del Nuevo Ser con su dirección vertical. Para realizar tal cometido, la teología cristiana se proveyó de abundantes instrumentos conceptuales en el judaísmo tardío. En el período postexílico, la piedad judía creó varios símbolos que conjugaban los elementos históricos y transhistóricos y que podían aplicarse de un modo universal al acontecimiento de "Jesús". En la literatura apocalíptica, el Mesías cobra una significación cósmica, a la ley se le confiere una realidad eterna, y la sabiduría divina, que está junto a Dios, constituye el principio de la creación y de la salvación. Otras cualidades divinas poseen asimismo una especie de independencia ontológica bajo la supremacía de Yahvé. En la figura del Hijo del Hombre se aúnan las raíces trascendentes con las funciones históricas. Sobre esta base, el cuarto evangelio subrayó enérgicamente la línea vertical con su doctrina del Logos, su insistencia acerca del carácter transhistórico de Jesús y su enseñanza acerca de la presencia del juicio y la salvación en Jesús. Pero el retroceso que experimentó la conciencia escatológica en el cristianismo primitivo condujo a que se acentuase de un modo casi exclusivo la salvación individual. Esto ya es visible en Pablo, cuya mística de Cristo y cuya doctrina del Espíritu hicieron las veces de un amplio puente por el que la expectación no histórica pudo penetrar en el cristianismo. No es de extrañar que, en tales circunstancias, la línea horizontal, que procedía del Antiguo Testamento, estuviese en peligro de ser aniquilada por la línea vertical, que procedía del helenismo. Pero el peligro se hizo realidad cuando, en el gnosticismo, se mezclaron los diversos temas religiosos. Entonces cayeron en el olvido los dos símbolos interdependientes de la creación y la consumación. En tal situación, el cristianismo se vio obligado a entablar una lucha a vida o muerte para salvaguardar el Antiguo Testamento en el seno de la Iglesia, es decir, la expectación histórica del Nuevo Ser. La Iglesia adoptó esta decisión y así salvó el carácter histórico del cristianismo. Esto es lo que hay que defender en todas las épocas, pero de tal modo que no se pierda la significación universal del cristianismo y sea sustituida por la validez condicionada de un movimiento histórico contingente.

5.   El sentido de la paradoja en la teología cristiana

La aserción cristiana de que el Nuevo Ser se nos mostró en Jesús como el Cristo, es una aserción paradójica. Constituye la única paradoja omnienglobante del cristianismo. Pero siempre que utilizamos la palabra "paradoja" y "paradójico", se hace imprescindible una investigación semántica previa. Hasta tal punto se ha abusado de tales términos, que su aplicación al acontecimiento cristiano suscita confusión y resentimiento. Por consiguiente, hemos de establecer la diferencia que existe entre lo paradójico y lo racional-reflexivo, lo racional-dialéctico, lo irracional, lo absurdo y lo desatinado.

A lo racional-reflexivo también podemos llamarlo el reino de la razón técnica, es decir, aquella manera de pensar que no sólo se sujeta a las leyes de la lógica formal (como debe hacer todo pensamiento), sino que además cree que las únicas dimensiones del ser son aquellas que pueden ser totalmente aprehendidas por medio de la lógica formal. Si por "paradójico" entendemos lo que destruye a la lógica formal, es obvio que debemos rechazar todo lo que sea paradójico, ya que incluso la destrucción de la lógica formal requiere el uso de esta misma lógica formal. Y no podemos destruirla, sino que debemos limitarla a su uso legítimo. La paradoja no constituye ninguna excepción a ese uso legítimo de la lógica. Para situarla correctamente, necesitamos el concurso de la lógica formal.

A menudo se ha confundido lo paradójico con lo dialéctico. Pero el pensamiento dialéctico es racional, no paradójico. La dialéctica no es reflexiva, puesto que no refleja como un espejo las realidades de las que se ocupa. No las contempla meramente desde fuera, sino que penetra en ellas, por decirlo así, y participa en sus tensiones internas. Estas tensiones pueden presentarse, en el primer momento, como conceptos contrapuestos, pero es preciso ahondar en ellas hasta llegar a su enraizamiento en los niveles más profundos de la realidad. En una descripción dialéctica, cada elemento de un concepto suscita otro concepto. Así entendida, la dialéctica determina todos los procesos vitales y debe ser utilizada en biología, psicología y sociología. Es dialéctica la descripción de las tensiones internas en los organismos vivos, los conflictos neuróticos y la lucha de clases. La vida misma es dialéctica. Si aplicamos simbólicamente este concepto a la vida divina, la descripción de Dios como un Dios vivo tendremos que hacerla en términos dialécticos. Porque Dios es de la misma índole que toda vida: se sobrepasa a sí mismo y retorna sobre sí. Esto lo expresan los símbolos trinitarios. Con la máxima energía hemos de subrayar que la concepción trinitaria es dialéctica y, en este sentido, racional, no paradójica. Esto implica la existencia en Dios de una relación entre lo infinito y lo finito. Dios es infinito, en cuanto es el fondo creador de lo finito y eternamente produce en sí mismo las potencialidades finitas. Lo finito no limita a Dios, sino que pertenece al proceso eterno de su vida. Todo esto es de índole dialéctica y racional; pero en cada una de estas afirmaciones asoma el misterio divino. En todas sus expresiones la teología apunta al misterio divino —el misterio del ser eterno. Los instrumentos de que se sirve la teología son racionales, dialécticos y paradójicos; nada tienen de misterioso cuando hablan del misterio divino.

La paradoja teológica no es "irracional". Pero la transición de la esencia a la existencia, de lo potencial a lo real, de la inocencia soñadora a la culpa y a la tragedia existenciales, es irracional. A pesar de su universalidad, esta transición no es racional; en último análisis, es irracional. La irracionalidad de esta transición de la esencia a la existencia la encontramos en todas las cosas, y su presencia es irracional, no paradójica. Y es innegable que hemos de aceptarla, aunque contradice la estructura esencial de todo lo creado.

No sería necesario cotejar lo paradójico con lo absurdo si no fuese por aquella desconcertante afirmación, *credo quia absurdum*, que se atribuyó erróneamente a Tertuliano, y si no fuese por el hecho de haberse identificado lo paradójico con lo absurdo. Las combinaciones de palabras lógicamente compatibles entre sí resultan absurdas cuando contradicen la estructura inteligible de la realidad. Por consiguiente, sólo hay un paso de lo absurdo a lo grotesco y a lo ridículo. Varias veces nos hemos servido de este término al rechazar la interpretación literal de los símbolos y las grotescas consecuencias de tal literalismo. Pero estos absurdos nada tienen que ver con la paradoja del mensaje cristiano.

Finalmente, no es lo mismo paradójico que desatinado. Parece innecesaria esta afirmación, pero no lo es. Por desgracia, siempre existen teólogos que se permiten crear proposiciones desprovistas, desde un punto de vista semántico, de todo sentido, pero que, en nombre de la fe cristiana, insisten en que han de ser aceptadas si se quiere ser un verdadero cristiano. Arguyen que la verdad divina está por encima de la razón humana. Pero la verdad divina no puede expresarse en proposiciones carentes de sentido. Todos podríamos formular un sin fin de frases de este tenor, pero carecerían de sentido; y la paradoja no es un desatino.

Dejamos así esbozada la relación que media entre el misterio divino y las distintas categorías lógicas, a las que hemos cotejado con la paradoja. El misterio no radica en tales categorías, pero aparece siempre que se habla de Dios y de las "cosas" divinas. Se fundamenta en la naturaleza misma de lo divino, en su infinitud y eternidad, en su carácter incondicional y último, en su trascendencia de la estructura sujeto-objeto de la realidad. Este misterio de lo divino constituye el supuesto de toda teología. Pero no excluye al *logos* del *theos* y, con él, a la teología como tal. El *logos* del *theos* tiene que expresarse en términos reflexivos, dialécticos y paradójicos. Pero el *theos*, el misterio divino, trasciende todas esas expresiones. Quienes acumulan paradoja sobre paradoja no logran acercarse más al misterio divino que quienes, con las armas de la razón reflexiva, dan cuenta del sentido semántico de los conceptos religiosos —en el supuesto de que unos y otros reconozcan el misterio último del ser.

Tras este breve examen del concepto de lo paradójico, hemos de establecer ahora en términos afirmativos el significado literal de esta palabra. Es paradójico lo que contradice la *doxa*, es decir, la opinión que se basa en el conjunto de la experiencia humana ordinaria, experiencia que incluye lo empírico y lo racional. La paradoja cristiana contradice la opinión que dimana de la condición existencial del hombre y de todas las expectaciones que son imaginables partiendo de tal condición. El carácter paradójico del mensaje cristiano no es una "ofensa" a las leyes del lenguaje inteligible, sino a la consideración que al hombre le merece su condición humana con respecto a sí mismo, a su mundo y a la realidad última subyacente a ambos. Es una ofensa a la confianza inquebrantable del hombre en sí mismo, a sus intentos por lograr su autosalvación, y a su resignación ante el desespero. Frente a cada una de esas tres actitudes, la manifestación del Nuevo Ser en Cristo es un juicio y una promesa. Y la aparición del Nuevo Ser bajo las condiciones de la existencia, a las que juzga y vence, es la paradoja del mensaje cristiano. Ésta es la única paradoja y la fuente de la que proceden todas las afirmaciones paradójicas del cristianismo. La afirmación paradójica de que la situación del cristiano es la de *simul peccator, simul justus* ("al mismo tiempo pecador y justo", es decir, justificado) no es una paradoja al mismo nivel de la paradoja cristológica: que Jesús es el Cristo. Histórica y sistemáticamente, todo lo demás del cristianismo viene a corroborar tan sólo la simple aserción de que Jesús es el Cristo. Esta aserción no es irracional ni absurda, pero tampoco es ni reflexiva ni dialécticamente racional; es paradójica, es decir, opuesta a la autocomprensión del hombre y a sus expectaciones. La paradoja es una nueva realidad y no un enigma lógico.

6. Dios, el hombre y el símbolo de "Cristo"

La correcta comprensión de la paradoja resulta esencial cuando reflexionamos acerca de la significación que entraña el "Cristo" como portador del Nuevo Ser en su relación con Dios, con el hombre y con el universo. Obviamente, las respuestas a tales reflexiones no nos vienen dadas por una observación objetiva de las ideas precristianas relativas al Mesías, sino que son el resultado de una interpretación existencial tanto de aquellas ideas precristianas como de su crítica y su plena realización en Jesús como el "Cristo". Esto es lo propio del método de correlación, en el que las preguntas y las respuestas se determinan recíprocamente y en el que la cuestión acerca de la manifestación del Nuevo Ser se plantea a la vez partiendo de la condición humana y situándose bajo la luz de la respuesta que se considera como *la* respuesta del cristianismo.

El primer concepto que suele utilizarse para acotar la significación del Cristo es el concepto de "mediador". Los dioses mediadores aparecen en la historia de la religión cuando el Dios supremo va haciéndose cada vez más abstracto y remoto. Los hallamos en el paganismo lo mismo que en el judaísmo, y expresan el deseo que siente el hombre de percibir su preocupación última en una manifestación concreta. En el paganismo, los dioses mediadores pueden convertirse en dioses por derecho propio; en el judaísmo, en cambio, están sujetos a Yahvé. En el cristianismo, "mediar" significa salvar el abismo infinito que separa lo infinito y lo finito, lo incondicional y lo condicionado. Pero la función de mediar no se reduce a la mera función de hacer concreto lo último. Mediación es reunión. El mediador ejerce una función salvadora: es el salvador. Desde luego, no es salvador por cuenta propia, sino por destino divino, ya que la salvación y la mediación proceden realmente de Dios. El salvador no salva a Dios de la necesidad de condenar. Toda acción mediadora y salvadora procede de Dios. Dios es el sujeto, no el objeto, de la mediación y de la salvación. Dios no necesita reconciliarse con el hombre, sino que invita al hombre a que se reconcilie con Él.

Por consiguiente, aunque Cristo es esperado como mediador y salvador, no es esperado como una tercera realidad entre

Dios y el hombre, sino como aquel que representa a Dios ante el hombre. No representa al hombre ante Dios, sino que muestra el hombre lo que Dios quiere que el hombre sea. Representa ante quienes viven bajo las condiciones de la existencia lo que es esencialmente el hombre y, en consecuencia, lo que debería ser bajo tales condiciones. Es inadecuado y constituye el origen de una falsa cristología decir que el mediador es una realidad ontológica entre Dios y el hombre. Tal ser sólo podría ser un semidiós que, al mismo tiempo, sería un semihombre. Y este tercer ser no podría representar a Dios ante los hombres ni al hombre ante los hombres. Es el hombre esencial quien no sólo representa al hombre ante el hombre, sino que representa asimismo a Dios ante el hombre; ya que, por su misma naturaleza, el hombre esencial representa a Dios. Representa la imagen original de Dios encarnada en el hombre, pero lo hace bajo las condiciones de la alienación existente entre Dios y el hombre. La paradoja del mensaje cristiano no consiste en que la naturaleza humana esencial incluye la unión de Dios y el hombre. Esto es propio de la dialéctica de lo infinito y lo finito. La paradoja del mensaje cristiano estriba en el hecho de que, en *una* vida personal, se nos ha hecho presente la humanidad [5] esencial bajo las condiciones de la existencia sin ser conquistada por ellas. Podríamos hablar asimismo de la humanidad-Dios esencial para indicar la presencia divina en la humanidad esencial; pero esto resultaría redundante y nuestro pensamiento queda mejor y más claramente expresado si hablamos simplemente de la humanidad esencial.

El segundo concepto que hemos de revisar a la luz de nuestra comprensión de la paradoja cristiana es el concepto de "encarnación". El hecho de que este término no sea bíblico puede abogar en contra de su empleo como término religioso, pero no constituye ningún argumento válido contra su uso teológico. De todos modos, como interpretación teológica del acontecimiento sobre el que se fundamenta el cristianismo, debemos someterlo a una rigurosa revisión teológica que nos permita trazar su contorno con toda nitidez. Obviamente, la primera cuestión a considerar es ésta: ¿Quién es el sujeto de la encar-

5. Por supuesto, el autor se refiere aquí a la humanidad en el sentido de "naturaleza humana" (*manhood*) y no en el sentido de "género humano" (*mankind*). — *N. del T.*

9.

nación? Cuando la respuesta es "Dios", suele afirmarse a continuación que "Dios se hizo hombre" y que ésta es la paradoja del mensaje cristiano. Pero la aserción de que "Dios se hizo hombre" no es una aserción paradójica sino un desatino. Es una combinación de palabras que sólo tiene sentido si con ella no se pretende decir lo que precisamente dicen tales palabras. La palabra "Dios" indica la realidad última, e incluso el escotista más consecuente tuvo que admitir que lo único que Dios no puede hacer es dejar de ser Dios. Pero esto es precisamente lo que significa la aserción de que "Dios se hizo hombre". Aunque se hable de Dios como un "devenir", Dios no deja de ser Dios en todos los momentos. No "deviene" algo distinto de Dios. Por consiguiente, es preferible hablar de un ser divino que se hizo hombre y remitirse a los términos "Hijo de Dios", "Hombre espiritual" u "Hombre de lo alto", tal como los utiliza el lenguaje bíblico. Cuando se usan de este modo, ninguna de estas denominaciones constituye un desatino, aunque todas resulten peligrosas por dos razones: primero, porque entrañan la connotación politeísta de la existencia de unos seres divinos además de Dios y, segundo, porque entonces se interpreta la encarnación en términos de una mitología en la que los seres divinos se transmutan en objetos naturales o en seres humanos. En este sentido, la encarnación anda muy lejos de ser una característica del cristianismo. Muy al contrario, constituye una característica del paganismo, puesto que en el seno del paganismo ningún dios ha superado la base finita en la que se asienta. Por esta razón, nada se opuso en el politeísmo a que la imaginación mitológica transformase a los seres divinos tan pronto en objetos naturales como en seres humanos. Pero, en el cristianismo, el uso impropio del término "encarnación" suscita connotaciones paganas o, por lo menos, supersticiosas.

De la afirmación del cuarto evangelio de que el "Logos se hizo carne" debería inferirse una interpretación distinta del término "encarnación". El "Logos" es el principio según el cual se da la automanifestación divina en Dios lo mismo que en el universo, en la naturaleza lo mismo que en la historia. El término "carne" no significa una substancia material, sino que designa la existencia histórica. Y el verbo "se hizo" indica la paradoja del Dios que participa en aquello que no le recibió y en aquello que está alienado de Él. Esto no es un mito de transmutación, sino la aserción de que Dios se manifiesta en el proceso de una vida personal como alguien que salva participando en la humana condición. Si se entiende la "encarnación" en este sentido preciso, entonces este término puede expresar la paradoja cristiana. Pero quizás sea desaconsejable su uso, ya que es prácticamente imposible preservar este concepto de connotaciones supersticiosas.

Al hablar del carácter que reviste la búsqueda y la expectación de Cristo, surge una cuestión que han eludido cuidadosamente muchos teólogos tradicionales, a pesar de que consciente o inconscientemente sigue acuciando a la mayor parte de nuestros contemporáneos. Nos referimos al problema de cómo hay que entender el símbolo de "Cristo" dada la inmensidad del universo, el sistema heliocéntrico de planetas, la porción infinitamente pequeña del universo que constituyen el hombre y su historia, y la posibilidad de que existan otros "mundos" en los que puedan aparecer y ser recibidas ciertas automanifestaciones divinas. Todas estas consideraciones cobran una particular importancia si pensamos que las expectaciones bíblicas y las afines a ellas esperaban la venida del Mesías en un marco cósmico. El universo nacerá de nuevo en un nuevo eón. La función a desempeñar por el portador del Nuevo Ser no será únicamente la de salvar a los seres humanos y transformar la existencia histórica del hombre, sino la de renovar el universo. Y el supuesto sobre el que descansa esta visión es que la humanidad y los individuos humanos dependen tanto de los poderes del universo, que la salvación del uno es impensable sin la salvación del otro.

La respuesta fundamental a estas cuestiones nos viene dada en el concepto del hombre esencial que aparece en una vida personal bajo las condiciones de la alienación existencial. Esto limita la expectación del Cristo a la humanidad histórica. El hombre, en cuya existencia apareció el hombre esencial, representa la historia humana o, con mayor precisión, como acontecimiento central de la historia, crea el sentido de la historia humana. Lo que se manifiesta en Cristo es la relación eterna que media entre Dios y el hombre. Al mismo tiempo, nuestra respuesta fundamental deja abierto el universo a posibles manifestaciones divinas en otras zonas o en otros períodos del ser. No es posible negar tales posibilidades. Pero tampoco es posible probarlas o refutarlas. La encarnación es única para el grupo concreto en el que acaece, pero no es única en el sentido de que excluya otras encarnaciones singulares para otros mundos únicos. El hombre no puede pretender que, únicamente en la humanidad, lo infinito haya penetrado en lo finito para superar su alienación existencial. El hombre no puede pretender que él constituya el único lugar donde es posible la encarnación. Aunque no podamos verificar experimentalmente todo cuanto se refiere a la existencia de otros mundos y a la relación que Dios guarda con ellos, la importancia de tales reflexiones estriba en que nos ayudan a interpretar el sentido de ciertos términos como "mediador", "salvador", "encarnación", "Mesías" y "nuevo eón".

Quizá podemos dar un paso más aún. La interdependencia de todo con todo en la totalidad del ser implica la participación de la naturaleza en la historia y exige la participación del universo en la salvación. Por consiguiente, si existen "mundos" no humanos en los que no sólo la alienación existencial es real —como lo es en todo el universo—, sino que en ellos existe asimismo una cierta conciencia de esta alienación, tales mundos no pueden existir sin que en ellos se dé la actuación de un poder salvador. De lo contrario, la autodestrucción sería su inevitable consecuencia. La manifestación del poder salvador en un lugar implica que este poder está actuando en todos los lugares. La expectación del Mesías como portador del Nuevo Ser presupone que "Dios ama el universo", aunque en la aparición de Cristo sólo actualiza este amor con respecto al hombre histórico.

En estas últimas páginas hemos analizado la expectación del Nuevo Ser, la significación del símbolo "Cristo" y la validez de los distintos conceptos con los que la teología ha interpretado esta significación. No hemos hablado todavía de la aparición concreta del Cristo en Jesús, aunque, en función del círculo teológico, esto se da por supuesto en la descripción de la expectación. Ahora volvemos al acontecimiento que, según el mensaje cristiano, ha colmado la expectación, es decir, el acontecimiento que se llama "Jesús, el Cristo".

Sección II

LA REALIDAD DE CRISTO

A. JESÚS COMO EL CRISTO

1. EL NOMBRE "JESUCRISTO"

El cristianismo es lo que es gracias a la afirmación de que Jesús de Nazaret, que fue llamado "el Cristo", es realmente el Cristo, es decir, el que aporta el nuevo estado de cosas, el Nuevo Ser. Dondequiera que se reitere la aserción de que Jesús es el Cristo, allí se da el mensaje cristiano; dondequiera que se niegue esta aserción, allí deja de afirmarse el mensaje cristiano. El cristianismo no nació con el nacimiento del hombre llamado "Jesús", sino en el momento en que uno de sus seguidores se sintió impulsado a decirle: "Tú eres el Cristo". Y el cristianismo seguirá existiendo mientras haya hombres que repitan esta aserción. Porque el acontecimiento en el que se basa el cristianismo posee dos vertientes: el hecho que llamamos "Jesús de Nazaret" y la recepción de este hecho por parte de quienes recibieron a Jesús como el Cristo. Según la tradición primitiva, el primero que recibió a Jesús como el Cristo se llamaba Simón Pedro. Este acontecimiento nos es narrado en un relato que figura en el centro del evangelio de Marcos; tuvo lugar cerca de Cesarea de Filipo y constituye el punto crucial de todo el evangelio. El momento en que los discípulos aceptan a Jesús como el Cristo es asimismo el momento en que lo rechazan los poderes de la historia. Tal circunstancia confiere a esta narración su tremendo poder simbólico. Aquel que es el Cristo tiene que morir por haber aceptado el título de "Cristo". Y quienes siguen llamándolo Cristo han de afirmar la paradoja de que aquel de quien se supone que ha de vencer la alienación existencial, tiene que participar en ella y en sus consecuencias destructoras. Ésta es la narración central del evangelio. Reducida a su formulación más simple, podemos enunciarla diciendo que el hombre Jesús de Nazaret es el Cristo.

Lo primero que debe hacer el pensamiento cristológico es una interpretación del nombre "Jesucristo", preferiblemente a la luz de la narración de Cesarea de Filipo. Ha de quedar claro que Jesucristo no es un nombre propio, formado por la unión de dos nombres propios, sino la combinación de un nombre propio —el nombre de cierto hombre que vivió en Nazaret entre los años 1 y 30— con el título de "el Cristo" que, en la tradición mitológica, designa un personaje especial que ejerce una función especial. El Mesías —en griego, *Christos*— es "el ungido", el que ha recibido una unción de parte de Dios que lo capacita para establecer el reino de Dios en Israel y en el mundo. Por consiguiente, el nombre Jesucristo debe entenderse como "Jesús, que fue llamado el Cristo", o "Jesús, que es el Cristo", o "Jesús como el Cristo", o "Jesús el Cristo". El contexto determina cuál de estas expresiones interpretativas tenemos que usar; pero es preciso usar una de ellas, no sólo en el pensamiento teológico sino también en la práctica eclesiástica, para que así se mantenga vivo el sentido original del nombre "Jesucristo". La predicación y la enseñanza cristianas deben subrayar una y otra vez la paradoja de que el hombre Jesús fue llamado el Cristo —una paradoja que a menudo queda atenuada en el uso litúrgico y homilético de "Jesucristo" como un nombre propio. "Jesucristo" significa —original, esencial y permanentemente— "Jesús que es el Cristo".

2. Acontecimiento, hecho y recepción

Jesús como el Cristo es un hecho histórico, pero asimismo es un objeto de recepción por la fe. Sin afirmar ambas cosas, no es posible decir la verdad acerca del acontecimiento en el que se fundamenta el cristianismo. De haberse subrayado con la misma fuerza estos dos aspectos del "acontecimiento cristiano", se hubiesen evitado numerosos errores teológicos. Y si se ignora por completo uno de ellos, se socava la teología cristiana en su totalidad. Cuando la teología ignora el hecho que se expresa con el nombre Jesús de Nazaret, ignora la aserción fundamental cristiana, es decir, la aserción de que el Dios-Humanidad esencial apareció en el seno de la existencia y se sujetó a sus condiciones sin ser conquistado por ellas. De no haber existido ninguna vida personal en la que fue superada la alienación existencial, el Nuevo Ser seguiría siendo objeto de búsqueda y de expectación, pero no sería una realidad en el tiempo y el espacio. Únicamente si la existencia es conquistada en *un* punto —una vida personal, que representa el conjunto de la existencia—, queda conquistada en principio, y esto significa "desde el comienzo y con poder". Por esta razón la teología cristiana tiene que insistir en el hecho real al que nos remite el nombre de Jesús de Nazaret, hecho al que se debió que la Iglesia prevaleciera frente a los otros grupos rivales que surgieron en los movimientos religiosos de los primeros siglos. Por esta razón la Iglesia tuvo que entablar una lucha denodada contra los elementos gnósticos y docetas que subsistían en ella —elementos que se habían introducido en el cristianismo desde los mismos tiempos neotestamentarios. Y por esta razón se hace sospechoso de profesar ideas docetas quien, por mucho que insista en el aspecto fáctico del mensaje de Jesús el Cristo, considera no obstante con toda seriedad la actitud histórica y los métodos críticos de que esta actitud se sirve para el estudio del Nuevo Testamento.

Sin embargo, el otro aspecto, es decir, la recepción por la fe de Jesús *como* el Cristo, exige que se le subraye con idéntico vigor. Sin esta recepción, Cristo no hubiese sido el Cristo, es decir, la manifestación del Nuevo Ser en el tiempo y el espacio. Si Jesús no hubiese sido el Cristo para sus discípulos y, a través de ellos, para todas las generaciones posteriores, hoy recordaríamos quizás al hombre que se llamó Jesús de Nazaret como una personalidad importante desde el punto de vista histórico y religioso. Como tal, pertenecería a la revelación preliminar y, quizás, al período preparatorio de la historia de la revelación. Podría haber sido, pues, una anticipación profética del Nuevo Ser, pero no la manifestación final del Nuevo Ser en sí. No hubiese sido el Cristo, ni siquiera en el caso de que lo hubiese pretendido. El lado receptivo del acontecimiento cristiano es tan importante como su lado fáctico. Y sólo la unidad de ambos crea el acontecimiento en el que se fundamenta el cristianismo. Según un simbolismo posterior, Cristo es la cabeza de la Iglesia, y ésta es su cuerpo. De ahí que el Cristo y la Iglesia sean necesariamente interdependientes.

3. LA HISTORIA Y CRISTO

Si Cristo no es Cristo sin aquellos que lo reciben como el Cristo, ¿qué sentido tiene para la validez de este mensaje el hecho de que se interrumpa o destruya la continuidad de la Iglesia como grupo que le recibe como el Cristo? Podemos imaginarnos —y hoy más fácilmente que nunca— que queda destruida por completo la tradición histórica que considera a Jesús como el acontecimiento central de la historia. Podemos imaginarnos que una catástrofe total y un comienzo enteramente nuevo de la raza humana borran hasta el menor recuerdo del acontecimiento "Jesús como el Cristo". Esta posibilidad —cuya verificación es tan imposible como su refutación—, ¿puede socavar la aserción de que Jesús es el Cristo, o bien la fe cristiana nos prohíbe semejante especulación? Para quienes son conscientes de que esta posibilidad se ha convertido hoy día en una amenaza real, la última alternativa resulta imposible. No podemos silenciar esta cuestión, cuando la humanidad ha alcanzado el poder de aniquilarse a sí misma. ¿El suicidio de la humanidad constituiría, pues, una refutación del mensaje cristiano?

El Nuevo Testamento es consciente del problema que implica la continuidad histórica y nos indica claramente que, mientras exista una historia humana —es decir, hasta el fin del mundo—, el Nuevo Ser manifiesto en Jesús como el Cristo estará presente y actuará efectivamente en ella. Todos los días hasta el fin de los tiempos, Jesús el Cristo estará con los que creen en Él. Las "puertas del infierno", los poderes demoníacos, no prevalecerán contra la Iglesia de Cristo. Y antes del fin del mundo, Jesús el Cristo establecerá su "reino milenario" y vendrá como el juez de todos los seres. ¿Cómo pueden conjugarse tales aserciones con la posibilidad de que mañana la humanidad se destruya a sí misma? Y aunque en tal caso sobreviviesen algunos seres humanos, que así quedarían escindidos de la tradición histórica en la que apareció Jesús como el Cristo, todavía deberíamos preguntarnos: "¿Qué significan estas afirmaciones bíblicas ante un desarrollo así de la historia?" No podemos responder exigiendo a Dios que no permita tales catástrofes, ya que la estructura del universo nos indica claramente que las condiciones de la vida sobre la faz de la tierra, y más aún las condiciones de la vida humana, son limitadas en el tiempo. Si no queremos caer en un literalismo supranaturalista con respecto a los símbolos escatológicos, debemos entender de un modo distinto la relación que media entre Jesús como el Cristo y la historia humana.

Hemos examinado un problema similar al hablar de la relación existente entre la idea de Cristo y el universo. La cuestión se refería entonces a la significación que entraña la idea de Cristo en términos de extensión espacial; la cuestión se refiere ahora a la significación que posee la realidad de Jesús como el Cristo en términos de extensión temporal. Respondimos a la primera cuestión diciendo que la relación entre el eterno Dios-Humanidad y la existencia humana no excluye otras relaciones de Dios con otros ámbitos o niveles del universo existente. ¡El Cristo es Dios-para-nosotros! Pero Dios no sólo es Dios para nosotros, sino que lo es para todo lo creado. De manera análoga hemos de decir ahora que Jesús como el Cristo pertenece al proceso histórico del que Él es el centro y del que así determina el comienzo y el fin. Este proceso se inicia en el momento en que los seres humanos comienzan a advertir su alienación existencial y suscitan la cuestión del Nuevo Ser. Obviamente, este momento inicial no puede ser determinado por la investigación histórica, sino que debe ser narrado en términos legendarios y míticos, como ocurre en la Biblia y en otras literaturas religiosas. Paralelamente a este comienzo, el fin es el momento en que se rompe definitivamente la continuidad de aquella historia cuyo centro está constituido por Jesús como el Cristo. Este momento no puede ser determinado empíricamente, como tampoco pueden serlo ni su naturaleza ni sus causas. Su naturaleza puede ser la desaparición o la completa transformación de lo que antaño fue la humanidad histórica. Sus causas pueden ser históricas, biológicas o físicas. En todo caso, sería el fin de aquel proceso cuyo centro lo constituye Jesús como el Cristo. Lo que es cierto para la fe es que Cristo constituye el centro de la humanidad histórica en su proceso de desarrollo único y continuo tal como lo experimentamos ahora y aquí. Pero la fe no puede emitir ningún juicio acerca del destino futuro de la humanidad histórica ni de cómo llegará ésta al fin. Jesús es el Cristo para nosotros, es decir, para los que participamos en este *continuum* histórico al que Cristo confiere un sentido. Esta limitación existencial no limita cualitativamente su significación, sino que deja la puerta abierta a otras automanifestaciones divinas antes y después de nuestro *continuum* histórico.

4. LA INVESTIGACIÓN ACERCA DEL JESÚS HISTÓRICO Y EL FRACASO DE TAL INVESTIGACIÓN

En cuanto se aplicó a la literatura bíblica el método científico de la investigación histórica, ciertos problemas teológicos, que nunca se habían olvidado por completo, cobraron una intensidad hasta entonces desconocida en los anteriores períodos de la historia de la Iglesia. El método histórico aúna un elemento analítico-crítico y un elemento deductivo-conjetural. Para la conciencia del cristiano medio, modelada por la doctrina ortodoxa de la inspiración verbal, el primero era mucho más impresionante que el segundo. Sólo se fue sensible a lo negativo del término "crítica" y así, a toda esta empresa científica, se le dio el nombre de "crítica histórica", "alta crítica" o, en relación con un método reciente, "crítica de las formas". De suyo, el término "crítica histórica" no significa sino investigación histórica. Toda investigación histórica somete sus fuentes a una rigurosa crítica, separando lo que en ellas es más probable de lo que es menos probable o de lo que es enteramente improbable. Nadie duda de la validez de este método, que sus éxitos confirman sin cesar, y nadie protesta en serio si destruye hermosas leyendas e inveterados prejuicios. Pero la investigación bíblica suscitó vehementes recelos desde sus mismos inicios. Parecía criticar, no sólo las fuentes históricas, sino la revelación contenida en tales fuentes. La investigación histórica se identificó así con la recusación de la autoridad bíblica. Se supuso que la revelación no sólo abarcaba el contenido revelador, sino también la forma histórica en la que había aparecido la revelación. Esto parecía especialmente cierto en todo lo que concierne al "Jesús histórico". Puesto que la revelación bíblica es esencialmente histórica, parecía imposible toda separación entre el contenido revelador y los relatos históricos tal como nos vienen dados en los textos bíblicos. Parecía, pues, que la crítica histórica socavaba la fe misma.

Pero esta parte crítica de la investigación histórica en la literatura bíblica es la menos importante. Es mucho mayor el alcance de la parte deductivo-conjetural, que constituía la fuerza motriz de toda aquella empresa. Se buscaron los hechos subyacentes a los relatos bíblicos, sobre todo los hechos que hacían referencia a Jesús. Existía el apremiante deseo de descubrir la realidad de aquel hombre, Jesús de Nazaret, tras las tradiciones que coloreaban y encubrían aquella realidad y que son casi tan antiguas como ella misma. Así se inició la investigación acerca del llamado "Jesús histórico". Los motivos de esta investigación fueron a la vez religiosos y científicos. En muchos aspectos, este intento era audaz, noble y extremadamente significativo. Sus consecuencias teológicas fueron numerosas y asaz importantes. Pero si pensamos en lo que constituía su designio fundamental, el intento de la crítica histórica por encontrar la verdad empírica acerca de Jesús de Nazaret fue un fracaso. No sólo no apareció el Jesús histórico, es decir, el Jesús que se halla tras los símbolos de su recepción como el Cristo, sino que fue haciéndose cada vez más remoto a medida que avanzaba la crítica histórica. La historia de todos los intentos por escribir una "vida de Jesús", historia elaborada por Albert Schweitzer en su obra primeriza, *La búsqueda del Jesús histórico*, todavía sigue siendo válida. Su propio intento deductivo ha sido rectificado. Los eruditos, tanto conservadores como radicales, se muestran ahora más cautos, pero la situación metodológica no ha cambiado. Esto se puso de manifiesto cuando el atrevido programa de Rudolf Butlmann de "desmitologizar el Nuevo Testamento" desencadenó una tormenta en todos los campos de la teología, y la atonía con que la escuela de Barth consideraba el problema histórico se vio interrumpida por un sorprendente despertar. Pero el resultado de esta nueva (y muy antigua) problemática no es una imagen del llamado Jesús histórico, sino el descubrimiento de que detrás de la imagen bíblica no existe ninguna imagen que podamos considerar como científicamente probable.

Esta situación no se debe a las deficiencias de una investigación histórica incipiente que algún día serán superadas, sino a la naturaleza de las mismas fuentes. Quienes nos hablan de Jesús de Nazaret son los mismos que nos hablan de Jesús como el Cristo, es decir, son el testimonio de quienes vieron en Jesús al Cristo. Por consiguiente, si se trata de descubrir al Jesús real que se halla tras la imagen de Jesús como el Cirsto, es necesario separar críticamente los elementos que pertenecen a la vertiente fáctica de este acontecimiento y los elementos que pertenecen a su vertiente de recepción. Al proceder así, sólo se logra esbozar una "vida de Jesús" —y son innumerables tales esbozos. En muchos de ellos se ha aunado la honradez científica, la devoción amorosa y el interés teológico. En otros son manifiestas la frialdad crítica e incluso la recusación malévola. Pero ninguno de ellos puede abrigar la pretensión de ser una imagen probable en la que haya desembocado el tremendo esfuerzo científico consagrado a esta tarea a lo largo de dos siglos. En el mejor de los casos, son el resultado más o menos probable de esta labor científica, pero que no pueden constituir la base ni para una aceptación ni para una recusación de la fe cristiana.

Ante esta situación, se intentó reducir la descripción del Jesús histórico a lo "esencial", es decir, se intentó elaborar una *Gestalt*, dejando que lo "particular" de Jesús siguiese sujeto a la duda. Pero esto no constituye ninguna solución. Después de despojar a una persona de todos sus rasgos particulares porque son discutibles, la investigación histórica no puede trazar de ella una imagen esencial. Ésta sigue siendo determinada por sus elementos particulares. En consecuencia, las descripciones del Jesús histórico a las que juiciosamente se ha evitado dar la forma de una "vida de Jesús", todavía difieren tanto entre sí como aquellas en las que no se ha ejercido esta autorrestricción.

La *Gestalt* depende siempre de la valoración que damos a sus elementos particulares, y esto es evidente, por ejemplo, si reflexionamos acerca de lo que Jesús pensaba de sí mismo. Para precisar esta faceta de Jesús, debemos saber, entre otras muchas cosas, si Jesús se atribuyó a sí mismo el título de "Hijo del Hombre" y, en caso afirmativo, en qué sentido lo hizo. La respuesta que demos a esta cuestión sólo es una hipótesis más o menos probable, pero de ella depende decisivamente la índole de la imagen "esencial" que nos forjamos del Jesús histórico. Este ejemplo nos muestra con toda claridad que no podemos sustituir los intentos de trazar una "vida de Jesús" por los intentos de elaborar la *Gestalt de Jesús*".

Pero este ejemplo nos evidencia asimismo otra cuestión importante. Quienes no están familiarizados con el aspecto metodológico de la investigación histórica y temen que sus consesecuencias puedan dañar la doctrina cristiana, suelen atacar la investigación histórica en general y la investigación histórica de la literatura bíblica en particular, acusándolas de prejuicios teológicos. Si son consecuentes, no negarán que su propia interpretación adolece también de ciertos prejuicios o, como ellos dirían, está subordinada a la verdad de su fe. Pero niegan que el método histórico posea unos criterios científicos objetivos. No obstante, esta aserción resulta insostenible ante el inmenso cúmulo de material histórico que ha sido descubierto y a menudo empíricamente verificado por el método de investigación universalmente utilizado. Lo característico de este método es que procura someterse a una autocrítica permanente para así librarse de todo prejuicio consciente o inconsciente. Y aunque no lo logra nunca por completo, no por ello deja de ser un arma poderosa y necesaria para la consecución de un conocimiento histórico.

Uno de los ejemplos que a menudo se aducen en este contexto es la consideración que merecen los milagros neotestamentarios. El método histórico examina las narraciones milagrosas sin dar por cierto que tales milagros realmente acaecieron, porque se atribuyen a aquel que fue llamado el Cristo, pero sin presuponer tampoco que no acaecieron, porque contradicen las leyes de la naturaleza. En cada caso particular, el método histórico pregunta hasta qué punto son de fiar las narraciones, en qué medida dependen de unas fuentes anteriores, si cabe la posibilidad de que fuesen influidas por la credulidad de una época, si se hallan confirmadas por otras fuentes independientes de ellas, en qué estilo fueron escritas y con qué finalidad se utilizaron en su época. La respuesta a todas estas cuestiones puede ser perfectamente "objetiva", sin que se halle necesariamente condicionada por prejuicios positivos o negativos. De este modo, el historiador nunca puede alcanzar una absoluta certeza, aunque puede llegar a un alto grado de probabilidad. Pero, como veremos más adelante, se situaría en un nivel distinto si, gracias a un criterio de fe, transformase la probabilidad histórica en una certeza histórica positiva o negativa. A menudo se enturbia esta clara distinción entre uno y otro nivel por el hecho obvio de que la comprensión del significado de un texto depende, en parte, de las categorías intelectivas con que abordamos los textos y documentos. Pero no depende totalmente de ellas, ya que entre otros existen los aspectos filológicos de un texto que siempre son susceptibles de una reflexión objetiva. La comprensión exige nuestra participación en aquello que comprendemos, y sólo podemos participar siendo lo que somos, es decir, con nuestras propias categorías intelectivas. Pero esta comprensión "existencial" nunca debería predeterminar el juicio que formula el historiador acerca de los hechos y sus relaciones. La persona cuya preocupación última es el contenido del mensaje bíblico y la persona a la que no preocupa tal mensaje, se hallan ambas en la misma posición cuando discuten ciertas cuestiones como son las suscitadas por el desarrollo de la tradición sinóptica o los elementos mitológicos y legendarios del Nuevo Testamento. Una y otra poseen los mismos criterios de probabilidad histórica y deben usarlos con el mismo rigor, aunque esto pueda afectar sus convicciones o prejuicios tanto religiosos como filosóficos. En este proceso, puede ocurrir que los prejuicios que cierran los ojos a determinados hechos, los abran a otros. Pero, este "abrir los ojos" es una experiencia personal que no podemos elevar a principio metodológico. Existe un único procedimiento metodológico, y este procedimiento estriba en mirar el objeto a investigar, pero no nuestra manera de mirar este objeto, puesto que nuestra actitud se halla realmente determinada por numerosos factores psicológicos, sociológicos e históricos. Quien pretenda examinar objetivamente un hecho, tiene que prescindir de todos esos aspectos. No se ha de formular un juicio acerca de la conciencia que Jesús tuvo de sí mismo partiendo del hecho de que se es cristiano —o anticristiano. El juicio debe inferirse de cierto grado de plausibilidad basada en unos textos y en su probable validez histórica. Naturalmente, esto presupone que el contenido de la fe cristiana es independiente de tal juicio.

La búsqueda del Jesús histórico fue el intento de descubrir un mínimo de hechos fidedignos acerca del hombre Jesús de

Nazaret, que pudieran proporcionar un fundamento seguro a la fe cristiana. Tal intento fracasó. La investigación histórica sólo proporcionó algunas probabilidades, más o menos elevadas, acerca de Jesús de Nazaret. Partiendo de tales probabilidades, se esbozaron algunas "vidas de Jesús". Pero eran más bien novelas que biografías y, ciertamente, no podían conferir un fundamento sólido a la fe cristiana. El cristianismo no descansa en la aceptación de una novela histórica, sino en el testimonio que del carácter mesiánico de Jesús nos ofrecen unos hombres que no sentían el menor interés por legarnos una biografía del Mesías.

La inteligencia de esta situación indujo a algunos teólogos a renunciar a todo intento de construir una "vida" o una *Gestalt* del Jesús histórico y limitarse a una interpretación de las "palabras de Jesús". La mayor parte de tales palabras (aunque no todas) no se refieren a Jesús y pueden ser separadas de todo contexto biográfico. Por consiguiente, su significado es independiente del hecho de que Jesús pudiera o no pudiera pronunciarlas. El insoluble problema biográfico no guarda, pues, la menor relación con la verdad de las palabras que, con razón o sin ella, se conservaron como palabras de Jesús. El hecho de que la mayor parte de tales palabras las encontremos asimismo en la literatura judía contemporánea no constituye un argumento contra su validez. Ni siquiera es un argumento contra su unicidad y la fuerza de que se hallan revestidas en ciertos pasajes evangélicos, como el sermón de la montaña, las parábolas y las discusiones sostenidas con sus adversarios y sus seguidores.[1]

Una teología que intente hacer de las palabras de Jesús el fundamento histórico de la fe cristiana, puede proceder de dos maneras distintas. Puede considerar las palabras de Jesús como las "enseñanzas de Jesús" o como el "mensaje de Jesús". En el primer caso, considera que las palabras de Jesús son cual sutiles interpretaciones de la ley natural o cual atisbos originales de la naturaleza del hombre, pero que carecen de toda relación con la situación concreta en la que fueron pronunciadas. Son palabras, pues, que pertenecen al ámbito de la ley, de la profe-

---

1. Esto hace referencia asimismo al descubrimiento de los manuscritos del Mar Muerto que, a pesar del sensacionalismo y la publicidad que se le ha dado, ha abierto los ojos de mucha gente al problema de la investigación bíblica, pero no ha alterado en lo más mínimo la situación teológica.

cía o de la literatura sapiencial, como las que hallamos en el
Antiguo Testamento. Pueden trascender estas tres categorías
por su profundidad y poder, pero no las trascienden por su índole. Sin embargo, restringir la investigación histórica a las
"enseñanzas de Jesús" es reducir a Jesús al nivel del Antiguo
Testamento y negar implícitamente su pretensión de haber superado el contexto veterotestamentario.

La segunda forma de limitar la investigación histórica a las
palabras de Jesús es más profunda que la primera. Niega que
las palabras de Jesús sean reglas generales del comportamiento
humano, reglas a las que hemos de sujetarnos, o que sean unos
universales y, por ende, que puedan ser sustraídas de la situación en la que fueron enunciadas. En cambio, estos teólogos
subrayan enérgicamente el mensaje de Jesús cuando nos dice
que el reino de Dios está "al alcance de la mano" y que quienes quieran entrar en él tienen que decidirse a favor o en contra del mismo. Tales palabras de Jesús no son unas reglas generales sino unas exigencias concretas. Esta interpretación del
Jesús histórico, que debemos sobre todo a Rudolf Bultmann,
identifica el significado de Jesús con el significado de su mensaje. Bultmann exige una decisión, es decir, la decisión en pro
de Dios. Y esta decisión implica la aceptación de la cruz desde
el momento en que Jesús aceptó su propia cruz. Así, haciendo
uso de lo que nos es inmediatamente dado —el mensaje de
Jesús acerca del reino de Dios y sus condiciones— y situándose
lo más cerca posible de la "paradoja de la cruz de Cristo",
esta teología elude hábilmente lo que resulta ser históricamente imposible, es decir, esbozar una "vida" o una *Gestalt*
de Jesús. Pero ni siquiera este método de restringir el juicio
histórico puede conferir un fundamento a la fe cristiana. No
explica cómo puede cumplirse la exigencia de decidirse por el
reino de Dios. La situación de tener que decidirse sigue siendo
una situación del ser que se halla sometido a la ley. No trasciende la situación del Antiguo Testamento, la situación de búsqueda de Cristo. A esta teología podríamos llamarla "liberalismo existencialista", a diferencia del "liberalismo legalista"
que es la primera. Pero ni uno ni otro método pueden ofrecernos una respuesta a la cuestión de determinar donde yace
el poder de obedecer las enseñanzas de Jesús o de decidirse
en pro del reino de Dios. No pueden resolver este problema,

porque la respuesta tiene que venir de una nueva realidad que, según el mensaje cristiano, es el Nuevo Ser en Jesús como el Cristo. La cruz, antes de ser el símbolo de una exigencia, es el símbolo de un don. Y si se acepta esto, luego es imposible retraerse desde el ser de Cristo a sus palabras. Así se desmorona la última tentativa de andar en busca del Jesús histórico, y resulta obvio el fracaso de todo intento de conferir un fundamento a la fe cristiana por medio de la investigación histórica.

Probablemente, este resultado hubiera sido aceptado con mayor facilidad de no ser por la confusión semántica de que adolece el sentido del término "Jesús histórico". Solía utilizarse esta expresión para significar los resultados a los que llegaba la investigación histórica en su estudio del carácter y la vida de la persona que se halla tras los relatos evangélicos. El conocimiento que poseemos de esta persona, como todo conocimiento histórico, es fragmentario e hipotético. La investigación histórica somete este conocimiento a un escepticismo metodológico y a la continua revisión de sus elementos tanto particulares como esenciales, porque cifra su ideal en alcanzar un alto grado de probabilidad, aunque en muchos casos le sea imposible lograrlo.

Pero el término "Jesús histórico" se usa asimismo para significar que el acontecimiento "Jesús como el Cristo" posee un elemento fáctico. En este sentido, la expresión "Jesús histórico" constituye un problema de fe y no de investigación histórica. Si se negara el elemento fáctico del acontecimiento cristiano, se negaría asimismo el fundamento del cristianismo. Pero el escepticismo metodológico acerca del trabajo realizado por la investigación histórica no niega este elemento. La fe ni siquiera puede garantizarnos que se llamara "Jesús" el hombre que fue el Cristo. Debe dejar que este nombre sea una de las incertidumbres de nuestro conocimiento histórico. La fe sólo garantiza la transformación fáctica de la realidad en aquella vida personal que el Nuevo Testamento expresa con su descripción de Jesús como el Cristo. Si no diferenciamos claramente estos dos sentidos del término "Jesús histórico", no es posible ninguna discusión fecunda y honrada sobre el mismo.

5. INVESTIGACIÓN HISTÓRICA Y TEOLOGÍA

Cuando fracasan todos los intentos de proporcionar un fundamento a la teología y a la fe cristiana por medio de la investigación histórica, surge la cuestión de si la investigación histórica desempeña otras funciones en el cristianismo. La respuesta es ciertamente afirmativa. El estudio histórico de la literatura bíblica constituye uno de los grandes acontecimientos de la historia del cristianismo e incluso de la religión y de la cultura humana. Es una de las innovaciones de las que puede sentirse orgulloso el protestantismo. Cuando los teólogos sometieron los libros sagrados de su propia Iglesia al análisis crítico del método histórico dieron pruebas de una audacia propia del protestantismo. Quizás a lo largo de la historia humana ninguna otra religión tuvo la misma osadía ni asumió un riesgo parecido. No lo hicieron nunca, ciertamente, ni el Islam, ni el judaísmo ortodoxo, ni el catolicismo romano. Esta audacia se vio recompensada, puesto que de este modo el protestantismo fue capaz de unirse a la conciencia histórica general y no tuvo que confinarse en un mundo espiritual aislado y mezquino, sin la menor influencia sobre el desarrollo creador de la vida espiritual. El protestantismo (con la excepción de sus grupos fundamentalistas) no cayó en la inconsciente superchería que significa rechazar los resultados de la investigación histórica debido a unos prejuicios dogmáticos y no a una evidencia científica. La suya fue una actitud denodada y no exenta de graves peligros. Pero los grupos protestantes que asumieron este riesgo han sobrevivido, a pesar de las diversas crisis en que las sumió la crítica histórica radical. Cada vez se hizo más ostensible que la aserción cristiana de que Jesús es el Cristo no contradice la probidad histórica por muy inflexible que ésta sea. Pero, desde luego, bajo el impacto de la investigación histórica tuvo que sufrir profundos cambios la forma en que hasta entonces se había expresado esta aserción.

El primero y el más importante de tales cambios estriba en el hecho de que la teología ha aprendido a discernir los elementos empíricamente históricos, los elementos legendarios y los elementos mitológicos que integran las narraciones bíblicas de ambos Testamentos. Ha descubierto asimismo los criterios

que rigen estas distintas formas de expresión semántica y los
ha aplicado con el mismo rigor metodológico con que los utiliza todo buen historiador. Es obvio que la distinción entre estas
tres formas semánticas repercute decisivamente en el trabajo
del teólogo sistemático, puesto que le impide dar validez dogmática a los juicios que pertenecen al reino de lo que sólo es
más o menos probable. Cuando el teólogo adopta ciertas decisiones en el ámbito de lo histórico, sólo puede hacerlo como
historiador, no como intérprete de la fe cristiana. No puede
otorgar validez dogmática a los juicios que, desde un punto de
vista histórico, sólo son probables. Independientemente de lo
que pueda llevar a cabo en su propia dimensión, la fe no puede invalidar los juicios históricos. No puede convertir en probable lo que históricamene es improbable, ni en improbable lo
que es probable, ni puede hacer que sea cierto lo que sólo es
probable o incluso improbable. La certeza de la fe no implica
la menor certeza en las cuestiones de las que se ocupa la investigación histórica. Esta visión es ampliamente aceptada en la
actualidad y constituye la mayor contribución que la teología
sistemática ha recibido de la investigación histórica. Pero no es
la única; existen algunas otras y, entre ellas, la inteligencia del
desarrollo experimentado por los símbolos cristológicos.

Al analizar la diferencia que existe entre los elementos históricos, legendarios y míticos de los textos evangélicos, la investigación histórica ha proporcionado a la teología sistemática un
instrumento para dilucidar los símbolos cristológicos de la Biblia. La teología sistemática no puede rehuir esta labor, ya que
desde sus mismos inicios ha sido por medio de tales símbolos
como la teología ha tratado de comunicar el "logos" del mensaje cristiano para demostrar su racionalidad. Algunos de los
símbolos cristológicos que aparecen en el Nuevo Testamento
son: Hijo de David, Hijo del Hombre, Hombre Celeste, Mesías,
Hijo de Dios, Kyrios y Logos —y todavía hay otros de menor
importancia. El desarrollo de todos ellos se ha efectuado en
cuatro etapas. La primera que hemos de mencionar es la circunstancia de que estos símbolos surgieron y crecieron en su
propia cultura y lenguaje religioso. La segunda es el uso de
estos símbolos por parte de aquellos para quienes cobraron
vida como expresiones de su propia autointerpretación y como
respuestas a las cuestiones implícitas en su condición existen-

cial. La tercera es la transformación que experimentaron estos símbolos en su significado cuando se utilizaron para interpretar el acontecimiento que constituye el fundamento del cristianismo. Y la cuarta es su deformación por la superstición popular, respaldada por el literalismo teológico y el supranaturalismo. Algunos ejemplos de estas cuatro etapas en el desarrollo de los símbolos cristológicos van a confirmar ahora la validez de nuestro análisis.

El símbolo "Hijo del Hombre", el que con mayor frecuencia utilizó Jesús para designarse a sí mismo en los cuatro evangelios, indica una unidad original entre Dios y el hombre. Esta unidad se hace patente sobre todo si admitimos la existencia de cierta afinidad entre el símbolo persa del hombre original y la idea paulina del hombre espiritual. Tal es la primera de las etapas que acabamos de esbozar, pero referida ahora al símbolo "Hijo del Hombre". La segunda se inicia en cuanto se contrapone el Hombre de lo Alto a la situación de alienación existencial del hombre con respecto a Dios, a su mundo y a sí mismo. Esta contraposición implica la expectación de que el Hijo del Hombre vencerá las fuerzas de alienación y restablecerá la unidad entre Dios y el hombre. En la tercera etapa, el símbolo "Hijo del Hombre" (u otro símbolo similar) queda registrado en los textos evangélicos como si Jesús se hubiese aplicado a sí mismo este término, por ejemplo, en la escena del juicio ante el Sumo Sacerdote. En este relato, la visión original de la función que debía desempeñar el Hijo del Hombre sufre una transformación decisiva, tan decisiva que sólo en virtud de esta transformación resulta comprensible la acusación de blasfemia cuando Jesús dice de sí mismo que es el Hijo del Hombre que aparecerá como juez de este eón sobre las nubes del cielo. El literalismo constituye la cuarta etapa e imagina a un ser trascendente que, desde su trono celeste, fue enviado antaño a la tierra y transmutado en hombre. De esta manera, un símbolo verdadero y vigoroso se convirtió en un relato absurdo y Cristo pasó a ser un semidiós, un ser particular situado entre Dios y el hombre.

En el símbolo "Hijo de Dios", aplicado a Cristo, podemos descubrir esas mismas cuatro etapas. En el lenguaje bíblico, el término "filiación" significa una relación íntima entre padre e hijo. El hombre en su naturaleza esencial, en su "inocencia soñadora", se halla en esa relación filial con Dios. Israel la ha alcanzado por la elección divina de que ha sido objeto. En el paganismo, ciertas figuras divinas o semidivinas son hijas de un dios. Aunque estas dos utilizaciones del símbolo "Hijo de Dios" difieren mucho entre sí, ambas parten del presupuesto común de que la naturaleza humana posibilita una relación de padre a hijo entre Dios y el hombre. Pero el hombre ha perdido esta relación al alienarse de Dios, al alzarse contra Dios y al apartarse de Dios. La filiación divina del hombre ha dejado de ser un hecho universal y sólo unos actos divinos específicos pueden restablecerla. El cristianismo, en cambio, considera a Cristo como el "hijo unigénito de Dios", contraponiéndolo así a todos los demás hombres y a su natural, aunque perdida, filiación divina. De este modo, el término "Hijo de Dios" se convierte en el título de aquel en quien se ha dado la unidad esencial entre Dios y el hombre bajo las condiciones de la existencia. Lo esencialmente universal pasa a ser lo existencialmente único. Pero esta unicidad no es exclusiva. Todo aquel que participa en el Nuevo Ser actualizado en Cristo recibe el poder de pasar a ser un hijo de Dios. El Hijo restablece el carácter filial de todo hombre con respecto a Dios, carácter que es esencialmente humano. Este sentido cristiano del símbolo "Hijo de Dios" trasciende tanto el sentido judío como el sentido pagano del mismo. Ser el Hijo de Dios significa representar bajo las condiciones de la existencia la unidad esencial entre Dios y el hombre, y restablecer esta unidad en todos aquellos que participan del ser del Hijo. Pero se deforma este símbolo cuando se le entiende literalmente y se proyecta la situación de una familia humana en la vida íntima de lo divino. Los literalistas preguntan a menudo si uno cree que "Jesús fue el Hijo de Dios". Quienes formulan esta pregunta creen que saben lo que significa el término "Hijo de Dios" y que el único problema estriba en si puede atribuirse esta designación al hombre Jesús de Nazaret. Pero si la pregunta se formula de esta manera, no hay respuesta para ella, porque toda respuesta sería errónea, tanto si era afirmativa como negativa. La única respuesta posible es la formulación de una nueva pregunta: ¿Qué quiere usted decir cuando habla del "Hijo de Dios"? Si la respuesta que nos dan es de índole literalista, hemos de rechazarla como supersticiosa. Pero si recibimos una respuesta que afirma el carácter simbólico del término "Hijo de Dios", entonces podemos discutir el significado de este símbolo. Es enorme lo que se ha llegado a dañar al cristianismo con una comprensión literalista del símbolo "Hijo de Dios".

Ya hemos hablado anteriormente del símbolo del "Mesías" o "Cristo". Pero ahora hemos de reinterpretarlo a la luz de las cuatro etapas que hemos esbozado en el desarrollo de todos los símbolos cristológicos. La primera etapa de este símbolo está constituida por la figura histórica y transhistórica a través de la cual Yahvé instaurará su reino en Israel y, a través de Israel, en todo el mundo. La fluctuación entre las cualidades intrahistóricas y las cualidades suprahistóricas del Mesías y de su reino pertenece a la esencia de este símbolo, pero le pertenece de tal modo que en el período profético prevaleció el énfasis histórico mientras que en el período apocalíptico se hizo decisivo el elemento transhistórico. La segunda etapa la constituye la experiencia de la condición humana —y de la condición del mundo humano— en la existencia real. Los reinos y naciones están colmados de injusticias y miserias. Se hallan sometidos al imperio demoníaco. En el postrer período del judaísmo, este aspecto de la idea mesiánica cobró cada vez mayor relieve y halló en la literatura apocalíptica su más fuerte expresión. El presente eón en su totalidad —incluyendo, pues, los individuos, la sociedad y la naturaleza— se halla enteramente pervertido. Un nuevo eón, un nuevo estado de cosas en el universo tiene que surgir. Es el Mesías quien lo aportará con su poder divino. Estas ideas no son exclusivas del judaísmo. Descubrimos sus raíces en Persia y sus ecos resuenan por doquier en el mundo antiguo. La tercera etapa es la recepción y transformación de esta serie de símbolos por parte del cristianismo: el Mesías, del que hasta ahora se esperaba que aportaría al nuevo eón, es vencido por los poderes del antiguo eón. Esta derrota del Mesías en la cruz constituye la transformación más radical del símbolo del Mesías, tan radical incluso que únicamente por esta razón el judaísmo sigue negando hasta el momento actual la naturaleza mesiánica de Jesús. Un Mesías vencido no es ningún Mesías. El cristianismo, en cambio, reconoce la paradoja —y la acepta. La cuarta etapa es la distorsión literalista de la paradoja mesiánica. Inicióse esta distorsión cuando el título "el Cristo" se convirtió en una parte de un nombre propio y dejó de ser la denominación simbólica de una función. Luego, "Cristo" se convirtió en un individuo dotado de poderes supranaturales que, por su sacrificio voluntario, hizo posible que Dios salvara a los que creen en Él. Y así desapareció la paradoja del símbolo mesiánico transformado.

El último ejemplo del desarrollo experimentado por los símbolos cristológicos lo constituye el símbolo conceptual que llegó a convertirse en el principal instrumento de la labor cristológica de la Iglesia: "el Logos". Podemos decir que se trata de un símbolo conceptual porque el Logos, tal como lo concibe el estoicismo, está integrado por elementos cosmológicos y religiosos. Aúna la estructura racional y el poder creador. En Filón y en el cuarto evangelio predomina la cualidad religiosa y simbólica de la idea del Logos. Pero no desaparece su aspecto racional. La estructura racional del universo nos es asequible por la mediación del Logos. Ésta es la primera etapa que descubrimos al considerar el símbolo del Logos. En la segunda hemos de examinar el trasfondo existencial de esta idea. La clave nos la da Heráclito (creador de la doctrina del Logos) cuando contrapone el logos universal y sus leyes a la necedad del pueblo y el desorden de la sociedad. El estoicismo asumió esta doctrina y señaló el abismo insalvable existente entre el sabio, que participa del Logos, y la masa de necios, que se hallan alejados del Logos aunque tratan de acercársele. Filón, en cambio, se remite al misterio inaccesible de Dios, misterio que exige un principio mediador entre Dios y el hombre, y que induce a Filón a formular su doctrina del Logos. En el cristianismo —si nos atenemos al cuarto evangelio— coinciden ambas doctrinas. El Logos, por su aparición como una realidad histórica en una vida personal, nos revela el misterio y opera la re-unión de lo alienado. Y esta concepción cristiana constituye la tercera etapa en nuestra consideración de este símbolo. El cristianismo recibe y transforma el símbolo conceptual del Logos. En su índole esencial, el principio universal de la automanifestación divina está cualitativamente presente en un ser humano individual. Este ser se sujeta a las condiciones de la existencia y vence la alienación existencial en el seno de la existencia alienada. La participación en el Logos universal depende, pues, de la participación en el Logos que se actualiza en una personalidad histórica. El cristianismo sustituye al hombre sabio del estoicismo por el hombre espiritual, y este hombre espiritual es consciente de que su locura ha sido vencida por la locura de la cruz, por la paradoja de Aquel en quien el Logos se hizo presente sin restricción alguna. Pero, también en este caso, hemos de considerar una cuarta etapa, la etapa constituida por la *re*-mitologización del símbolo conceptual "Logos" en la narración de la metamórfosis del ser divino en el hombre Jesús de Nazaret. A menudo, el término "encarnación" se entiende erróneamente de este modo, y algunas expresiones pictóricas o artísticas del simbolismo trinitario abonan esta remitologización al identificar el principio universal de la automanifestación divina con la figura histórica de Jesús de Nazaret. La teología tradicional protestó contra semejante mitologización y rechazó la idea absurda según la cual el elemento Logos estuvo ausente de la vida divina mientras el Logos aparecía en la historia. Contra tales absurdos se ha iniciado ya —y tiene que proseguir— una desmitologización del símbolo del Logos.

A la crítica histórica le debemos en gran parte nuestra actual comprensión de la evolución experimentada por los símbolos cristológicos. Ahora, la teología puede usar de nuevo tales símbolos, porque han sido liberados de las connotaciones literalistas que los hicieron impropios para la teología y los convirtieron en una innecesaria piedra de escándalo para quienes deseaban comprender el sentido de los símbolos cristianos. Ésta es una de las grandes aportaciones con que la investigación científica ha contribuido indirectamente al desarrollo de la teología y a la inteligencia de la fe. Tales concepciones científicas no constituyen el fundamento ni de la teología ni de la fe, pero protegen a ambas contra la superstición y el absurdo.

6. LA FE Y EL ESCEPTICISMO HISTÓRICO

Las anteriores consideraciones acerca del valor que posee el estudio histórico de los textos bíblicos nos condujo a la formulación de dos aserciones, una negativa y otra positiva. La aserción negativa es la que establece que la investigación histórica no puede darnos ni arrebatarnos el fundamento de la fe cristiana. La aserción positiva es la que afirma que la in-

vestigación histórica ha ejercido y debe ejercer una fuerte
influencia sobre la teología cristiana, en primer lugar, al propor-
cionarle un análisis de los tres distintos niveles semánticos de
la literatura bíblica (y, por analogía, de la predicación cristiana
de todas las épocas); en segundo lugar, al mostrarle, en sus
diversas etapas, el desarrollo experimentado por los símbolos
cristológicos (lo mismo que el de los demás símbolos realmente
importantes desde el punto de vista sistemático); y, finalmente,
al suministrarle una comprensión filológica e histórica precisa
de la literatura bíblica, gracias al uso de los mejores métodos
utilizados en todo trabajo histórico.

Pero, en aras del rigor sistemático, es necesario que formule-
mos ahora, una vez más, una cuestión que los hombres no dejan
de plantearse con notable congoja religiosa. La aceptación del
método histórico para el estudio de las fuentes documentales
de la fe cristiana, ¿no suscita una inseguridad peligrosa en el
pensamiento y en la vida de la Iglesia y de toda persona
cristiana? ¿No puede conducirnos la investigación histórica a
un escepticismo total acerca de los textos bíblicos? ¿Cabe
imaginar que la crítica histórica llegue a la conclusión de que
el hombre Jesús de Nazaret jamás existió? ¿Acaso no han llegado ya a esta conclusión precisamente algunos eruditos, aunque
sólo sean unos pocos y no muy importantes? Y si bien una
aseveración de esta índole nunca puede formularse con certeza,
¿no resulta ya destructivo para la fe cristiana que la no existencia de Jesús pueda considerarse de algún modo probable, por
pequeño que sea el grado de su probabilidad? Para responder
a esta cuestión, empecemos por rechazar algunas respuestas
insuficientes o desorientadoras que se han dado a la misma.
Es insuficiente señalar que la investigación histórica no ha
desembocado todavía en ninguna evidencia que respalde tal
escepticismo. ¡Cierto es que no se ha alcanzado aún esa
evidencia, pero ello no empece para que susbsista la angustiosa
cuestión de si algún día en el futuro podrá alcanzarse! La fe
no puede descansar en un terreno tan inseguro. Es, pues, insuficiente la respuesta de que "todavía no" se ha llegado a la
evidencia de tal esceptismo. Pero existe otra posible respuesta
que, sin ser falsa, no deja de ser desorientadora. Consiste en
decir que el fundamento histórico del cristianismo es un
elemento esencial de la misma fe cristiana y que esta fe, por

su propio poder, puede invalidar las posibilidades escépticas
que entraña la crítica histórica. Se arguye que la fe puede
garantizar la existencia de Jesús de Nazaret y los rasgos esenciales, cuando menos, de su imagen bíblica. Pero debemos
analizar cuidadosamente esta respuesta, ya que es ambigua.
En realidad, el problema es el siguiente: ¿Qué es lo que puede
garantizar exactamente la fe? Y la ineludible respuesta es que
la fe sólo puede garantizar su propio fundamento, es decir, la
aparición de aquella realidad. que ha dado origen a la fe. Esta
realidad es el Nuevo Ser, que vence la alienación existencial y
así hace posible la fe. Esto, únicamente la fe es capaz de garan-
tizarlo —precisamente porque su propia existencia es idéntica
a la presencia del Nuevo Ser. En sí, la fe es la evidencia inmediata (no deducida como conclusión) del Nuevo Ser en el seno
y bajo las condiciones de la existencia. Esto es precisamente
lo que garantiza la naturaleza misma de la fe cristiana. Ninguna
crítica histórica puede cuestionar la conciencia inmediata de
los que se sienten transformados en el estado de fe. Esto nos
recuerda la refutación agustino-cartesiana del escepticismo radical. Esta tradición argüía que la inmediatez de una autoconciencia se constituía en su propia garantía por su participación en el ser. Analógicamente debemos decir que esta participación, y no el argumento histórico, es la que garantiza la realidad del acontecimiento sobre el que se fundamenta el cristianismo, es decir, la realidad de una vida personal en la que el
Nuevo Ser ha vencido al antiguo ser. Pero no garantiza que
el nombre de esta vida personal sea Jesús de Nazaret. No elimina la duda histórica acerca de la vida y la existencia de alguien
que tuvo este nombre. Pudo haber sido otro su nombre. (Esto
es una consecuencia, históricamente absurda pero lógicamente
necesaria, del método histórico). Pero, cualquiera que fuese
su nombre, el Nuevo Ser se hizo y sigue siendo real en aquel
hombre.

Ahora surge, sin embargo, una cuestión muy importante.
¿Cómo puede transformar la realidad el Nuevo Ser llamado
"el Cristo", si no nos queda ningún rasgo concreto de su naturaleza? Kierkegaard exagera cuando dice que, para la fe
cristiana, es suficiente la pura aserción de que en los treinta
primeros años de nuestra era Dios nos envió a su Hijo. Sin lo
concreto del Nuevo Ser, su novedad resultaría huera. La

existencia sólo es realmente vencida, si lo es de un modo concreto y en sus múltiples aspectos. El poder que creó y que ha salvaguardado luego la comunidad del Nuevo Ser no es una afirmación abstracta acerca de su aparición; es la imagen de Aquel en quien apareció el Nuevo Ser. No podemos verificar con certeza ningún rasgo peculiar de esta imagen. Pero podemos afirmar taxativamente que, a través de esta imagen, el Nuevo Ser tiene el poder de transformar a quienes son transformados por Él. Esto implica la existencia de una *analogia imaginis,* es decir, una analogía entre la imagen y la vida personal real de la que ha surgido tal imagen. Fue esta realidad personal, cuando los discípulos tropezaron con ella, la que dio origen a la imagen. Y fue, y sigue siendo aún, esta imagen la que vehicula el poder transformador del Nuevo Ser. Esta *analogia imaginis,* que aquí sugerimos, podemos compararla con la *analogia entis* —no como un método para conocer a Dios sino como una manera (en realidad, la única manera) de hablar de Dios. En ambos casos es imposible ir más allá de la analogía y afirmar directamente lo que sólo indirectamente, es decir, simbólicamente podemos afirmar en nuestro conocimiento de Dios, y lo que sólo por mediación de la fe podemos decir en nuestro conocimiento de Jesús. Pero este carácter indirecto, simbólico y mediato de nuestro conocimiento no resta nada a su valor de verdad. Ya que, en ambos casos, lo que se nos da como material para nuestro conocimiento indirecto depende del objeto de nuestro conocimiento. El material simbólico del que nos servimos para hablar de Dios es una expresión de la automanifestación divina, y el material mediato que nos es dado en la imagen bíblica de Cristo es el resultado de la recepción del Nuevo Ser y de su poder transformador por parte de sus primeros testigos. La fe no garantiza el material bíblico concreto en su factualidad empírica; pero lo garantiza como una expresión adecuada del poder transformador del Nuevo Ser en Jesús como el Cristo. Únicamente en este sentido, la fe garantiza la imagen bíblica de Jesús. Y podemos ver que, en todas las épocas de la historia de la Iglesia, quien engendró tanto a la Iglesia como al cristiano fue esta imagen y no una descripción hipotética de lo que puede hallarse en el trasfondo de la imagen bíblica. Pero la imagen posee este poder creador, porque el poder del Nuevo Ser se expresa en ella y a través de ella. Esta consideración nos lleva a distinguir entre una imagen imaginaria y una imagen real. Una imagen imaginada por los mismos contemporáneos de Jesús habría dado expresión a la existencia no transformada y a la búsqueda del Nuevo Ser de aquellos hombres. Pero no habría sido el Nuevo Ser en sí. Lo que constituye la prueba de este Nuevo Ser es su poder transformador.

La palabra "imagen" puede conducirnos a otra analogía. Los que tratan de penetrar la imagen bíblica para descubrir en su trasfondo al "Jesús histórico" con la ayuda del método crítico, tratan de proporcionarnos una fotografía suya (corroborada por un fonógrafo y, a ser posible, por un psicógrafo). Pero una buena fotografía no carece de elementos subjetivos, y nadie puede negar que hallamos tales elementos en toda descripción empírica de una personalidad histórica. La actitud opuesta consistiría en interpretar la imagen neotestamentaria como la proyección pictórica de las experiencias e ideales que alentaron las mentes más religiosamente profundas de la época del emperador Augusto. En el arte, el estilo idealista es análogo a esta actitud. La tercera manera es la de ofrecernos un retrato "expresionista" (usando el término "expresionista" en el sentido en que designa el estilo artístico que ha predominado en la mayoría de los períodos de la historia —y que ha sido redescubierto en nuestra época). De este modo, un pintor procuraría penetrar en los niveles más profundos de la persona a quien retrata. Y sólo podría lograrlo por su profunda participación en la realidad y el significado del objeto de su preocupación pictórica. Únicamente entonces podría pintar aquella persona de tal modo que sus rasgos superficiales no los reprodujese como en una fotografía (o una copia naturalista), ni los idealizase según su propio ideal de belleza, sino que los utilizase para expresar lo que el pintor ha experimentado gracias a su participación en el ser de la persona retratada. A esta tercera manera es a la que nos referimos cuando usamos la expresión de "pintura real" en relación con los textos evangélicos acerca de Jesús como el Cristo. Podemos decir con Adolf Schlatter que a nadie conocemos tan bien como a Jesús. A diferencia de todas las demás personas, nuestra participación en Jesús no tiene lugar en el ámbito de la individualidad humana contingente (a la que nunca puede aprehender por completo otro individuo), sino en el ámbito de su propia participación en Dios, participación que, pese al misterio que entraña toda relación personal con Dios, posee una universalidad en la que todo el mundo puede participar. Desde luego, en términos de documentación histórica, a mucha gente conocemos mejor que a Jesús. Pero, en términos de participación personal en su ser, a nadie conocemos mejor, porque su ser es el Nuevo Ser, que es universalmente válido para todo ser humano.

Hemos de mencionar ahora un argumento realmente enjundioso contra la posición que aquí adoptamos. Se basa en la presuposición corriente de que la fe, por su misma naturaleza, implica un elemento de riesgo, y entonces la pregunta que formula este argumento es la siguiente: ¿Por qué no aceptar asimismo el riesgo de la incertidumbre histórica? La afirmación de que Jesús es el Cristo es un acto de fe y, por consiguiente, de osado coraje. No es un salto arbitrario en la oscuridad, sino una decisión en la que andan mezclados ciertos elementos de participación inmediata y, por ende, de certeza, con otros elementos de alienación y, por ende, de incertidumbre y de duda. Pero la duda no es lo opuesto a la fe, sino un elemento de la fe. Por consiguiente, no hay fe alguna sin riesgo. El riesgo de la fe estriba en que podría afirmar un símbolo erróneo de la preocupación última, un símbolo que no expresase realmente la ultimidad (como, por ejemplo, el dios Dioniso o la propia nación). Sin embargo, este riesgo se sitúa en una dimensión absolutamente distinta de aquella en que yace el riesgo de aceptar unos hechos históricamente inciertos. Por consiguiente, es erróneo considerar el riesgo de aceptar hechos históricos inciertos como parte del riesgo que entraña la fe. El riesgo que entraña la fe es existencial, atañe a la totalidad de nuestro ser, mientras que el riesgo de los juicios históricos es teórico y susceptible de ser constantemente enmendado por la ciencia. Aquí nos hallamos ante dos dimensiones distintas, que nunca deberían confundirse. Una fe errónea puede destruir el sentido de la propia vida, mientras que un juicio histórico erróneo no puede hacerlo. Resulta, pues, desorientador conferir a la palabra "riesgo" el mismo sentido en ambas dimensiones.

7. El testimonio bíblico de Jesús como el Cristo

Desde todos los puntos de vista, el Nuevo Testamento es el documento en el que aparece la imagen de Jesús como el Cristo en su forma original y fundamental. Todos los demás documentos, desde los Padres apostólicos a los escritos de los teólogos contemporáneos, dependen de este documento original. De suyo, el Nuevo Testamento es una parte integral del acontecimiento que en él se nos narra. El Nuevo Testamento constituye la vertiente receptiva de este acontecimiento y, como tal, nos proporciona un testimonio de su aspecto fáctico. Si realmente es así, podemos decir que, en conjunto, el Nuevo Testamento es el documento fundamental que poseemos acerca del acontecimiento sobre el que descansa la fe cristiana. En esto coinciden plenamente las diversas partes del Nuevo Testamento, aunque en otras cuestiones sean muy divergentes entre sí. Pero todos los libros del Nuevo Testamento afirman por igual que Jesús es el Cristo. La llamada *teología liberal* quiso llegar a lo que hay detrás de estos relatos bíblicos acerca de Jesús como el Cristo. Para tal propósito, los tres primeros evangelios constituyen la parte a todas luces más importante del Nuevo Testamento, y así los han considerado numerosos teólogos modernos. Pero en cuanto caemos en la cuenta de que la fe cristiana no se puede construir sobre este fundamento, el cuarto evangelio y las epístolas cobran la misma importancia que los evangelios sinópticos. Entonces vemos que no existe el menor conflicto entre unos y otros libros por lo que respecto a la cuestión decisiva de proclamar a Jesús como el Cristo. La diferencia entre los evangelios sinópticos y los demás libros del Nuevo Testamento —incluso el cuarto evangelio— estriba en que los primeros nos dan la imagen sobre la que se fundamenta la afirmación de que Jesús es el Cristo, mientras que los segundos nos dan la elaboración de esta afirmación y sus implicaciones en el pensamiento y en la vida cristiana. Esta distinción no es exclusiva, ya que es una diferencia en el énfasis, pero no en la substancia de lo que se afirma. Harnack andaba, pues, equivocado cuando oponía el mensaje dado por Jesús al mensaje acerca de Jesús. No existe ninguna diferencia substancial entre el mensaje del Jesús sinóptico y el mensaje que acerca de

Jesús nos dan las epístolas paulinas. Esta afirmación nada tiene que ver con los intentos de la teología liberal por despojar los tres primeros evangelios de todos los elementos paulinos. La crítica histórica puede realizar esta labor con cierto grado de probabilidad. Pero cuanto más lo logra, menos rasgos quedan de la imagen sinóptica de Jesús como el Cristo. Esta imagen y el mensaje de Pablo sobre Cristo no se contradicen. Los testigos neotestamentarios son unánimes en su testimonio de que Jesús es el Cristo. Y este testimonio constituye el fundamento de la Iglesia cristiana.

B. EL NUEVO SER EN JESÚS COMO EL CRISTO

1. El Nuevo Ser y el nuevo eón

Según el simbolismo escatológico, el Cristo es el que aporta el nuevo eón. Cuando Pedro llamó a Jesús "el Cristo", esperaba que, por su mediación, se produciría el advenimiento de un nuevo estado de cosas. Tal expectación es implícita en el título de "Cristo". Pero no se cumplió ese advenimiento según esperaban los discípulos. El estado de cosas, tanto en la naturaleza como en la historia, siguió inalterado, y Aquel de quien se esperaba que aportaría el nuevo eón fue destruido por los poderes del antiguo eón. Eso significaba que los discípulos, o tenían que aceptar el derrumbamiento de su esperanza, o debían transformar radicalmente su contenido. Fueron capaces de optar por esa segunda alternativa en cuanto identificaron el Nuevo Ser con el ser de Jesús, el sacrificado. En los textos sinópticos, el mismo Jesús aúna la vocación mesiánica con la aceptación de una muerte violenta. Pero en estos mismos textos vemos cómo los discípulos se resistieron a esta unión. Únicamente las experiencias que nos son descritas como Pascua y Pentecostés, generaron en ellos la fe en el carácter paradójico de la vocación mesiánica. Fue Pablo quien nos ofreció el marco teológico en el que se pudo entender y justificar esta paradoja. Una de las formas de abordar la solución del problema consistió en establecer la distinción entre la primera y la segunda venida de Cristo. El nuevo estado de cosas surgirá cuando se produzca la segunda venida, el retorno glorioso de Cristo. En el período que media entre la primera y la segunda venida, el Nuevo Ser está presente en Cristo. Él *es* el reino de Dios. En Él se cumple, en principio, la expectación ecatológica. Quienes participan en Él, participan en el Nuevo Ser, aunque bajo las condiciones de la situación existencial humana y, por ende, de un modo únicamente fragmentario y por anticipado.

El Nuevo Ser es el ser esencial que, bajo las condiciones de la existencia, colma el abismo que media entre la esencia y la existencia. Para expresar esta idea, Pablo usa asimismo el término "nueva creatura" y llama "nuevas creaturas" a los que están "en" Cristo. "En" es la preposición que indica la participación; quien participa en la novedad del ser que está presente en Cristo, se ha convertido en una nueva creatura. Y esto ocurre en virtud de un acto creador. Si, según la teología de los evangelios sinópticos, Jesús como el Cristo es una creación del Espíritu divino, del mismo modo quien participa en el Cristo se convierte en una nueva creatura por la acción del Espíritu. La alienación de su ser existencial con respecto a su ser esencial queda vencida en principio, esto es, en poder y como un inicio. El término "Nuevo Ser", tal como aquí lo usamos, apunta directamente a la hendidura existente entre el ser esencial y el ser existencial —y constituye el principio restaurador de todo este sistema teológico. El Nuevo Ser es nuevo en cuanto que es la manifestación no deformada del ser esencial en el seno y bajo las condiciones de la existencia. Esta novedad suya es tal novedad de dos modos distintos: en contraste con la índole meramente potencial del ser esencial y en comparación con la índole alienada del ser existencial. Y el Nuevo Ser es real, puesto que vence la alienación de la existencia real.

Pero esta misma idea puede expresarse de otras maneras. El Nuevo Ser es nuevo en cuanto constituye una victoria sobre la situación de sujeción a la ley —que es la antigua situación. La ley es el ser esencial del hombre que se yergue contra su existencia, imponiéndose a ella y juzgándola. En cuanto la existencia del hombre asume su ser esencial y lo actualiza, la ley deja de ser ley para él. Allí donde surge el Nuevo Ser, desaparece todo mandamiento y todo juicio. Por consiguiente, si decimos que Jesús como el Cristo es el Nuevo Ser, afirmamos, con Pablo, que el Cristo es el fin de la ley.

En términos de simbolismo escatológico podemos decir asimismo que Cristo es el fin de la existencia —el fin de la existencia vivida en la alienación, los conflictos y la autodestrucción. La idea bíblica de que en Jesús como el Cristo se cumple la esperanza humana de una nueva realidad, es una consecuencia inmediata de la aserción de que en Él está presente el Nuevo Ser. La aparición de Cristo es "escatología cumplida" (Dodd). Claro está que lo es "en principio", es decir, que constituye la manifestación del poder y el inicio de la plenitud escatológica. Pero es escatología cumplida, puesto que no podemos esperar ningún otro principio de plenitud. En Cristo ha aparecido aquello que, cualitativamente, significa plenitud.

Con la misma idoneidad, podemos decir que en Jesús como el Cristo la historia ha llegado al fin, es decir, que el período preparatorio ha alcanzado su meta. En la dimensión de lo último, la historia no puede producir nada cualitativamente nuevo que no esté implícitamente presente en el Nuevo Ser de Jesús como el Cristo. La aserción de que Cristo es el "fin" de la historia parece absurda a la luz de los últimos dos mil años de historia. Pero no lo es si reparamos en el doble sentido de la palabra "fin", que tanto significa "acabamiento" como "meta". En el sentido de "acabamiento", la historia no ha llegado aún a su fin. Sigue transcurriendo y presenta como siempre todas las características de la alienación existencial. Es el lugar donde actúa la libertad finita dando origen a la distorsión existencial y a las grandes ambigüedades de la vida. En el sentido de "meta", la historia ha llegado cualitativamente a un fin intrínseco, es decir, a la aparición del Nuevo Ser como una realidad histórica. Pero, cuantitativamente considerada, la actualización del Nuevo Ser en el seno de la historia está sometida a las distorsiones y ambigüedades de la condición histórica del hombre. Esta oscilación entre el "ya" y el "todavía no" constituye la experiencia que se simboliza en la tensión existente entre la primera y la segunda venida de Cristo y es inseparable de la existencia cristiana.

2. La aparición del Nuevo Ser en una vida personal

El Nuevo Ser se hizo presente en una vida personal; pero, para la humanidad, no podía hacerse presente de ningún otro modo, porque las potencialidades del ser sólo son enteramente reales en una vida personal. Únicamente en la persona se dan las polaridades completas del ser. Únicamente la persona es, según nuestra experiencia, un yo plenamente desarrollado, un yo que se contrapone a un mundo al que al mismo tiempo pertenece. Únicamente la persona está totalmente individualizada y, por esta razón precisamente, es capaz de participar en su mundo sin limitación alguna. Únicamente la persona posee un ilimitado poder de autotrascenderse y, por esta razón precisamente, tiene una estructura completa, la estructura de la racionalidad. Únicamente la persona está dotada de libertad, con todas sus características, y por esta razón precisamente, sólo ella posee un destino. Únicamente la persona es una libertad finita, y eso le confiere el poder de contradecirse y volver sobre sí misma. De ningún otro ser puede decirse todo esto. Y únicamente en un ser así pudo aparecer el Nuevo Ser. Únicamente donde la existencia es más radicalmente existencia —en el ser que es libertad finita—, puede ser vencida la existencia.

Pero lo que acaece en el hombre, acaece implícitamente en todos los reinos de la vida, ya que en el hombre están presentes todos los niveles del ser. El hombre pertenece al reino físico, al reino biológico y al reino psicológico, y está sujeto a sus múltiples grados y a las diversas relaciones que se dan entre ellos. Por esta razón, los filósofos del Renacimiento decían del hombre que era un "microcosmos". En sí mismo, el hombre es un universo. Lo que en él acaece, acaece, pues, en virtud de la mutua participación universal. Desde luego, esto lo decimos en términos cualitativos, no cuantitativos. Cuantitativamente hablando, el universo es de una suprema indiferencia por lo que ocurre en el hombre. Cualitativamente hablando, nada ocurre en el hombre que no repercuta en los elementos que constituyen el universo. Esto confiere una significación cósmica a la persona y confirma nuestro convencimiento de que sólo en una vida personal puede manifestarse el Nuevo Ser.

3. LAS EXPRESIONES DEL NUEVO SER EN JESÚS COMO EL CRISTO

Jesús como el Cristo es el portador del Nuevo Ser en la totalidad de su ser y no en una expresión particular del mismo. Es su ser el que hace de él el Cristo, porque su ser posee la cualidad del Nuevo Ser más allá de la hendidura que separa el ser esencial y el ser existencial. De ahí que ni sus palabras, hechos o sufrimientos, ni lo que suele llamarse su "vida interior" hagan de él el Cristo. Todo esto no son sino expresiones del Nuevo Ser, que es la cualidad de su ser, y este su ser precede y trasciende todas sus expresiones. Con esta aserción, utilizada a manera de instrumento crítico, podemos invalidar ciertas descripciones inadecuadas de la naturaleza de Jesús como el Cristo.

La primera expresión del ser de Jesús como el Cristo la constituyen sus palabras. La palabra es la portadora de la vida espiritual. Pero no por ello hemos de sobrevalorar la importancia que reviste la palabra hablada en la religión del Nuevo Testamento. A las palabras de Jesús, para citar tan sólo dos ejemplos entre muchos, se las llama "palabras de vida eterna", y ser su discípulo significa confiar por completo "en sus palabras". Pero también al mismo Jesús se le ha llamado "la Palabra". Y esto es precisamente lo que nos indica que no son sus palabras las que hacen de él el Cristo, sino su ser. A este ser lo llamamos metafóricamente "la Palabra", porque es la automanifestación final de Dios a la humanidad. Su ser, llamado "la Palabra", se expresa *también* en sus palabras. Pero, como Palabra, es más que todas las palabras que ha pronunciado. Esta aserción constituye la crítica fundamental que oponemos a toda teología que separe las palabras de Jesús de su ser y convierta a Jesús en maestro, predicador o profeta. Esta tendencia teológica, tan antigua como la misma Iglesia, está representada por el antiguo y moderno racionalismo y cobró singular relieve en la llamada "teología liberal" del siglo xix. Pero la influencia que ejerce en la mentalidad popular es muy superior a su importancia teológica y desempeña un tremendo papel en la piedad de la vida cotidiana, sobre todo en aquellos grupos que ven en el cristianismo un sistema de reglas convencionales estatuidas por un maestro divino. Particularmente en un contexto docente, suele hablarse de las "enseñanzas de Jesús", a las que se considera como el fundamento de la instrucción religiosa. No es que esto sea necesariamente erróneo, porque el término "enseñanza de Jesús" —es preferible usar esta forma singular— puede incluir su mensaje profético sobre la presencia en su ser del reino de Dios. Pero habitualmente se utiliza este término (las más de las veces en plural) para designar las explicaciones doctrinales de Jesús acerca de Dios, el hombre y, sobre todo, lo que le es exigido al hombre. Cuando se usa en este sentido, el término "las enseñanzas de Jesús" convierte a Jesús en una persona distinta, una persona que estatuye ciertas leyes éticas y doctrinales. Pero concebir de este modo la aparición del Nuevo Ser en Cristo es, obviamente, reincidir en el tipo legalista de autosalvación y sustituir al Jesús como el Cristo por el maestro religioso y moral llamado Jesús de Nazaret. Contra tal teología y su versión popular debemos mantener el principio de que "el ser precede al hablar". Únicamente porque Jesús como el Cristo *es* la Palabra, sus palabras poseen el poder de crear el Nuevo Ser, y únicamente en el poder del Nuevo Ser, sus palabras pueden transformarse en realidad.

La segunda expresión del Nuevo Ser en Jesús como el Cristo la constituyen sus hechos. También estos hechos de Jesús como el Cristo han sido separados de su ser y se han convertido en una serie de ejemplos a imitar. No se considera ya al Cristo como un promulgador de la ley, sino como si su mismo ser fuese la nueva ley. Esta idea no carece de abundantes justificaciones. Si Jesús como el Cristo representa la unidad esencial entre Dios y el hombre, unidad que aparece bajo las condiciones de la alienación existencial, todo ser humano está llamado, por esta razón, a asumir "la forma de Cristo". Ser como Cristo significa participar plenamente en el Nuevo Ser que está presente en Él. En este sentido, el Cristo *es* la nueva ley e implícitamente exige la igualdad con Él. Pero si todo esto se interpreta como un mandamiento de imitar a Cristo, las consecuencias erróneas que acarrea tal interpretación resultan inevitables. Suele entenderse la *imitatio Christi* como el intento de transformar la propia vida en una copia de la vida de Jesús, incluso por lo que se refiere a los rasgos concretos de su imagen bíblica. Pero esta actitud contradice la significación que, en la figura de

Jesús como el Cristo, poseen tales rasgos como partes de su ser. Esta significación no es otra que la de hacer transparente el Nuevo Ser, que es el ser de Cristo. Apuntan, pues, a lo que está más allá de su carácter contingente y no son ejemplos a imitar. Si se utilizan de este modo, pierden su transparencia y se convierten en prescripciones ritualistas o ascéticas. Si de todos modos se utiliza en este contexto la palabra "imitación", debería entenderse que nuestra "imitación de Cristo" no es sino la exigencia de que, *en* nuestra situación concreta, participemos en el Nuevo Ser y seamos transformados por Él, no más allá de las contingencias de nuestra vida, sino totalmente inmersos en ellas. No son las acciones, sino el ser, del que surgen tales acciones, lo que hace de Jesús el Cristo. Si entendemos a Jesús como la nueva ley y el objeto de nuestra imitación, es casi imposible evitar que la nueva ley cobre las características de algo que hemos de copiar o imitar. Tuvo, pues, razón el protestantismo cuando opuso múltiples reparos a la utilización de estos términos después del patente abuso de los mismos por parte del catolicismo romano. Y el protestantismo debería rechazar en todo momento los intentos pietistas y revivalistas de reintroducir en la doctrina protestante aquellos elementos que operan una separación entre las acciones y el ser de Cristo.

La tercera expresión del Nuevo Ser en Jesús como el Cristo la constituye su sufrimiento. Este sufrimiento de Jesús incluye su muerte violenta y es una consecuencia del inevitable conflicto que surge entre las fuerzas de la alienación existencial y el portador de aquello que vence a la existencia. Sólo porque asumió el sufrimiento y la muerte, Jesús pudo ser el Cristo, ya que sólo de esta manera pudo participar plenamente en la existencia y sobreponerse a la fuerza con que la alienación intentaba romper su unidad con Dios. La importancia que reviste la cruz en la imagen neotestamentaria de Jesús como el Cristo indujo a los teólogos ortodoxos a que, en el contexto de una teoría del sacrificio, separaran del ser de Jesús tanto su sufrimiento como su muerte y los convirtiesen en las funciones decisivas desempeñadas por Jesús en su calidad de Cristo. Esto tiene una cierta justificación, ya que, sin el sacrificio permanente de sí mismo como individuo particular bajo las condiciones de la existencia en pro de sí mismo como portador del Nuevo Ser, no habría podido ser el Cristo. Jesús demuestra y confirma su naturaleza de Cristo al sacrificarse a sí mismo como Jesús en aras de sí mismo como el Cristo. Pero carece de toda justificación separar de su ser esta función de sacrificio, ya que esta función es realmente una expresión de su ser. Esto se llevó a cabo, sin embargo, en las doctrinas de la expiación, como la de Anselmo de Canterbury. La muerte expiatoria de Cristo es, para Anselmo, el *opus supererogatorium* que permite a Dios superar el conflicto entre su amor y su ira. No es éste el momento de hablar de la teoría anselmiana de la expiación como tal; pero sí de las consecuencias que entraña para la interpretación de Cristo. Anselmo da siempre por supuesta la "naturaleza divina" de Cristo y, en este sentido, afirma su condición de portador del Nuevo Ser (en términos del dogma cristológico). Pero considera únicamente su ser como un presupuesto de su muerte y del efecto que esta muerte produjo en Dios y en el hombre. No lo considera como *el* factor decisivo, como aquello que hace de Jesús el Cristo y cuyas necesarias consecuencias son el sufrimiento y la muerte. El sufrimiento de la cruz no es algo adicional que podamos separar de la aparición del eterno Dios-Humanidad bajo las condiciones de la existencia, sino una implicación ineludible de esta aparición. Al igual que sus palabras y sus hechos, el sufrimiento de Jesús como el Cristo es una expresión del Nuevo Ser que en Él se manifiesta. Por eso resulta pasmosa la abstracción a la que llega Anselmo cuando afirma que Jesús debía a Dios una obediencia activa, pero no el sufrimiento y la muerte —como si, bajo las condiciones de la alienación existencial, la unidad entre Dios y el Cristo pudiera mantenerse sin la continua aceptación de su sufrimiento y de su tener que morir.

Teniendo en cuenta estas consideraciones, debemos evaluar la separación que establece el racionalismo entre las *palabras* y el ser de Jesús, la separación que opera el pietismo entre los *hechos* y el ser de Jesús, y la separación que efectúa la ortodoxia entre el *sufrimiento* y el ser de Jesús. Debemos concebir el ser de Jesús como el Nuevo Ser, y sus expresiones como manifestaciones de Jesús como el Cristo.

Algunos teólogos han intentado seguir esta línea de pensamiento. Tal es el caso de W. Herrmann, que trató de penetrar en la vida interior de Jesús, es decir, en su relación

con Dios, con los hombres y consigo mismo, y esta misma
actitud es la que se adoptó en la búsqueda del "Jesús histórico". No es ciertamente disparatado decir que si el Nuevo
Ser se actualiza en una vida personal, se hace real en aquellos
procesos que no pueden exteriorizarse, aunque ejercen su influencia sobre todas las expresiones de la persona. El único
modo de abordar la vida interior de una persona es a través
de las conclusiones que podemos inferir de estas expresiones.
Pero tales conclusiones son siempre cuestionables, sobre todo
en el caso de Jesús. Y no sólo lo son por la índole de los
documentos que poseemos acerca de Jesús, sino también porque la unicidad del ser de Jesús sólo nos permite establecer
conclusiones por medio de una analogía extremadamente du-
dosa. Es harto significativo que los relatos bíblicos sobre Jesús
no lo "psicologizan". Sería más exacto decir que lo "ontologizan".
Nos hablan del Espíritu divino que está en Él o de su unidad con
el Padre. Nos hablan de la resistencia que opuso a las tentaciones
demoníacas, de su amor paciente, aunque crítico, para con sus
discípulos y los pecadores. Nos hablan de su experiencia del
aislamiento y de la falta de sentido, así como de su congoja ante
la amenaza de una muerte violenta. Pero todo esto no es
psicología ni descripción de una estructura de carácter, como
tampoco es un intento de penetrar en la vida interior de Jesús.
Los textos que poseemos no nos ofrecen una descripción psicológica de su desarrollo personal, de su piedad o de sus
conflictos internos. Sólo nos muestran la presencia del Nuevo
Ser en Él bajo las condiciones de la existencia. Claro está
que todo cuanto le acontece a una persona, le acontece en y a
través de su estructura psicológica. Pero, al registrar la congoja que embargó a Jesús ante la necesidad de su muerte, los
autores del Nuevo Testamento nos muestran su total participación en la finitud humana. Y no sólo nos muestran la expresión de una forma especial de congoja, sino que nos muestran asimismo el triunfo de Jesús sobre tal congoja. Porque,
sin este triunfo, no habría podido ser el Mesías. En todo caso,
no se trata de describirnos una conducta psicológica determinada, sino de presentarnos un encuentro del Nuevo Ser
con las fuerzas de la alienación. Por consiguiente, hemos de
considerar como un fracaso todo intento de penetrar en la
vida interior de Jesús con objeto de describir sus cualidades

mesiánicas, aunque sea un intento de enfrentarse directamente con el Nuevo Ser que está en Jesús como el Cristo.

Al llegar a este punto, hemos de recordar que el término "ser", cuando se aplica a Dios como afirmación inicial acerca del mismo, lo interpretamos como el "poder de ser" o, expresado en forma negativa, como el poder de resistir el non-ser. De manera análoga, el término "Nuevo Ser", cuando lo aplicamos a Jesús como el Cristo, indica el poder que, en Jesús, vence la alienación existencial o, expresado en forma negativa, el poder de resistir las fuerzas de la alienación. Experimentar el Nuevo Ser en Jesús como el Cristo significa experimentar el poder que, en Cristo, ha vencido la alienación existencial en sí mismo y en quienes participan en Él. El término "ser", cuando lo usamos para significar a Dios o las manifestaciones divinas, es el poder de ser o, expresado en forma negativa, el poder de vencer el non-ser. La palabra "ser" indica el hecho de que este poder no es objeto de la buena voluntad de alguien, sino un don que precede o determina el carácter de todo acto de la voluntad. En este sentido podemos decir que el concepto del Nuevo Ser restablece el sentido de la gracia. Mientras el peligro que acechó al "realismo" fue el de interpretar erróneamente la gracia en un sentido mágico, el riesgo a que estuvo expuesto el "nominalismo" fue el de perder por completo el concepto de gracia. Sin una comprensión del "ser" y del "poder de ser", es imposible hablar de la gracia en su plena significación.

4. El Nuevo Ser en Jesús como el Cristo y su victoria sobre la alienación

a) *El Nuevo Ser en el Cristo y las marcas de la alienación.* — Todos los detalles concretos de la descripción bíblica de Jesús como el Cristo confirman su carácter de portador del Nuevo Ser o de aquel en quien se supera el conflicto entre la unidad esencial de Dios y el hombre, por una parte, y la alienación existencial humana, por la otra parte. No sólo en los textos evangélicos sino también en las epístolas, esta imagen de Jesús como el Cristo contradice punto por punto las marcas de alienación que nuestro análisis de la condición existencial del hombre nos ha permitido discernir —aunque no es de extrañar tal contradicción desde el momento en que nuestro análisis se halla determinado, en parte, por la confrontación que establecimos entre la condición existencial del hombre y la imagen del Nuevo Ser en el Cristo.

Según la imagen bíblica de Jesús como el Cristo, no se da en Él, a pesar de todas las tensiones a que está sujeto, la menor huella de alienación con respecto a Dios ni, por ende, con respecto a sí mismo y a su mundo (en su naturaleza esencial). El carácter paradójico de su ser estriba en el hecho de que, poseyendo tan sólo una libertad finita bajo las condiciones del tiempo y el espacio, no está alienado del fondo de su ser. No se da en Él el menor vestigio de "descreencia", es decir, de un distanciamiento de su centro personal con respecto al centro divino que constituye el objeto de su preocupación infinita. Incluso en la situación extrema de estar desesperando de su tarea mesiánica, clama a su Dios que le ha abandonado. Del mismo modo, la imagen bíblica no nos muestra ninguna huella de *hybris* o autoelevación en Cristo, a pesar de que tenía plena conciencia de su vocación mesiánica. En el momento crítico en que Pedro le llama por primera vez "Cristo", Jesús aúna la aceptación de este título con la aceptación de su muerte violenta y conmina incluso a sus discípulos a que no hagan pública su función mesiánica. Esta total ausencia de *hybris* la subraya asimismo Pablo en su himno cristológico —capítulo segundo de la epístola a los filipenses—, donde combina la forma divina del Cristo trascendente con su aceptación de la forma de siervo. Y el fundamento teológico de esta manera de ser nos lo ofrece el cuarto evangelio en un pasaje atribuido a Jesús: "El que cree en mí no cree en mí, sino en Aquel que me ha enviado". Tampoco se da el menor rastro de concupiscencia en la imagen bíblica de Jesús como el Cristo, como queda vigorosamente destacado en el relato de las tentaciones sufridas por Jesús en el desierto, donde Satanás recurre al deseo de comida, de discernimiento y de poder ilimitado pensando que serían los puntos débiles de Cristo. Como Mesías, Jesús podía satisfacer tales deseos. Pero, de haberlos satisfecho, habría sido demoníaco y habría dejado de ser el Cristo.

La victoria lograda sobre la alienación por parte del Nuevo

Ser en Jesús como el Cristo, no debería describirse en términos de "la impecabilidad de Jesús". Éste es un término negativo y sólo aparece en el Nuevo Testamento para mostrar la victoria alcanzada por Cristo contra la tentación mesiánica (epístola a los hebreos), es decir, para enaltecer la dignidad de aquel que es el Cristo cuando se niega a sacrificarse a sí mismo sujetándose a las consecuencias destructoras de la alienación. De hecho, no poseemos ninguna enumeración de los pecados concretos que Jesús no cometió, ni tampoco contamos con una descripción día tras día de las ambigüedades de la vida en las que demostrara ser bueno sin la menor ambigüedad. Jesús rechaza el término "bueno" cuando intentan aplicárselo a Él aislado de Dios y sitúa el problema en su verdadero lugar, es decir, en la unicidad de su relación con Dios. Su bondad sólo es bondad en la medida en que participa de la bondad de Dios. Jesús, como todo hombre, es libertad finita. Sin ello, no sería igual a los hombres y no podría ser Cristo. Sólo Dios se halla más allá de la libertad y el destino. Sólo en Dios quedan eternamente conquistadas las tensiones de ésta y de las demás polaridades, mientras que en Jesús tales tensiones son reales. El término "impecabilidad" es una racionalización de la imagen bíblica de aquel que ha vencido, en el seno de la existencia, a las fuerzas de la alienación existencial. Tales racionalizaciones, tan antiguas como el Nuevo Testamento, aparecen en varios pasajes bíblicos, como, por ejemplo, en algunos relatos de milagros —el de la tumba vacía, el del nacimiento virginal, el de la ascensión corporal al cielo, etc. Tanto si aparecen en forma de narraciones como en forma de conceptos, su índole es siempre la misma. Afirman algo positivo acerca de Cristo (y, luego, acerca de otras figuras bíblicas) y lo interpretan en términos de negaciones que, en principio, son susceptibles de verificación empírica. Así, una afirmación religiosa de carácter existencial y simbólico queda transformada en una afirmación teórica de índole racional y objetivante.

La imagen bíblica es, pues, enteramente positiva en su acentuación de tres características: primero, la entera finitud de Cristo; segundo, la realidad de las tentaciones surgidas de su finitud; tercero, la victoria sobre tales tentaciones, puesto que la derrota ante ellas habría quebrado la relación de Cristo con Dios y habría arruinado su vocación mesiánica. Más allá de estas tres características, que conocemos por la experiencia real de los discípulos, no es posible ni tiene sentido ninguna indagación, sobre todo si nos referimos al pecado en singular, como siempre deberíamos hacer.

b) *La realidad de las tentaciones de Cristo.* — Ya que Jesús como el Cristo es libertad finita, la tentación a la que se enfrenta es también una tentación real. La posibilidad misma constituye ya una tentación. Y Jesús no representaría la unidad esencial entre Dios y el hombre (el eterno Dios-Humanidad) si careciese de la posibilidad de una tentación real. A lo largo de toda la historia de la Iglesia, tanto en los teólogos como en el cristianismo popular ha existido siempre una tendencia monofisita, que calladamente ha inducido a muchos cristianos a negar que las tentaciones de Cristo fuesen verdaderas tentaciones. No podían tolerar la plena humanidad de Jesús como el Cristo, su libertad finita y, con ella, la posibilidad de que sucumbiese a la tentación. Sin que adrede se lo propusiesen, despojaron a Jesús de su finitud real y le atribuyeron una trascendencia divina por encima de la libertad y el destino. La Iglesia tuvo razón cuando se opuso a esta distorsión monofisita de la imagen de Jesús como el Cristo, aunque nunca logró una victoria completa sobre ella.

No obstante, si aceptamos que la narración bíblica se refiere a unas verdaderas tentaciones, tenemos que afrontar un problema de la mayor importancia para la doctrina del hombre en general y para la doctrina de la transición de la esencia a la existencia en particular. La caída del hombre desde la inocencia soñadora a la autoactualización y alienación plantea el mismo problema antropológico que la victoria de Cristo sobre la alienación existencial. Debemos, pues, preguntarnos: ¿En qué condiciones es seria una tentación? ¿No es una de estas condiciones precisamente el deseo real de aquello que posee el poder de tentar? Pero, si existe este deseo, ¿no es anterior la alienación a la decisión de sucumbir o de no sucumbir a la tentación? No cabe la menor duda de que, en las condiciones de la existencia, ésta es la situación humana. Desde el mismo inicio de la vida, nuestro deseo nos apremia y así aparecen las posibilidades. Estas posibilidades se convierten en tentación si existe una prohibición (como en la narración del paraíso) que nos obliga a deliberar y decidir. La cuestión estriba entonces en cómo concebimos este deseo, tanto si es el deseo de conocimiento y poder que sentía Adán, según la narración del paraíso, como si se trata del deseo de gloria y poder que podía abrigar Jesús según el relato de las tentaciones. Podemos responder a esta cuestión a tenor de nuestro análisis de la concupiscencia. La diferencia entre la autotrascendencia natural, que implica el deseo de reunirse con todas las cosas, y la concupiscencia distorsionada, que no quiere reunirse con nada sino que ansía explotarlo todo para procurarse poder y placer, será decisiva para la evaluación del deseo en el estado de tentación. Sin deseo no existe tentación alguna, pero la tentación es el deseo que se ha transformado en concupiscencia. La prohibición establece las condiciones que deberían evitar la transición del deseo a la concupiscencia. En el relato del paraíso, no se dan tales condiciones. En él nada indica que el deseo de conocimiento y poder sea lícito mientras no se convierta en concupiscencia. Una indicación en este sentido sólo podemos deducirla de la relación que media entre Adán y los frutos del árbol de la vida, a los que primero tenía acceso y de los que después fue excluido: sin Dios, Adán carecerá de eternidad. Del mismo modo podemos inferir la analogía de que, sin Dios, Adán carecerá de conocimiento. El deseo en sí no es malo (el fruto es bueno para comer); pero no se observan las condiciones de su legítima satisfacción y, por consiguiente, el acto de comer se convierte en un acto de concupiscencia. En el relato de las tentaciones de Jesús, las condiciones requeridas para una legítima satisfacción de sus deseos nos vienen indicadas en las citas veterotestamentarias con las que Jesús rechaza a Satanás. Pero tales condiciones son exactamente las mismas que hallamos en el relato del paraíso: sin Dios, es malo poseer los objetos de unos deseos que, en sí mismos, son lícitos. Jesús podría haber satisfecho tales deseos, pero esto habría significado renunciar a su naturaleza mesiánica.

La distinción entre deseo y concupiscencia constituye, pues, el primer paso para dar solución al problema que suscita la absoluta seriedad de las tentaciones sufridas por Cristo.

El segundo paso consiste en abordar la cuestión de cómo es posible el deseo en el estado de unidad inquebrantada con Dios. La palabra "deseo" expresa un estado de implenitud. No obstante, la literatura religiosa abunda en descripciones de personas que están unidas a Dios y en ello encuentran su total plenitud. Pero si el hombre que se halla en unidad esencial con Dios (Adán) y el hombre que está en unidad real con Dios bajo las condiciones de la existencia (Cristo), se sienten tentados por su deseo de una plenitud finita, entonces el deseo y la unidad con Dios no pueden ser mutuamente contradictorios (lo cual implicaría la afirmación de que tampoco el *eros* y el *ágape* pueden ser mutuamente contradictorios). Expresado en forma positiva, esto quiere decir que la vida de unidad con Dios, como toda vida, está determinada por la polaridad de dinámica y forma y, como tal, nunca se halla exenta del riesgo que implican las tensiones entre dinámica y forma. La unidad con Dios no es la negación del deseo de reunir lo finito con lo finito. Pero cuando existe la unidad con Dios, no se desea lo finito al margen de esta unidad sino dentro de ella. La tentación que se enraíza en el deseo es aquella en que se desea lo finito al margen de Dios o aquella en que el deseo se convierte en concupiscencia. Tal es la razón que explica el hecho de que el objeto del deseo constituya una verdadera tentación incluso en el Cristo.

Sin embargo, tenemos que dar un tercer paso para responder a las cuestiones suscitadas por la realidad de las tentaciones de Jesús. El recelo que sentimos ante ciertas consideraciones, como las anteriores, se debe al temor de que conviertan en un hecho meramente contingente la resistencia que Jesús opuso a dejarse vencer por sus tentaciones. Si así fuera, la salvación del género humano dependería de la decisión contingente de un individuo concreto. Pero esta manera de razonar no tiene en cuenta la unidad polar de libertad y destino. Tanto la universalidad de la alienación existencial como la unicidad de la victoria sobre la alienación son consecuencia de la libertad, pero también lo son del destino. La decisión de Cristo de no sucumbir a las tentaciones es un acto de libertad finita y, como tal, análogo a la decisión que adopta quienquiera que sea libertad finita, es decir, todo hombre. Como decisión libre, es un acto de su personalidad total y del centro de su propio yo. Pero, al mismo tiempo, como ocurre en quienquiera que sea libertad finita, esta decisión es una consecuencia de su destino. La libertad de Jesús estaba empotrada en su destino. La libertad sin destino es mera contingencia, y el destino sin libertad es mera necesidad. Pero la libertad humana y, en consecuencia, la libertad de Jesús como el Cristo están unidas al destino y, por ello, no son ni contingencia ni necesidad.

El Nuevo Testamento considera muy en serio el elemento de destino en la descripción de Cristo. Sus factores hereditarios y su existencia corporal constituyen un objeto de especulación y de investigación en los evangelios sinópticos. Jesús no está solo y aislado; es el eslabón central en la cadena de las revelaciones divinas. La importancia de su madre no queda disminuida por el hecho de que no lo entienda. En los textos bíblicos se mencionan numerosos factores que contribuyen a determinar el destino de un hombre. Lo que le ocurre a Jesús es siempre una consecuencia de su destino, pero asimismo es siempre un acto de su libertad. En sus múltiples referencias a las profecías veterotestamentarias, el Nuevo Testamento expresa claramente el elemento de destino. La aparición de Jesús como el Cristo y la resistencia que opone a todos los intentos por despojarlo de su carácter de Cristo son actos de decisión personal suya, pero a la vez son el resultado de un destino divino. Y no podemos ir más allá de esta unidad —ni en el caso de Jesús ni en el caso del hombre en general.

Este discernimiento constituye la respuesta a la acongojada pregunta de si la salvación de la humanidad se debe, en lo negativo, a la decisión contingente de un solo hombre (considerando la libertad en el sentido de indeterminismo). Las decisiones de Jesús por las que se opuso a su tentación real, se hallan sometidas, como toda decisión humana, a la creatividad directora de Dios (providencia). Y la creatividad directora de Dios, cuando se refiere al hombre, actúa a través de la libertad de éste. El destino del hombre está determinado *por* la creatividad divina, pero *a través* de la autodeterminación del hombre, es decir, de su libertad finita. En este aspecto, la "historia de la salvación" y la "historia del Salvador" se hallan últimamente determinadas del mismo modo que lo está la historia en general y la historia de todo individuo humano. Y lo mismo cabe decir del estado de alienación en que se encuentra la humanidad. Nadie puede defender en serio la idea absurda de que la causa universal de la condición humana pudo depender de la decisión equivocada de un solo hombre. Del mismo modo, la aparición de Cristo es, a la vez, libertad y destino, y se halla determinada por la creatividad directora de Dios. No existe ninguna contingencia indeterminada en la situación negativa y positiva del género humano; lo que en ella existe es la unidad de libertad y destino bajo la creatividad directora de Dios.

c) *Las marcas de su finitud.* — La seriedad de las tentaciones experimentadas por Cristo descansa en el hecho de que Cristo es libertad finita. Es notable constatar hasta qué punto la descripción bíblica de Jesús como el Cristo subraya su finitud. Como ser finito, está sujeto a la contingencia de todo lo que no es por sí mismo, sino que ha sido "arrojado" a la existencia. Tiene que morir, y experimenta la congoja de tener que morir. Los evangelistas describen esta congoja con el mayor vigor, una congoja a la que no mitiga ni la expectación de la resurrección "al tercer día", ni el éxtasis de un autosacrificio de tipo sustitutivo, ni siquiera el ideal heroico que anima a hombres como Sócrates. Como todo hombre, Cristo experimenta la amenaza de la victoria que puede alcanzar el nonser sobre el ser, por ejemplo, dentro de los límites del pedazo de vida que se le ha dado. Lo mismo que todos los seres finitos, experimenta la falta de un lugar concreto que le sea propio. Desde su nacimiento, da la impresión de ser un extraño y carecer de un hogar en su mundo. Siente la inseguridad corporal, social y mental, está sujeto a la necesidad y es excluido de su pueblo. En relación con las demás personas, su finitud se manifiesta en su aislamiento, tanto por lo que respecta a las masas como por lo que respecta a sus familiares y discípulos. Pugna por lograr que lo comprendan, pero no lo consigue nunca durante su vida. Su reiterado deseo de quedarse solo nos revela que muchas horas de su vida diaria estaban embargadas por las diversas preocupaciones finitas que le suscitaba su encuentro con el mundo. Al mismo tiempo, se siente profundamente afectado por el infortunio de las masas y de todos los que a Él acuden. Los acepta, aunque luego será rechazado por ellos. Experimenta todas las tensiones que genera la situación de relación consigo mismo de toda persona finita y constata la imposibilidad de penetrar en el centro de cualquier otra persona.

En relación con la realidad como tal, con la realidad que incluye a personas y cosas, está sujeto a la incertidumbre del juicio, al riesgo del error, a los límites del poder y a las vicisitudes de la vida. El cuarto evangelio nos dice que Jesús como el Cristo *es* la verdad, pero esto no significa que *posea* una omnisciencia o certeza absoluta. *Es* la verdad en cuanto su ser —el Nuevo Ser que está en Él— vence la falsedad de la alienación existencial. Pero ser la verdad no es lo mismo que conocer la verdad acerca de todos los objetos y situaciones finitas. La finitud implica la posibilidad de error, y el error es intrínseco a la participación de Cristo en la condición existencial del hombre. Es indudable que Cristo andaba equivocado en su antigua concepción del universo, en sus juicios sobre los hombres, en su interpretación del momento histórico, en su imaginación escatológica. Si finalmente consideramos su relación consigo mismo, podemos remitirnos de nuevo a lo que antes hemos dicho sobre la seriedad de sus tentaciones. Tales tentaciones presuponen necesidad y deseo. Y podemos remitirnos asimismo a las dudas que lo embargaban acerca de su propia labor, a la indecisión que mostraba en la aceptación del título mesiánico y, sobre todo, a la amargura con que se veía abandonado por Dios en la cruz contrariamente a todas sus expectativas.

Todo esto pertenece a la descripción de la finitud de Jesús como el Cristo y debe ocupar el lugar que le corresponde en el conjunto de la imagen de Jesús. Es *un* elemento suyo, junto a sus otros elementos; pero debemos subrayar vigorosamente este elemento para oponernos a quienes atribuyen a Cristo una omnipotencia, una omnisciencia, una omnipresencia y una eternidad ocultas. Tales cristianos prescinden de la seriedad de su finitud y, con ella, de la realidad de su participación en la existencia.

d) *Su participación en el elemento trágico de la existencia.* — Todo encuentro con la realidad, tanto si se trata de situaciones como de grupos o de individuos humanos, está cargado de incertidumbre teórica y práctica. Esta incertidumbre no procede únicamente de la finitud del hombre sino también de la ambigüedad de que adolece todo aquello con lo que entra en contacto una persona. La vida está marcada por la ambigüedad, y una de sus ambigüedades es la que entraña tanto

la grandeza como la tragedia (de la que hablaremos en el tercer volumen de esta obra). Esto plantea la cuestión de dilucidar
cómo se halla implicado el portador del Nuevo Ser en el elemento trágico de la vida: ¿Cuál es su relación con la ambigüedad de la culpa trágica? ¿Cuál es su relación con las consecuencias trágicas de su ser, e incluso de sus acciones y decisiones,
para quienes están con Él o contra Él y para quienes no están
ni con Él ni contra Él?

En este ámbito, el primer ejemplo e históricamente el más
importante es el conflicto que surgió entre Jesús y los dirigen-
tes de su nación. En general, el pensamiento cristiano ha considerado que la hostilidad de las autoridades contra Jesús constituye, sin la menor ambigüedad, su delito religioso y moral.
Las autoridades decidieron enfrentarse a Jesús, aunque hubiesen podido decidirse en favor suyo. Pero, precisamente en este
"hubiesen podido" es donde radica todo el problema, ya que
elimina el elemento trágico que universalmente forma parte de
la existencia, sitúa a las autoridades al margen del contexto
humano y las convierte en representantes de un mal inequívoco.
No existe, empero, ningún mal inequívoco, como así lo reconoce Jesús cuando se remite a las tradiciones y cuando manifiesta su pertenencia a la "casa de Israel". Y Pablo, aunque
constantemente perseguido por los judíos, no deja de dar testimonio del celo con que los judíos cumplían la ley de Dios. Los
fariseos eran los hombres piadosos de su tiempo y los que repre-
sentaban la ley de Dios, es decir, la revelación preparatoria sin
la cual no habría podido producirse la revelación final. Cuando
los cristianos niegan el elemento trágico en el enfrentamiento
que opuso a Jesús y a los judíos (y, análogamente, a Pablo y a
los judíos), se hacen culpables de una profunda injusticia, injusticia que muy pronto dio origen a un antijudaísmo cristiano,
que constituye uno de los acicates permanentes del moderno
antisemitismo. Es lamentable que, incluso en la actualidad, gran
parte de la educación cristiana sea consciente o inconscientemente responsable de esta especie de sentimiento antijudío.
Esta situación sólo podrá cambiar si admitimos francamente
que el conflicto entre Jesús y sus enemigos fue un conflicto trágico. Y esto significa que Jesús se hallaba implicado en el elemento trágico de la culpa de tal modo que hizo inevitablemente
culpables a sus enemigos. Pero este elemento de culpa no alte-

ró su relación personal con Dios. No dio paso a la alienación.
No quebrantó su centro personal. Fue tan sólo una expresión
de su participación en la alienación existencial y su implicación en ella, es decir, una expresión de la ambigüedad que entraña tanto la creación como la destrucción. Es una profunda
visión del elemento trágico de la culpa la que Kierkegaard nos
ofrece cuando habla del derecho que le asiste a cualquiera a
dejarse matar por la verdad. Quien opta por esta muerte debe
saber que se hace trágicamente responsable de la culpa en que
incurren quienes le dan muerte.

Se han formulado numerosas y harto embarazosas cuestiones acerca de la relación existente entre Jesús y Judas —ya
desde la época en que se escribió el Nuevo Testamento. El
mismo Jesús señala uno de los problemas que suscitan los relatos de la traición de Judas, puesto que, por un lado, afirma la
necesidad providencial —el cumplimiento de las profecías— de
la acción de Judas y, por el otro, subraya la inmensidad de su
culpa personal. De este modo, se afirma por un igual tanto el
elemento trágico como el elemento moral de la culpa de Judas.
Pero, además de este elemento trágico, que es el más universal,
en la culpa de Judas existe un elemento particular. Su traición
presupone que Judas pertenecía al grupo íntimo de los discípulos. Y no hubiera sido así sin la voluntad expresa de Jesús. Implícitamente, ya nos hemos referido a este punto al hablar de
los errores de juicio que son inseparables de la existencia finita. Explícitamente, hemos de decir ahora que, a tenor del relato
que aparece en los textos evangélicos (y sólo esto es lo que
ahora nos interesa), el inocente se hace trágicamente culpable
con respecto al que contribuye a su propia muerte. No deberíamos rehuir estas consecuencias, si consideramos en serio que el
portador del Nuevo Ser participa en las ambigüedades de la
vida. En cambio, si concibiésemos al Cristo como un Dios que
deambula sobre la tierra, ni sería finito ni se hallaría implicado
en la tragedia. Su juicio sería categórico, es decir, sin la menor
ambigüedad. Pero, según el simbolismo bíblico, esto será lo
propio de la "segunda venida" de Cristo y, por consiguiente,
queda vinculado a la transformación de la realidad en su totalidad. El Cristo que la Biblia nos describe, asume las consecuencias de su implicación trágica en la existencia. El Nuevo
Ser que en Él aparece, posee asimismo una significación eterna

para aquellos que fueron la causa de su muerte, incluso Judas.

e) *Su unidad permanente con Dios.* — La conquista de la alienación existencial en el Nuevo Ser, que es el ser de Cristo, no elimina la finitud y la congoja, la ambigüedad y la tragedia, sino que asume las negatividades de la existencia en la unidad inquebrantada con Dios. La congoja de tener que morir no queda eliminada; es asumida por la participación en la "voluntad de Dios", es decir, en su creatividad directora. El desarraigo y la inseguridad de Jesús con respecto a un lugar físico, social y mental no quedan mitigados, sino más bien acrecentados hasta el último momento. Y, sin embargo, son aceptados gracias al poder que entraña la participación en un "lugar trascendente" que, en realidad, no es ningún lugar concreto, sino el fondo eterno de todo lugar y de todos los momentos del tiempo. Su aislamiento y sus frustrados intentos para lograr que le recibieran aquellos a los que vino, no terminan de pronto con la consecución de su designio, sino que quedan integrados en la divina aceptación de aquello que rechaza a Dios, es decir, en la línea vertical del amor que une y que es efectivo allí donde queda obstruida la línea horizontal que va de ser a ser. Fuera de su unidad con Dios, en virtud de su autorrelación finita y de su autorreclusión existencial está asimismo unido con los que se han separado de Él y de los demás. Tanto el error como la duda no desaparecen, sino que quedan integrados en el seno de la participación en la vida divina y así, indirectamente, en el seno de la omnisciencia divina. El error y la verdad quedan integrados en el seno de la verdad trascendente. De ahí que no encontremos el menor síntoma de represión de la duda en la descripción de Jesús como el Cristo. Quienes no son capaces de elevar sus dudas hasta la verdad que trasciende toda verdad finita, tienen que reprimir sus dudas. Y forzosamente se convierten en fanáticos. No obstante, en la imagen bíblica de Jesús como el Cristo no hallamos el menor rastro de fanatismo. Jesús no pretende poseer una absoluta certidumbre acerca de una convicción finita. Reprueba la actitud fanática que adoptan sus discípulos ante aquellos que no le siguen. Poseyendo el poder de una certidumbre que, tanto en las cuestiones religiosas como en los menesteres de la vida secular, trasciende la certidumbre y la incertidumbre, acepta la incertidumbre como un elemento de la finitud. Y lo mismo cabe decir de las dudas que le embargan acerca de su propio cometido —dudas que surgen con la mayor intensidad en la cruz, pero que ni siquiera entonces destruyen su unidad con Dios.

Ésta es la descripción del Nuevo Ser en Jesús como el Cristo. No es la imagen de un autómata divino-humano, desprovisto de verdaderas tentaciones, de lucha real o de implicación trágica en las ambigüedades de la vida. Muy al contrario, es la imagen de una vida personal que está sujeta a todas las consecuencias de la alienación existencial, pero en la que es vencida esta alienación y es salvaguardada la unidad permanente con Dios. En el seno de esta unidad, Jesús como el Cristo acepta, sin eliminarlas, las negatividades de la existencia. Y esto lo consigue trascendiéndolas por el poder que entraña esta unidad. Éste es el Nuevo Ser tal como aparece en la imagen bíblica de Jesús como el Cristo.

5. La dimensión histórica del Nuevo Ser

No existe vida personal alguna sin su encuentro con otras personas en el seno de una comunidad, y no existe comunidad alguna sin la dimensión histórica de pasado y futuro. Esto es patente en la imagen bíblica de Jesús como el Cristo. Aunque se considera su vida personal como el criterio con arreglo al cual se juzga el pasado y el futuro, no se trata de una vida aislada, y el Nuevo Ser, que constituye la cualidad de su propio ser, no queda restringido a su solo ser. Esto nos remite a la comunidad en la que aparece el Nuevo Ser y a sus manifestaciones preparatorias en aquella comunidad; pero nos remite asimismo a la comunidad que Él crea y a las manifestaciones del Nuevo Ser que fueron recibidas en ella. Los textos neotestamentarios conceden la mayor importancia al hecho de que Jesús se entronque con el linaje de los que fueron portadores de la revelación preparatoria. Las listas de los antepasados de Jesús, aunque por otra parte discutibles y contradictorias, poseen este valor simbólico, como asimismo lo posee el símbolo "Hijo de David" (véase más arriba) y el interés que suscita la figura de su madre. Todos éstos son símbolos de la dimensión histórica del pasado. En la elección de los doce apóstoles, el pasado de las doce tribus de Israel queda simbólicamente vinculado al futuro de la Iglesia. Y sin la recepción de Jesús como el Cristo por parte de la Iglesia, Jesús no habría llegado a ser el Cristo, porque a nadie habría aportado el Nuevo Ser. Mientras la descripción de los evangelios sinópticos se orienta preferentemente en la dirección del pasado, en el cuarto evangelio el interés predominante se cifra en la dirección del futuro. Pero es a todas luces evidente que a la descripción bíblica no le incumbe la menor responsabilidad por una teología que, en nombre de la "unicidad" de Jesús como el Cristo, lo aísla por completo de cuanto ocurrió antes del año primero y después del año treinta de nuestra era. De este modo se niega la continuidad de la automanifestación divina a través de la historia, no sólo en el pasado precristiano sino también en el presente y en el futuro cristianos. Esta teología tiende a despojar tajantemente al cristiano actual de toda conexión directa con el Nuevo Ser en Cristo. Le exige que salte por encima de algunos milenios para situarse en el período que va del año "1 al 30" y se someta entonces al acontecimiento sobre el que se fundamenta el cristianismo. Pero este salto es una pura ilusión, porque el mismo hecho de ser cristiano y de llamar Cristo a Jesús se basa en la continuidad histórica del poder del Nuevo Ser. Ningún prejuicio anticatólico debería ser óbice para que los teólogos protestantes admitieran plenamente este hecho.

Aunque apareciese en una vida personal, el Nuevo Ser posee una envergadura espacial en la comunidad del Nuevo Ser y una dimensión temporal en la historia del mismo. La aparición de Cristo en una persona individual presupone la comunidad a la que Él vino y la comunidad que Él crea. Desde luego, el criterio determinante de ambas comunidades es la imagen de Jesús como el Cristo; pero, sin ellas, nunca se hubiera dado tal criterio.

6. ELEMENTOS CONFLICTIVOS EN LA IMAGEN DE JESÚS COMO EL CRISTO

En los apartados anteriores hemos hablado de *la* imagen de Jesús como el Cristo, sin que hayamos prestado atención a las diferencias y contrastes que podemos observar en la imagen bíblica. Ahora hemos de preguntarnos si en el Nuevo Testa-

mento se nos ofrece realmente esta imagen unificada o si las
visiones dispares de los distintos autores del Nuevo Testamento
hacen imposible trazar una imagen única de Jesús como el
Cristo. Esta pregunta requiere, primero, una respuesta histórica y, luego, una respuesta sistemática. La respuesta histórica
la dimos ya en parte al afirmar, de entrada, que todos los textos
neotestamentarios coinciden en la afirmación de que Jesús es el
Cristo. Y esto es necesariamente así porque el Nuevo Testamento es el libro de la comunidad cuyo fundamento estriba en
la aceptación de Jesús como el Cristo. Pero esta respuesta no es
completa, ya que son distintas y en cierto modo contradictorias
las interpretaciones que pueden darse a la aserción de que
Jesús es el Cristo. Cabe subrayar la participación del Nuevo
Ser en las condiciones de la existencia o la victoria del Nuevo Ser sobre dichas condiciones. Obviamente, los evangelios
sinópticos acentúan lo primero, mientras el cuarto evangelio
carga el acento sobre lo segundo. Pero, aquí, la cuestión no estriba en saber si se pueden combinar ambas imágenes para trazar una única imagen histórica perfectamente armónica. La respuesta negativa de la investigación histórica a esta cuestión
ha sido casi unánime. Por consiguiente, el problema estriba en
dilucidar si tales contrastes, en cuanto los fieles son conscientes de ellos, pueden dificultar el impacto de la imagen bíblica
de Jesús como portador del Nuevo Ser. Tratándose del contraste entre los evangelios sinópticos que acentúan la participación de Jesús en las negatividades de la existencia y el cuarto
evangelio que subraya la victoria de Cristo sobre tales negatividades, puede decirse que, incluso en términos descriptivos, esta
diferencia no acarrea la exclusión del elemento que está en contraste con los demás. Existen relatos y símbolos de la gloria de
Jesús como el Cristo en los evangelios sinópticos, y existen asimismo relatos y símbolos del sufrimiento de Jesús como el Cristo en el evangelio de Juan. Pero lo que no es posible eludir es
la cuestión sistemática.

Lo mismo puede decirse de otro contraste que supera ampliamente al que se da entre el talante general de los evangelios
sinópticos y el del cuarto evangelio. Nos referimos a la notoria
diferencia que media entre las palabras de Jesús centradas en
el reino que nos reportan los evangelios sinópticos, y la naturaleza cristocéntrica de sus palabras en el evangelio de Juan.

La conciencia de sí mismo que se manifiesta en uno y otros evangelios parece absolutamente contradictoria. También aquí podemos dar una respuesta preliminar descriptiva. Los evangelios sinópticos no carecen de expresiones que manifiesten la autoconciencia mesiánica que poseía Jesús. Sobre todo, no hay en ellos ni una palabra en la que Jesús se identifique con la alienación de la humanidad. Jesús se inserta en esta alienación y asume sus consecuencias trágicas y autodestructivas, pero nunca se identifica con ella. Desde luego, el Jesús sinóptico no puede hablar de sí mismo tan directa y abiertamente como lo hace el Cristo del cuarto evangelio. Pero es propio de aquel cuya comunión con Dios no ha sido rota, que sienta la distancia que media entre él y quienes se hallan en una situación distinta de la suya. Sin embargo, el contraste entre esas dos formas de hablar es tan enorme que da origen a un problema sistemático.

Un tercer problema aparece al cotejar los evangelios sinópticos y el evangelio de Juan, y es el de la distinta manera que Jesús se sitúa en la perspectiva escatológica. A este respecto, incluso existen diferencias entre los distintos niveles de la tradición sinóptica, lo mismo que entre los niveles consecutivos del cuarto evangelio. En los evangelios sinópticos, Jesús se manifiesta a veces como el mero profeta que anuncia la llegada del reino que ha de venir y, a veces, como la figura central del drama escatológico: tiene que morir y resucitar por los pecados del pueblo; lleva a cumplimiento las profecías escatológicas del Antiguo Testamento; volverá sobre las nubes del cielo para juzgar al mundo; comerá la comida escatológica con sus discípulos. En el evangelio de Juan, a veces repite estas afirmaciones escatológicas; pero otras veces las transforma en afirmaciones acerca de los procesos escatológicos que se desarrollan en su presencia en forma de juicio y salvación. De nuevo hemos de decir aquí que, tanto en el evangelio de Juan como en los evangelios sinópticos, los contrastes no se excluyen; pero son lo bastante fuertes para requerir una reflexión sistemática.

El hecho sorprendente de que tales contrastes no se hayan advertido a lo largo de centenares de años, se debe, en gran parte, a la influencia preponderante de la imagen de Cristo que nos ofrece el cuarto evangelio y, al mismo tiempo, a la tendencia criptomonofisita de la Iglesia. A pesar de que Lutero acentúe sobremanera la humilde condición de Cristo, el cuarto evangelio sigue siendo, para él, el "evangelio mayor". Como otros muchos cristianos, Lutero leyó las palabras del Jesucristo sinóptico como si fueran las palabras del Cristo Jesús joaneo, pese a su incompatibilidad literal. Pero desde hace ya largos años, esta situación ha dejado de existir; numerosos cristianos ven hoy día estos contrastes y no se les puede pedir que cierren los ojos ante ellos.

Nuestra respuesta a esta cuestión es que debemos distinguir entre el marco simbólico en el que aparece la imagen de Jesús como el Cristo y la substancia en la que está presente el poder del Nuevo Ser. Hemos enumerado y sometido a discusión los diversos símbolos con los que se interpretó el hecho "Jesús" (uno de los cuales es "el Cristo"). Tales interpretaciones no son adiciones a lo que, de otro modo, sería una presentación acabada de la imagen de Jesús como el Cristo, sino que constituyen el marco absolutamente decisivo en el que nos es dada esta presentación. El símbolo "Hijo del Hombre", por ejemplo, concuerda con el marco escatológico; el símbolo "Mesías" concuerda con aquellos pasajes en los que se relata la actividad curativa y predicadora de Jesús; el símbolo "Hijo de Dios" y el símbolo conceptual "Logos" concuerdan con el estilo peculiar de hablar y actuar que tenía Juan. Pero, en todos estos casos, la substancia permanece inalterada y en ella resplandece el poder del Nuevo Ser con triple colorido: primero y decisivo, como la unidad inquebrantada del centro de su ser con Dios; segundo, como la serenidad y majestad de aquel que salvaguarda esta unidad contra todos los ataques que parten de la existencia alienada; y, tercero, como el amor autoinmolado que representa y actualiza el amor divino al asumir la autodestrucción existencial. No existe ningún pasaje en los evangelios —o, en este aspecto, en las epístolas— que deseche el poder de esta triple manifestación del Nuevo Ser en la imagen bíblica de Jesús como el Cristo.

C. VALORACIÓN DEL DOGMA CRISTOLÓGICO

1. NATURALEZA Y FUNCIÓN DEL DOGMA CRISTOLÓGICO

El problema cristológico se inició con la búsqueda del Nuevo Ser, es decir, cuando los hombres cobraron conciencia de su condición existencial y se preguntaron por un nuevo estado de la realidad que pudiera superar aquella condición suya. De un modo anticipado, el problema cristológico apareció en las expectativas proféticas y apocalípticas, aunque vinculado en ellas al Mesías o al Hijo del Hombre. Pero los fundamentos para la formulación explícita de una cristología los proporcionó el sentido que los autores del Nuevo Testamento confirieron a los símbolos aplicados a Jesús, al que llamaron "el Cristo". Ya enumeramos estos símbolos al hablar de los resultados logrados por la investigación histórica en el estudio de la literatura bíblica. Analizamos entonces las cuatro etapas por las que habían pasado tales símbolos —Hijo del Hombre, Hijo de Dios, el Cristo, el Logos— en su desarrollo histórico, la última de las cuales era su distorsión literalista. El peligro de incidir en esta distorsión —peligro siempre presente en el cristianismo— fue una de las razones que indujeron a la Iglesia primitiva a interpretar los símbolos cristológicos según los términos conceptuales que le proporcionaba la filosofía griega. El símbolo del Logos fue el que mejor se adaptó a este propósito, puesto que por su misma naturaleza es un símbolo conceptual cuyas raíces son tanto religiosas como filosóficas. Por consiguiente, la cristología de la primitiva Iglesia fue una cristología del Logos. No es justo que critiquemos a los Padres de la Iglesia por haber utilizado algunos conceptos griegos. No disponían de otras expresiones conceptuales que manifestaran el encuentro cognoscitivo del hombre con su mundo. Si tales conceptos eran o no eran adecuados para la interpretación del mensaje cristiano, sigue siendo una cuestión permanente de la teología. Pero es un error condenar *a priori* el uso de los conceptos griegos por parte de la Iglesia primitiva, puesto que no disponía de ninguna otra alternativa.

La tarea dogmática llevada a cabo por la Iglesia primitiva se centra en la elaboración del dogma cristológico. Todas las demás exposiciones doctrinales —sobre todo las que se refieren a Dios y al hombre, al Espíritu y a la Trinidad— o bien constituyen los supuestos que determinan el dogma cristológico o bien son consecuencia del mismo. La confesión bautismal de que Jesús es el Cristo es el texto cuyo comentario constituye el dogma cristológico. Los ataques fundamentales que sufre el dogma cristiano se sitúan, implícita o explícitamente, al nivel cristológico. Algunos de ellos impugnan su substancia, por ejemplo, la confesión bautismal, y otros su forma, como es el uso de los conceptos griegos. Pero para juzgar con acierto el dogma cristológico —y los ataques de que es objeto— es preciso que antes comprendamos su naturaleza y significación.

De todos modos, no se habrían formulado ciertas críticas al dogma cristológico y al dogma como tal, de haber caído en la cuenta de que las llamadas razones "especulativas" no son las que originan los dogmas. Aunque el *eros* cognoscitivo no deja de contribuir a la formación de los dogmas, éstos, como dijo Lutero, son doctrinas "protectoras", cuya finalidad estriba en salvaguardar la substancia del mensaje cristiano contra las distorsiones del mismo que aparecen fuera de la Iglesia o en su mismo interior. Si se entiende así y si se acepta que el uso de los dogmas por razones políticas constituye una distorsión demoníaca de su sentido original, nada se opone a que atribuyamos un sentido positivo al dogma en general y al dogma cristológico en particular, sin que por ello hayamos de temer unas consecuencias autoritarias. En tal caso tendremos que formular dos preguntas harto distintas: ¿Hasta qué punto el dogma logró reafirmar el sentido original del mensaje cristiano contra las distorsiones reales y posibles del mismo? Y ¿en qué medida constituyó un éxito la conceptualización de los símbolos que expresaban el mensaje cristiano? Mientras la respuesta a la primera pregunta es claramente positiva, la que hemos de dar a la segunda pregunta es francamente negativa. El dogma cristológico salvó a la Iglesia, pero lo hizo con instrumentos conceptuales harto inadecuados.

La inadecuación de tales instrumentos se debe, en parte, a la inadecuación de que adolece todo concepto humano para expresar el mensaje del Nuevo Ser en Jesús como el Cristo.

Pero, en parte, se debe asimismo a la inadecuación peculiar de los conceptos griegos, que son universalmente significativos, pero que no obstante se hallan condicionados por una religión concreta a la que determinan las figuras divinas de Apolo y Dioniso. Esta crítica es asaz distinta de la que formuló tanto Adolf Harnack como sus predecesores y seguidores, y según la cual el uso de los conceptos griegos por parte de la Iglesia primitiva condujo inevitablemente a la intelectualización del evangelio. Lo que se da por supuesto en esta aserción es que la filosofía griega, tanto en la época clásica como en el período helenístico, era intelectualista por naturaleza. Pero tal presunción es errónea para ambas épocas. Tanto en el período arcaico como en la época clásica, la filosofía poseía una importancia existencial, exactamente igual a lo que le ocurría a la tragedia y a los cultos mistéricos. Con medios cognoscitivos, la filosofía buscaba apasionadamente lo inmutable en términos teóricos, morales y religiosos. No podemos considerar como intelectualistas a Sócrates, Zenón, los estoicos y Plotino, ni siquiera a los neoplatónicos; y en el período helenístico el término "intelectualista" resulta casi absurdo. Incluso las escuelas filosóficas de la antigüedad posterior se organizaron en comunidades cultuales: identificaban el término "dogma" con sus intuiciones fundamentales, afirmaban la autoridad inspirada de sus fundadores y exigían de sus miembros la aceptación de unas doctrinas fundamentales.

El mero hecho de emplear unos conceptos griegos no significa, pues, intelectualizar el mensaje cristiano. Más acertada resulta la aserción de que equivale a la helenización del mensaje cristiano. Podemos decir, ciertamente, que el dogma cristológico es de índole helenística, aunque era inevitable que así ocurriera dada la actividad misionera que desarrolló la Iglesia en el mundo helenístico. Para ser aceptada, la Iglesia tuvo que utilizar las formas de vida y de pensamiento helenístico que, procedentes de muy diversos orígenes, acabaron fusionándose en el último período del mundo antiguo. Tres de ellas revistieron una importancia decisiva para la Iglesia cristiana: los cultos mistéricos, las escuelas filosóficas y el estado romano. El cristianismo se adaptó a las tres y se convirtió en un culto mistérico, en una escuela filosófica y en un sistema legal, pero sin dejar de ser una asamblea basada en el mensaje de que Jesús es el Cristo. Bajo las formas helenísticas de vida y de pensamiento, siguió siendo la Iglesia. No se identificó con ninguna de tales formas, pero las transformó e incluso conservó el derecho de criticar esta transformación. A pesar de largos períodos de tradicionalismo, la Iglesia fue capaz de elevarse, en ciertos momentos, hasta la autocrítica y reconsiderar las formas a las que se había adaptado.

El dogma cristológico utiliza ciertos conceptos griegos, que ya habían sufrido una transformación helenizante en el período helenístico, como el concepto del Logos. Este proceso continuó y a él se sumó la cristianización de tales conceptos. Pero, aun en esta forma cristianizada, esos conceptos (como, en el dominio práctico, las instituciones) suscitaron un problema eterno a la teología cristiana. Por ejemplo, en la discusión del dogma cristológico es preciso plantear las siguientes cuestiones: ¿La formulación dogmática logra realmente lo que pretende, es decir, reafirmar el mensaje de Jesús como el Cristo frente a las distorsiones de que es objeto, y proporcionarnos una expresión conceptualmente clara del sentido del mensaje? En este aspecto, una formulación dogmática puede malograrse de dos modos distintos: por su substancia y por su forma conceptual. Un ejemplo de lo primero son los cambios semimonofisitas que se introdujeron en el credo de Calcedonia a partir de mediados del siglo VI. En este caso, no fue el uso de los conceptos de la filosofía griega lo que dio origen a una distorsión del mensaje original, sino la influencia ejercida en los concilios por una poderosa corriente de piedad mágico-supersticiosa. Un ejemplo de la inadecuación de la forma conceptual es la misma fórmula de Calcedonia. Por la intención y el designio que la informaron, fue fiel al sentido genuino del mensaje cristiano. Salvó al cristianismo de que en él desapareciese por completo la imagen de Jesús como el Cristo por lo que se refiere a la participación del Nuevo Ser en el estado de alienación existencial. Pero lo hizo —y no podía hacerlo de otro modo dado el marco conceptual en que se movía— por una acumulación de grandes paradojas. Fue incapaz de darnos una interpretación deductiva, a pesar de que ésta fue la razón por la que originariamente se introdujeron los conceptos filosóficos en el lenguaje cristiano. La teología no debería culpar a sus instrumentos necesariamente conceptuales cuando el fracaso se debe a una piedad bas-

tardeada, ni debería atribuir a una debilidad religiosa las ina-
decuaciones de que adolecen estos instrumentos conceptuales.
Como tampoco debería desembarazarse de todos los conceptos
filosóficos —¡puesto que esto significaría en realidad que quiere
desembarazarse de sí misma! Frente a los conceptos que utiliza, la teología debe ser libre para seguir utilizándolos o para
prescindir de ellos. Debe ser libre de toda confusión entre su
forma conceptual y su substancia, y debe ser libre para expresar esta substancia por medio de aquellos instrumentos que
demuestren ser más adecuados que los proporcionados por la
tradición eclesiástica.

2. PELIGROS Y DECISIONES EN EL DESARROLLO DEL DOGMA CRISTOLÓGICO

Los dos peligros que amenazan toda exposición cristológica
son consecuencia inmediata de la aserción de que Jesús es el
Cristo. El intento de interpretar conceptualmente esta aserción
puede desembocar en la negación concreta o del carácter de
"Cristo" que posee Jesús como el Cristo o del carácter de "Jesús" que igualmente posee Jesús como el Cristo. La cristología
debe abrirse paso por la aguda cresta que discurre entre estos
dos abismos, sabiendo empero que nunca logrará evitarlos por
completo, ya que está rozando el misterio divino y éste sigue
siendo un misterio incluso cuando se manifiesta a los hombres.

En términos tradicionales, este problema se ha formulado
como la relación que existe en Jesús entre su "naturaleza" divina y su "naturaleza" humana. Toda reducción de su naturaleza humana despojaría a Cristo de su participación total en
las condiciones de la existencia. Y toda reducción de su naturaleza divina lo despojaría de su victoria total sobre la alienación existencial. En ambos casos no habría podido engendrar al
Nuevo Ser. Su ser habría sido menos que el Nuevo Ser. Por
consiguiente, el problema consistía en cómo cabía imaginar la
unión de una naturaleza enteramente humana con una naturaleza enteramente divina. Este problema nunca ha sido correctamente resuelto, ni siquiera dentro de los límites de las posibilidades humanas. La doctrina de las dos naturalezas de Cristo
plantea la auténtica cuestión, pero para ello utiliza unos instru-

mentos conceptuales desacertados. La inadecuación fundamental es la que aflige al término "naturaleza". Cuando se aplica al hombre, este término resulta ambiguo; pero cuando se aplica a Dios, es erróneo. Esto explica el definitivo e inevitable fracaso en que incurrieron algunos concilios, como el de Nicea y el de Calcedonia, a pesar de la verdad fundamental que proclamaron y la importancia histórica que revistieron.

La decisión de Nicea, que Atanasio defendió como una cuestión de vida o muerte para la Iglesia, hizo inadmisible la negación del poder divino de Cristo en la revelación y en la salvación. Según la terminología utilizada en la controversia de Nicea, el poder de Cristo es el poder del Logos divino, es decir, del principio que determina la automanifestación divina. Esto suscitó la cuestión de si el poder divino del Logos era igual o menor que el poder divino del Padre. Si se opta por la primera alternativa, la distinción entre el Padre y el Hijo parece esfumarse, como ocurre en la herejía de Sabelio. Si se opta por la segunda, aunque se diga que el Logos es la más importante de todas las creaturas, no deja de ser una creatura y, como tal, es incapaz de salvar a la creación, como ocurre en la herejía de Arrio. Sólo el Dios que es realmente Dios, y no un semidiós, puede crear el Nuevo Ser. Y era el término *homo-ousios*, "de igual esencia", el que se suponía que expresaba esta idea. Pero en tal caso, replicaron los semiarrianos, ¿cómo es posible que exista una diferencia entre el Padre y el Hijo?, y, si no existe tal diferencia, ¿no resulta totalmente incomprensible la imagen del Jesús histórico? Para Atanasio y sus más directos seguidores (por ejemplo, Marcelo), fue difícil responder a estas preguntas.

A menudo se ha considerado la fórmula de Nicea como la afirmación trinitaria fundamental de la Iglesia, y así se ha establecido una neta distinción entre ella y las decisiones cristológicas adoptadas en el siglo v. Pero esto es simplemente confusionario. La doctrina de la Trinidad es independiente de la doctrina cristológica, puesto que surge directamente de nuestro encuentro con Dios en todas sus manifestaciones. Hemos tratado de mostrar que la idea de un "Dios vivo" requiere una distinción entre el elemento abismal de lo divino, el elemento formal del mismo y la unión espiritual de ambos. Esto explica las múltiples formas con que aparece el simbolismo trinitario en la historia de la religión. La doctrina cristiana de la Trinidad sistematiza la concepción trinitaria y le añade el elemento decisivo de la relación que media entre el Cristo y el Logos. Fue este último punto el que dio paso a un dogma trinitario sistemáticamente desarrollado. La decisión de Nicea fue una decisión cristológica, aunque no por ello dejó de ser una contribución fundamental al dogma trinitario. Del mismo modo, la reafirmación y ampliación de la doctrina de Nicea que se llevó a cabo en Constantinopla (381), fueron afirmaciones cristológicas, aunque a la divinidad del Logos le añadieran la divinidad del Espíritu Santo. Si el ser de Jesús como el Cristo es el Nuevo Ser, el espíritu humano del hombre Jesús no puede convertir a Jesús en Cristo, sino que esto tiene que realizarlo el Espíritu divino que, como el Logos, no puede ser inferior a Dios. Aunque la discusión final de la doctrina trinitaria requiere que antes hayamos desarrollado la idea del Espíritu (y esto lo haremos en la parte IV de esta obra), ya desde ahora podemos afirmar que los símbolos trinitarios quedan vacíos de todo contenido si los aislamos de sus raíces empíricas —la experiencia del Dios vivo y la experiencia del Nuevo Ser en el Cristo. Tanto Agustín como Lutero comprendieron esta situación. Agustín juzgaba que la distinción entre las tres *personae* (*no* individuos) de la Trinidad carece de todo contenido y sólo se utiliza "no para decir algo, sino para no permanecer callado". Y, realmente, ciertos términos como "no generado", "generado eternamente", "procedente", etc., aunque se entiendan como símbolos —que es lo que son en definitiva—, no entrañan ningún sentido ni siquiera para una imaginación simbólica. Lutero creía que una palabra como "Trinidad" es extraña y casi ridícula, pero que aquí, como ocurre en otros casos, no disponemos de otra mejor que ésta. Aunque era consciente de las dos raíces existenciales de la idea trinitaria, rechazaba una teología que convierte la dialéctica trinitaria en un juego de absurdas combinaciones de números. No obstante, el dogma trinitario es uno de los soportes del dogma cristológico, y la decisión de Nicea salvó al cristianismo de que reincidiera en el culto a los semidioses, puesto que descartó las interpretaciones de Jesús como el Cristo que le hubiesen despojado de su poder de crear el Nuevo Ser.

La decisión adoptada en Nicea de que Dios mismo y no un

semidiós está presente en el hombre Jesús de Nazaret, era susceptible de acarrear la pérdida del carácter de "Jesús" que posee Jesús como el Cristo o, según la terminología tradicional, la negación de su plena naturaleza humana. Y este peligro, como ya hemos indicado repetidamente, era absolutamente real. La piedad popular y monástica no se daba por satisfecha con el mensaje de la eterna unidad de Dios y el hombre que se hizo presente bajo las condiciones de la alienación. Tales piedades querían "más". Querían a un Dios que andase sobre la tierra y participase en la historia, pero que no estuviese implicado en los conflictos de la existencia y las ambigüedades de la vida. La piedad popular no quería una paradoja sino un "milagro". Deseaba un acontecimiento análogo a todos los demás acontecimientos que se dan en el tiempo y el espacio, un acontecimiento "objetivo" en sentido supranatural. Con este tipo de piedad, se abrió la puerta a toda posible superstición. El cristianismo estuvo en peligro de quedar anegado por la inmensa marejada de una "religión secundaria", cuya justificación teológica le era proporcionada por el monofisismo. Muy pronto se hizo real este peligro en países como Egipto que, en parte por esta razón, fueron luego fácil presa del Islam iconoclasta. Con mayor facilidad se habría conjurado el peligro, de no ser por el soporte que esta piedad popular encontró en los grandes e intensos movimientos ascético-monásticos y la influencia directa que éstos ejercieron sobre los sínodos más decisivos. La hostilidad que los monjes sentían contra lo natural, no sólo en su distorsión existencial, sino también en su bondad esencial, los convirtió en fanáticos enemigos de una teología que acentuaba la plena participación del Cristo en la condición existencial del hombre. La alianza de la piedad popular y la monástica encontró en el gran obispo de Alejandría, Cirilo, a un defensor teológicamente cauto y políticamente sagaz. La tendencia monofisita hubiese prevalecido en la totalidad de la Iglesia bajo una forma sofisticada de no haber sido por la oposición que, en parte, logró alzarse con la victoria.

Tal oposición partió de algunos teólogos que consideraron muy en serio la participación de Jesús en la condición existencial del hombre. Y partió asimismo de algunas jerarquías eclesiásticas, como el papa León de Roma, que, según la tradición occidental, subrayaron el carácter histórico-dinámico del Nuevo

Ser en Cristo frente al carácter estático-jerárquico que le atribuye el pensamiento oriental. Esta oposición logró una amplia victoria en el concilio de Calcedonia —pese a las deficiencias de que adolece la fórmula calcedoniana. Tal victoria evitó que quedase eliminado en el Cristo su carácter de "Jesús", pese a que más tarde triunfaron en Oriente (Constantinopla) los intentos de explicitar la decisión de Calcedonia según la línea de Cirilo. Pero la autoridad del concilio de Calcedonia había cobrado ya demasiada firmeza y el espíritu que había informado a aquel concilio tenía demasiadas concordancias con el sesgo fundamental de la piedad occidental —incluso de la ulterior piedad protestante— para que pudiesen ser desbaratados.

Gracias a las dos grandes decisiones que adoptó la Iglesia primitiva, pudieron salvaguardarse tanto el carácter de "Cristo" como el carácter de "Jesús" del acontecimiento Jesús como el Cristo. Y esto se llevó a cabo a pesar de una conceptualización realmente inadecuada. Tal es el juicio que, acerca de la labor cristológica de la Iglesia, constituye el trasfondo sobre el que discurre la presente exposición cristológica.

3. La labor cristológica de la teología actual

Las consecuencias generales que comporta el anterior juicio son obvias, pero requieren una elaboración concreta de las mismas. La teología protestante ha de aceptar la tradición "católica" cuando ésta se fundamenta en la esencia de las dos grandes decisiones adoptadas por la Iglesia primitiva (Nicea y Calcedonia), pero ha de procurar encontrar nuevas formas en las que se pueda expresar la substancia cristológica del pasado. Tal ha sido nuestro propósito en los anteriores capítulos cristológicos, en los que impera una actitud crítica frente a la ortodoxia, por un lado, y frente a las cristologías liberales de los últimos siglos de la teología protestante, por el otro lado. El desarrollo de la ortodoxia protestante, tanto en su período clásico como en sus ulteriores reformulaciones, ha evidenciado la imposibilidad de lograr una solución comprensible del problema cristológico mientras éste se formule en sus términos clásicos. El mérito del liberalismo teológico ha sido el de demostrar, gracias a las investigaciones histórico-críticas —por ejemplo, en la *Historia*

13.

del dogma de Harnack— las inevitables contradicciones y absurdidades en que desembocan todos los intentos de solucionar el problema cristológico en términos de la teoría de las dos naturalezas de Cristo. Pero ha sido escasa la contribución aportada por ese mismo liberalismo a la cristología en términos sistemáticos. Al decir que "Jesús no radica en el evangelio proclamado por Jesús", eliminó el carácter de "Cristo" que posee el acontecimiento Jesús el Cristo. Incluso historiadores como Albert Schweitzer, que subrayaron el carácter escatológico del mensaje evangélico y el hecho de que Jesús se considerase a sí mismo como una figura central del esquema escatológico, no utilizaron este elemento en su cristología, sino que lo desecharon como el producto de una extraña imaginación y como algo propio de un éxtasis apocalíptico. El carácter de "Cristo" del acontecimiento evangélico quedó diluido en su carácter de "Jesús". Sería injusto, no obstante, que identificásemos la teología liberal con el arrianismo. Su imagen de Jesús no es la imagen de un semidiós. Más bien es la imagen de un hombre en el que Dios era manifiesto de un modo único. Pero no es la imagen de un hombre cuyo ser era el Nuevo Ser y que por ello fue capaz de vencer la alienación existencial. Ni el método ortodoxo ni el método liberal de la teología protestante son adecuados para la labor cristológica que debe llevar a cabo en la actualidad la Iglesia protestante.

La Iglesia primitiva se dio perfecta cuenta de que la cristología era una tarea de la Iglesia existencialmente necesaria, aunque teóricamente desprovista de interés. De ahí que su criterio último fuese un criterio existencial, "soteriológico", es decir, determinado por la cuestión de la salvación. Cuanto más grandioso sea lo que decimos de Cristo, mayor es la salvación que de Él podemos esperar. Estas palabras de un Padre apostólico son válidas para todo el pensamiento cristológico. Por supuesto que surgen diferencias en cuanto se intenta definir lo que significa "grandioso" en relación a Cristo. Para el pensamiento monofisita en todos sus matices, desde la Iglesia primitiva hasta nuestros días, sólo se puede decir algo grandioso de Cristo si su pequeñez, es decir, su participación en la finitud y en la tragedia queda aniquilada en su grandeza, es decir, en su poder de vencer la alienación existencial. Llamamos "alta" cristología a la que carga el acento en la "naturaleza divina" de Cristo.

Pero, por "altos" que puedan ser los predicados divinos que se acumulen sobre Cristo, el resultado siempre será una cristología de escaso valor, porque elimina la paradoja cristiana para sustituirla por un milagro supranatural. Y la salvación sólo puede proceder de Aquel que participó plenamente en la condición existencial del hombre, pero no de un Dios que deambule sobre la tierra "siendo distinto de nosotros en todos los aspectos". El principio protestante según el cual Dios está tan cerca de lo más bajo como de lo más alto y, por ende, la salvación no consiste en que el hombre pase del mundo material a un mundo llamado espiritual, exige una "cristología baja" —que, en realidad, es la verdadera cristología alta. Con arreglo a este criterio es como deberían juzgarse los anteriores intentos cristológicos.

Ya nos hemos referido al concepto de naturaleza que implican las expresiones "naturaleza divina" y "naturaleza humana", y hemos indicado que la expresión "naturaleza humana" es ambigua, pero que la expresión "naturaleza divina" es totalmente inadecuada. El término "naturaleza humana" puede significar la naturaleza esencial o creada del hombre; puede significar su naturaleza existencial o alienada; y puede significar la naturaleza del hombre en la unión ambigua de las otras dos naturalezas. Si aplicamos el término "naturaleza humana" a Jesús como el Cristo, hemos de decir que Jesús posee una naturaleza humana completa en el primer sentido de la palabra: por la creación, es libertad finita como todo ser humano. Con respecto al segundo significado de "naturaleza humana", hemos de decir que Jesús posee la naturaleza existencial del hombre como una posibilidad real, pero de tal forma que la tentación —que es la posibilidad— siempre es asumida en la unidad con Dios. De ello se sigue que, en su tercer sentido, la naturaleza humana ha de ser atribuida a Jesús en la medida en que éste se halla inmerso en las ambigüedades trágicas de la vida. En tales circunstancias, nos es forzoso abandonar por completo el término "naturaleza humana" en relación al Cristo y hemos de sustituirlo por una descripción de la dinámica de su vida —tal como hemos intentado hacer.

En una cultura en que la naturaleza era el concepto que lo incluía todo, el término "naturaleza humana" era adecuado. Los hombres, los dioses y todos los demás seres que constituyen el universo pertenecen a la naturaleza, a aquello que se desarrolla por sí mismo. Si se concibe a Dios como Aquel que, cualitativa e infinitamente, trasciende todo lo creado, el término "naturaleza divina" sólo puede significar aquello que hace que Dios sea Dios, aquello en lo que hemos de pensar al pensar en Dios. En este sentido, la naturaleza es la esencia. Pero Dios no posee una esencia separada de la existencia, sino que está más allá de la esencia y de la existencia. Dios es aquello que es eternamente por sí mismo. Y a esto se le podría llamar asimismo la naturaleza esencial de Dios. Pero lo único que entonces se dice, en realidad, es que para Dios es esencial trascender toda esencia. Una expresión simbólica y más concreta de esta idea es la afirmación de que Dios es eternamente creador, que a través de sí mismo crea el mundo y a través del mundo se crea a sí mismo. Ninguna naturaleza divina puede abstraerse de su eterna creatividad.

Este análisis nos revela que el término "naturaleza divina" es cuestionable y no puede aplicarse al Cristo de ningún modo plenamente significativo, puesto que el Cristo (que es Jesús de Nazaret) no se halla más allá de la esencia y la existencia. Si así fuera, no podría ser una vida personal que vivió durante un período limitado de tiempo, que nació y murió, fue un ser finito, sufrió tentaciones y se vio trágicamente inmerso en la existencia. La aserción de que Jesús como el Cristo es la unidad personal de una naturaleza divina y una naturaleza humana, tenemos que sustituirla por la aserción de que en Jesús como el Cristo la unidad eterna de Dios y el hombre se hizo realidad histórica. En su ser, el Nuevo Ser es real, y el Nuevo Ser es la unidad restablecida entre Dios y el hombre. Nosotros sustituimos el concepto inadecuado de "naturaleza divina" por los conceptos de "eterna unidad de Dios y el hombre" o "eterno Dios-Humanidad". Tales conceptos sustituyen una esencia estática por una relación dinámica. La unicidad de esta relación no queda disminuida en modo alguno por su carácter dinámico; pero, al eliminar el concepto de las "dos naturalezas" —naturalezas que, como piedras sillares, yacen una junto a la otra y cuya unidad es de imposible comprensión—, nos abrimos a los conceptos relacionales que hacen comprensible la imagen dinámica de Jesús como el Cristo.

En nuestros dos términos añadimos la palabra "eterno" a

la descripción relacional. El vocablo "eterno" indica la presuposición general del acontecimiento único de Jesús como el
Cristo. Este acontecimiento no se habría podido dar sin una
unidad eterna de Dios y el hombre en el seno de la vida divina.
Y esta unidad, en un estado de pura esencialidad o potencialidad, puede actualizarse a través de la libertad finita y, en el
acontecimiento único de Jesús como el Cristo, se actualizó frente a la ruptura existencial. El carácter de esta unidad ha sido
descrito en los términos concretos de los relatos evangélicos.
Las definiciones abstractas de la naturaleza de esta unidad son
tan imposibles como las investigaciones psicológicas acerca de
su carácter. Sólo se puede decir que es una comunidad entre
Dios y el centro de una vida personal, comunidad que determina todas las vicisitudes de esta vida y que, en el seno de la
alienación existencial, repele todos los intentos de quebrantarla.

Surge ahora el problema de esclarecer si esta sustitución
de la teoría de las dos naturalezas por los conceptos dinámico-
relacionales descarta la importante idea de "encarnación". ¿No
significará el concepto relacional el retorno desde una cristología de encarnación a una cristología de adopción? Cabe responder, ante todo, que tanto la cristología encarnacional como
la cristología adopcionista poseen raíces bíblicas y que, por ésta
y otras razones, ambas gozan de un auténtico prestigio en el
pensamiento cristiano. Pero hay que decir además que ninguna
de las dos deja de implicar la otra. El adopcionismo, es decir,
la idea de que Dios, por medio de su Espíritu, adoptó al hombre Jesús como su Mesías, suscita la pregunta: ¿Por qué precisamente Jesús? Y esta pregunta nos retrotrae a la polaridad
de libertad y destino que creó la ininterrumpida unidad entre
Jesús y Dios. El relato del nacimiento virginal nos descubre el
verdadero inicio de esta unidad y la hace retroceder incluso
hasta los antepasados de Jesús. El símbolo de su preexistencia
nos da su dimensión eterna, y la doctrina del Logos, que se
hizo realidad histórica (carne), apunta a lo que luego se ha
llamado "encarnación". La cristología encarnacional era necesaria para el ulterior desarrollo de la cristología adopcionista.
Ésta fue la necesaria consecuencia de aquella. Pero la cristología encarnacional tiene idéntica necesidad de la cristología
adopcionista para alcanzar su plenitud —aunque no siempre se
ha visto así. En sí mismo, el término "encarnación" (como el

término "naturaleza divina") resulta adecuado en el paganismo. Como que los dioses pertenecen al universo, con suma facilidad pueden insertarse en todas sus formas y así son posibles un sin fin de metamórfosis. Pero cuando el cristianismo utiliza el término "encarnación", trata de expresar la paradoja de que Aquel que trasciende el universo aparece en el universo y en él está sujeto a sus condiciones. En este sentido, toda cristología es una cristología encarnacional. Pero las connotaciones de este término sugieren unas concepciones que difícilmente podemos distinguir de los mitos paganos de transmutación. Si se acentúa desmesuradamente el *egeneto* de la fórmula joanea, *Logos sarx egeneto*, "la Palabra se hizo carne", incidimos de pleno en una mitología de metamórfosis. Y entonces es natural que surja la pregunta de cómo una cosa que *se hace* otra cosa distinta puede seguir siendo todavía lo que era. ¿O, por el contrario, desapareció tal vez el Logos al nacer Jesús de Nazaret? Así, lo absurdo sustituiría a la lógica y se pediría a la fe que aceptase puros absurdos. Pero la encarnación del Logos no es una metamórfosis sino su plena manifestación en una vida personal. Y la manifestación del Logos en una vida personal es un proceso dinámico que implica tensiones, riesgos, peligros y el hecho de hallarse determinado tanto por la libertad como por el destino. Todo esto constituye el aspecto de adopción; sin él, la encarnación sola haría irreal la imagen viva del Cristo. Éste quedaría despojado de su libertad finita, ya que un ser divino transmutado no tiene la libertad de ser algo que no sea divino. Y carecería asimismo de verdaderas tentaciones. El protestantismo favorece la solución que hemos apuntado. No niega la idea de encarnación, pero abandona sus connotaciones paganas y rechaza su interpretación supranaturalista. Del mismo modo que afirma la justificación del pecador, exige una cristología de la participación de Cristo en la existencia pecadora, que implica, al mismo tiempo, su victoria sobre ella. La paradoja cristológica y la paradoja de la justificación del pecador son una y la misma paradoja —la paradoja del Dios que acepta un mundo que lo rechaza.

Algunos rasgos de nuestra concepción cristológica son similares a la cristología de Schleiermacher, tal como la desarrolló en su *Glaubenslehre*. Schleiermacher sustituye la doctrina de las dos naturalezas por la doctrina de una relación divino-humana. Habla de una conciencia de Dios en Jesús, cuya fuerza sobrepasa la conciencia que de Dios tienen todos los demás hombres. Describe a Jesús como el *Urbild* ("la imagen original") de lo que el hombre es esencialmente antes de la caída. Ambos lenguajes son obviamente similares, pero no idénticos. El concepto de "Dios-Humanidad esencial" apunta a ambos lados de la relación y lo hace en términos de eternidad. Es una estructura objetiva y no un estado del hombre. La frase "unidad esencial entre Dios y hombre" es de índole ontológica, mientras que la "conciencia de Dios" de Schleiermacher es de índole antropológica. El término *Urbild*, aplicado a Jesús como el Cristo, carece de la implicación decisiva que entraña el término "Nuevo Ser". *Urbild* expresa claramente la trascendencia idealista de la verdadera humanidad con respecto a la existencia humana, mientras que en el "Nuevo Ser" es decisiva la participación de Aquel que es *también* el *Urbild* ("hombre esencial"). El Nuevo Ser no sólo es nuevo con respecto a la existencia sino también con respecto a la esencia, en cuanto ésta es mera potencialidad. El *Urbild* permanece inmutable más allá de la existencia; el Nuevo Ser, en cambio, participa en la existencia y la vence. De nuevo aquí, la diferencia radica en el elemento ontológico. Pero estas diferencias, que expresan distintas presuposiciones y consecuencias, no deberían velar el hecho de que los problemas y las soluciones son similares cuando la teología protestante toma el sendero que discurre entre la cristología clásica y la cristología liberal. Y ésta es la situación en que ahora nos hallamos. Tenemos que buscar, pues, la solución de los problemas que surgen de esta posición.

D. LA SIGNIFICACIÓN UNIVERSAL DEL ACONTECIMIENTO JESÚS EL CRISTO

1. La unicidad y la universalidad del acontecimiento

La cristología es una función de la soteriología. La problemática soteriológica crea la cuestión cristológica y determina la dirección a la que apunta la respuesta cristológica, ya que el Cristo es el que aporta el Nuevo Ser, el que salva a los hombres del antiguo ser, es decir, de la alienación existencial y de sus consecuencias autodestructoras. En todas nuestras afirmaciones cristológicas nos hemos atenido a este criterio, pero ahora hemos de considerarlo explícitamente. Ahora hemos de preguntarnos en qué sentido y de qué manera Jesús como el Cristo es el salvador o, con mayor precisión, de qué modo el acontecimiento único de Jesús como el Cristo posee una significación universal para todo ser humano e, indirectamente, para el universo.

La descripción bíblica de Jesús es la descripción de un acontecimiento único. En ella, Jesús aparece como un hombre entre los demás hombres, pero un hombre único por su destino, por los rasgos singulares de su carácter y por su incidencia histórica. Fue precisamente lo concreto de esta imagen "real" y su incomparable unicidad lo que confirió al cristianismo su superioridad sobre los cultos mistéricos y las visiones gnósticas. Una vida real, individual fulgura a través de todas las palabras y acciones de Jesús. Comparadas con esa vida, las figuras divinas de los cultos mistéricos son meras abstracciones, sin los frescos colores de una vida realmente vivida y sin el destino histórico y las tensiones de la libertad finita. La imagen de Jesús como el Cristo venció a esas figuras divinas gracias al poder que entraña una realidad concreta.

Sin embargo, el Nuevo Testamento no está interesado en transmitirnos el relato de un hombre interesante y único, sino que trata de ofrecernos la imagen de alguien que era el Cristo y que, por esta razón, posee una significación universal. Al mismo tiempo, el Nuevo Testamento no borra los rasgos individuales de la imagen de Cristo, sino que más bien los relaciona con su carácter de "Cristo". En los textos neotestamentarios, cada rasgo de Cristo transparenta el Nuevo Ser, que es su ser, y en todas las expresiones de su individualidad aparece su significación universal.

Antes hemos establecido una distinción entre el elemento histórico, el elemento legendario y el elemento mítico de los textos bíblicos. Para mostrar ahora la universalidad de Jesús como el Cristo en su concreta individualidad, esta distinción nos ofrece tres maneras distintas de servirse de los materiales bíblicos. Una de ellas consiste en considerarlos como documentos históricos que fueron seleccionados porque respondían adecuadamente a las cuestiones que suscita la existencia humana en general y las que se formulaban las primeras comunidades cristianas en particular. Esto es lo que les confiere el llamado carácter "anecdótico" de los relatos evangélicos. La segunda manera subraya la calidad universal que revisten los relatos particulares gracias a su forma más o menos legendaria. La tercera expresa el sentido universal del entero acontecimiento Jesús de Nazaret mediante símbolos y mitos. A menudo se superponen estos tres puntos de vista, pero el tercero resulta decisivo para el pensamiento cristológico, porque tiene el carácter de una confesión directa y así proporciona los materiales para las expresiones dogmáticas de la fe cristiana. Pero para describir la significación universal de Jesús como el Cristo sobre la base de la literatura bíblica, hemos de aferrarnos a los símbolos y utilizar tan sólo los relatos históricos y legendarios en un sentido corroborativo.

Pero con los símbolos y los mitos surge un problema, cuya importancia se ha acentuado considerablemente a raíz de la discusión acerca de la "desmitologización" del Nuevo Testamento. Aunque algunos de sus aspectos han quedado ya "anticuados", esta discusión sigue siendo significativa para el conjunto de la historia cristiana y para la historia de la religión en general. Cuando más arriba hablamos de la naturaleza tanto de la investigación histórica como de la recepción del Cristo por parte de los hombres, lo fundamental de nuestra posición era la afirmación de que los símbolos cristológicos constituyen el medio a través del cual el hecho histórico llamado Jesús de Nazaret ha sido recibido por aquellos que lo consideran el Cristo. Estos símbolos hemos de entenderlos como símbolos, y pierden toda su significación si los interpretamos en su sentido literal. Cuando se trata de los símbolos cristológicos, el problema, pues, no estriba en su "desmitologización", sino en su "desliteralización". Por esto hemos procurado afirmarlos y aprehenderlos como símbolos. La "desmitologización" puede significar dos cosas, y la ausencia de una clara distinción entre ambas ha dado origen a la confusión que caracteriza la discusión de esta problemática. Por una parte, puede significar la lucha contra la distorsión literalista de los símbolos y los mitos, y ésta es una labor necesaria que la teología cristiana siempre debe acometer, porque impide que el cristianismo caiga en un mar de "objetivaciones" supersticiosas de lo sagrado. Pero la desmitologización puede significar asimismo la eliminación del mito como vehículo de expresión religiosa y su sustitución por la ciencia y la moral. En este sentido, hemos de rechazar con toda energía la desmitologización, porque despojaría a la religión de su lenguaje propio y así se silenciaría toda experiencia de lo sagrado. No podemos criticar los símbolos y los mitos simplemente porque son símbolos o mitos. Sólo hemos de criticarlos en función de su capacidad de expresar lo que tienen que expresar, es decir, en este caso, el Nuevo Ser en Jesús como el Cristo.

Tal es la actitud con que hemos de examinar los símbolos y mitos en los que se expresa el significado universal de Jesús como el Cristo. Todos estos símbolos nos muestran a Jesús como el portador del Nuevo Ser en una relación especial con la existencia. Por razones sistemáticas, corroboradas anticipadamente por el Nuevo Testamento, podemos destacar dos símbolos centrales, que corresponden a dos relaciones fundamentales de Cristo con la alienación existencial y que han determinado el desarrollo del dogma cristológico y los conflictos suscitados por el mismo. De estas relaciones de Cristo con la existencia, la primera es su sujeción a la existencia, y la segunda, su triunfo sobre ella. Todas las demás relaciones dependen directa o indirectamente de estas dos, cada una de las cuales se expresa en un símbolo central. La sujeción a la existencia se expresa en el símbolo de la "cruz de Cristo"; el triunfo sobre la existencia se expresa en el símbolo de la "resurrección de Cristo".

2. LOS SÍMBOLOS CENTRALES DE LA SIGNIFICACIÓN UNIVERSAL DE JESÚS COMO EL CRISTO Y LA RELACIÓN QUE MEDIA ENTRE ELLOS

La "cruz de Cristo" y la "resurrección de Cristo" son símbolos interdependientes; no podemos separarlos el uno del otro sin que se disipe el significado de ambos. La cruz de Cristo es la cruz de Aquel que venció a la muerte de la alienación existencial. De lo contrario, sólo sería un acontecimiento trágico más (aunque, esto, *también* lo es) en la larga historia de la tragedia humana. Y la resurrección de Cristo es la resurrección de Aquel que, como Cristo, se sometió a la muerte de la alienación existencial. De lo contrario, sólo sería otro relato milagroso más o menos discutible (aunque, esto, *también* lo es en los textos bíblicos).

Si la cruz y la resurrección son interdependientes, los dos tienen que ser a la vez realidad y símbolo. En ambos casos, algo acaeció en el seno de la existencia. De lo contrario, el Cristo no habría penetrado en la existencia y no habría podido vencerla. Pero, entre la cruz y la resurrección existe una diferencia cualitativa. Mientras los relatos de la cruz se refieren probablemente a un acontecimiento que tuvo lugar a plena luz y fue susceptible de una observación histórica, los relatos de la resurrección tienden sobre ella un velo de profundo misterio. La cruz es un hecho altamente probable; la resurrección, una experiencia misteriosa de unos pocos. Cabe, pues, la pregunta de si esta diferencia cualitativa no hace imposible toda interdependencia real entre ambos acontecimientos. ¿No sería quizá más juicioso seguir el parecer de aquellos investigadores que conciben la resurrección como una interpretación simbólica de la cruz y, por ende, desprovista de toda realidad objetiva?

El Nuevo Testamento confiere una tremenda significación al aspecto objetivo de la resurrección; al mismo tiempo, eleva a una significación simbólica universal el acontecimiento objetivo al que se refieren los relatos de la crucifixión. Podría, pues, decirse que, para los discípulos y los autores del Nuevo Testamento, la cruz es tanto un acontecimiento como un símbolo y la resurrección tanto un símbolo como un acontecimiento. Cierto es que ven la cruz de Jesús como un acontecimiento que tuvo lugar en el tiempo y el espacio. Pero, como cruz del Jesús que es el Cristo, constituye un símbolo y forma parte de un mito: el mito del portador del nuevo eón, que sufre la muerte de un reo y esclavo bajo los poderes del antiguo eón que Él debe vencer. La cruz, independientemente de las que pudieron ser sus circunstancias históricas, es un símbolo basado en un hecho.

Pero eso mismo es igualmente cierto de la resurrección de Cristo. La resurrección de dioses y semidioses es un conocido símbolo mitológico. Juega un papel preponderante en algunos cultos místéricos, en los que la participación mística de los iniciados en la muerte y resurrección del dios constituye su centro ritual. Y en el judaísmo tardío se desarrolló la creencia en la resurrección futura de los mártires. Pero, desde el momento en que Jesús fue llamado el Cristo y se afirmó —tanto en forma de expectación como de reflexión retrospectiva— el maridaje de su dignidad mesiánica con una muerte ignominiosa, se hizo prácticamente inevitable la aplicación al Cristo de la idea de resurrección. La aserción de los discípulos de que el símbolo se había convertido en un acontecimiento, estaba determinada, en parte, por su creencia en Jesús que, como Cristo, se convirtió en el Mesías. Pero esto lo afirmaban de tal forma que trascendía el simbolismo mitológico de los cultos mistéricos, del mismo modo que la imagen concreta de Jesús como el Cristo trascendía las imágenes míticas de los dioses mistéricos. La índole peculiar de este acontecimiento sigue siendo oscura, incluso en la racionalización poética del relato pascual. Pero una cosa es obvia: la Iglesia nació en los días en que el reducido grupo, disperso y desesperado, de los seguidores de Jesús tuvo la certeza de su resurrección, y puesto que Cristo no es Cristo sin la Iglesia, desde aquel momento Jesús pasó a ser el Cristo. La certeza de que el portador del nuevo eón no podía haber sucumbido finalmente ante los poderes del antiguo eón, convirtió la experiencia de la resurrección en la prueba decisiva del carácter crístico de Jesús de Nazaret. Gracias a una experiencia real, los discípulos pudieron aplicar a Jesús el conocido símbolo de la resurrección, reconociéndolo así definitivamente como el Cristo. A este acontecimiento vivido por ellos, lo llamaron la "resurrección de Cristo", y de ahí que ésta tenga tanto de acontecimiento como de símbolo.

Se ha intentado describir ambos acontecimientos, la cruz y la resurrección, como acontecimientos fácticos desprovistos de su sentido simbólico. Esto queda justificado por cuanto la significación de ambos símbolos descansa en su doble condición de símbolo y de hecho real. Sin el elemento fáctico, Cristo no habría participado en la existencia y, en consecuencia, no habría sido el Cristo. Pero el deseo de aislar el elemento fáctico del elemento simbólico no es, como antes dijimos, el interés primordial de la fe. Los resultados logrados por la investigación del elemento puramente fáctico nunca pueden constituir el fundamento de la fe o de la teología.

Teniendo esto presente, podemos decir que el acontecimiento histórico subyacente al relato de la crucifixión resplandece con relativa claridad a través de las distintas y a menudo contradictorias narraciones legendarias. Quienes consideran el relato de la pasión como una leyenda cultual narrada de distintas maneras, coinciden simplemente con la tesis que acabamos de exponer acerca del carácter simbólico de la cruz del Jesús que es el Cristo. El único elemento fáctico que aquí cuenta con la certeza inmediata de la fe es la entrega de aquel que fue llamado el Cristo a la consecuencia última de la existencia, es decir, a la muerte bajo las condiciones de alienación. Todo lo demás es una cuestión de probabilidad histórica, que se ha ido elaborando a partir de una interpretación legendaria.

De un modo análogo debemos abordar el acontecimiento subyacente al símbolo de la resurrección. El elemento fáctico es aquí una implicación necesaria de este símbolo (como lo es del símbolo de la cruz). Es normal que la investigación histórica trate de elaborar este elemento fáctico a partir del material legendario y mitológico que lo recubre. Pero la investigación histórica nunca puede darnos otra cosa que una respuesta probable. La fe en la resurrección de Cristo no depende, ni positiva ni negativamente, de tal respuesta. La fe sólo puede conferir certeza a la victoria lograda por el Cristo sobre la consecuencia última de la alienación existencial a la que Él mismo se sometió. Y la fe puede conferir esta certeza porque constituye su propio fundamento. La fe se basa en la experiencia de sentirse embargado por el poder del Nuevo Ser gracias al cual son vencidas las consecuencias destructoras de la alienación.

La certeza de la propia victoria sobre la muerte que acarrea la alienación existencial es la que da origen a la certeza de la resurrección de Cristo como acontecimiento y como símbolo; pero no es una convicción histórica ni la aceptación de la autoridad bíblica las que crean esta certeza. Más allá de este punto, no existe certeza alguna sino tan sólo una cierta probabilidad, a menudo muy pequeña, a veces algo mayor.

Tres teorías tratan de hacer probable el acontecimiento de la resurrección. La más primitiva y, al mismo tiempo, la más bellamente expresada, es la teoría física. Esta teoría nos cuenta cómo las mujeres, en la mañana de Pascua, encontraron la tumba vacía. Las fuentes de este relato son más bien tardías y discutibles, y no se encuentra ningún indicio del mismo en la tradición más primitiva acerca del acontecimiento de la resurrección, es decir, en el capítulo quince de la epístola a los corintios. Teológicamente hablando, este relato constituye una racionalización del acontecimiento al que interpreta con arreglo a las categorías físicas que identifican la resurrección con la presencia o la ausencia de un cuerpo físico. Entonces surge la absurda pregunta de qué se hizo de las moléculas que formaban el cadáver de Jesús de Nazaret. Y así se pasa de lo absurdo a lo blasfemo.

El segundo intento de esclarecer el aspecto fáctico de lo que aconteció en la resurrección es el intento espiritista. Esta teoría se apoya, sobre todo, en las apariciones del Resucitado tal como las relata Pablo, y luego las explica como manifestaciones del alma del hombre Jesús a sus seguidores, análogas a las automanifestaciones de las almas de los muertos en las experiencias espiritistas. Obviamente, esto no es la resurrección de Cristo, sino un intento de demostrar la inmortalidad general del alma y la pretensión de que ésta, después de la muerte, es capaz de manifestarse a los vivos. Las experiencias espiritistas quizás sean válidas o quizás no lo sean. Pero, incluso en el caso de ser válidas, no pueden explicar el aspecto fáctico de la resurrección de Cristo simbolizada como la reaparición de su personalidad total, y ésta implica entre otras cosas la expresión corporal de su ser. Hasta tal punto es esto lo que ocurre en la resurrección de Cristo, que los discípulos pueden reconocerlo bajo una pariencia que es algo más que la manifestación de un "espíritu" incorpóreo.

El tercer intento de explicar el aspecto fáctico de la resurrección es el intento psicológico. Constituye el medio más fácil y más generalmente aceptado de describir este elemento fáctico. La resurrección es un acontecimiento interior que tiene lugar en la mente de los seguidores de Jesús. La descripción paulina de las experiencias de la resurrección (incluso la propia experiencia de Pablo) se presta a una interpretación psicológica. Y, si excluimos la interpretación física, tanto las palabras de Pablo como el relato de su conversión apuntan a algo que acaeció en la mente de los que vivieron tales experiencias. Esto no implica que el acontecimiento mismo fuese "meramente" psicológico, es decir, totalmente determinado por los factores psicológicos que actuaban en la mente de aquellos que

Pablo enumera (por ejemplo, una intensificación del recuerdo de Jesús). Pero la teoría psicológica no presta atención a la realidad del acontecimiento que se presupone en el símbolo —el acontecimiento de la resurrección de Cristo.

De nuevo hemos de preguntarnos, pues, en qué consiste esta realidad. Para describirla, tenemos que fijarnos en la negatividad de la que se triunfa en la resurrección. Y esta negatividad no es, ciertamente, la muerte de un individuo humano, por muy importante que ésta pueda ser. Por consiguiente, el hecho de que reviva un individuo humano o de que reaparezca como espíritu no puede constituir el acontecimiento de la resurrección. La negatividad de la que se triunfa en la resurrección es la negatividad que supondría la desaparición de aquel cuyo ser era el Nuevo Ser. La resurrección es el triunfo logrado sobre esta desaparición de Cristo de la experiencia actual y su consiguiente transición al pasado, excepto dentro de los angostos límites del recuerdo humano. Y, como que la victoria sobre esta transitoriedad es esencial al Nuevo Ser, pareció entonces que Jesús quizás no había sido el portador del Nuevo Ser. Al mismo tiempo, el poder de su ser había impreso una huella indeleble en los discípulos como poder del Nuevo Ser. En esta tensión, sucedió algo único. En una experiencia extática, la imagen concreta de Jesús de Nazaret, quedó indisolublemente unida a la realidad del Nuevo Ser. Jesús está presente dondequiera que esté presente el Nuevo Ser. La muerte no es capaz de relegarlo al pasado. Pero su presencia no es como la presencia de un cuerpo reavivado (y transmutado) ni como la reaparición de un alma individual, sino que es una presencia espiritual. Jesús "es el Espíritu" y sólo porque es el Espíritu "lo conocemos ahora". De este modo, la vida individual y concreta del hombre Jesús de Nazaret se eleva por encima de la transitoriedad hasta alcanzar la presencia eterna de Dios como Espíritu. Este acontecimiento se dio primero en algunos de sus seguidores que habían huido a Galilea a raíz de su ejecución; luego, en muchos otros; más tarde, en Pablo; y, finalmente, en todos aquellos que, en cualquier época, experimentan su presencia viva aquí y ahora. Éste es el acontecimiento. Y este acontecimiento se interpretó con el símbolo de la "resurrección", símbolo que era realmente válido para el pensamiento de aquel entonces. De este modo, el maridaje de símbolo y acontecimiento es lo que constituye el símbolo cristiano central, la resurrección de Cristo.

Esta teoría acerca del acontecimiento subyacente al símbolo de la resurrección desecha tanto el literalismo físico como el literalismo espiritista y los sustituye por una descripción que se aproxima más a lo que nos dice la fuente más antigua (1 Cor 15) y que sitúa en el centro de su análisis el sentido religioso que entrañó la resurrección para los discípulos (y para todos los seguidores de Jesús) a diferencia de su anterior estado de negatividad y desespero. Tal visión constituye la confirmación extática de la unidad indestructible que se da entre el Nuevo Ser y su portador, Jesús de Nazaret: ambos están unidos en lo eterno. Contrariamente a las teorías física, espiritista y psicológica, a esta teoría acerca del acontecimiento subyacente a la resurrección de Cristo podríamos llamarla "teoría de la restitución". Según ella, la resurrección es la restitución de Jesús como el Cristo, restitución que se enraíza en la unidad personal existente entre Jesús y Dios y en la impresión que causó esta unidad en la mente de los apóstoles. Históricamente, es muy posible que la restitución de Jesús a la dignidad de Cristo en la mente de sus discípulos, fuese anterior al relato de la aceptación de Jesús como el Cristo por parte de Pedro. Esta última podría no ser sino un reflejo de la primera; pero, incluso en este caso, la experiencia del Nuevo Ser en Jesús debe preceder a la experiencia del Resucitado.

Aunque por mi parte estoy convencido de que la teoría de la restitución es la que mejor se ajusta a los hechos, hemos de considerarla asimismo como una teoría. Pertenece al reino de lo probable y no cuenta con la certeza de la fe. La fe sólo nos confiere la certeza de que la imagen evangélica del Cristo es una vida personal en la que se hizo presente el Nuevo Ser en su plenitud, y de que la muerte de Jesús de Nazaret no fue capaz de separar el Nuevo Ser de la imagen de su portador. Si esta solución no satisface a los literalistas físicos o espiritistas, en nombre de la fe no podemos obligarlos a que la acepten. Pero quizás pueden convenir en que la actitud del Nuevo Testamento y, sobre todo, la interpretación no literalista del apóstol Pablo justifican la teoría de la restitución.

3. Símbolos que corroboran el símbolo de la "cruz de Cristo"

El relato de la cruz de Jesús como el Cristo no nos refiere un acontecimiento aislado de su vida, sino aquel acontecimiento al que se endereza el relato de su vida y que da sentido a sus otros acontecimientos. Tal sentido se expresa diciendo que aquel que es el Cristo se somete a las negatividades últimas de la existencia y éstas no son capaces de separarlo de su unidad con Dios. De ahí que en el Nuevo Testamento encontremos otros símbolos que apuntan al símbolo más central de la cruz de Jesús como el Cristo y lo corroboran.

La idea de la propia sujeción de Cristo la expresa Pablo en términos míticos en el segundo capítulo de su epístola a los filipenses. El Cristo preexistente renunció a su forma divina, se hizo siervo y sufrió la muerte de un esclavo. La preexistencia y el anonadamiento de Cristo se combinan, pues, en este símbolo, que así corrobora el símbolo central de la cruz, aunque no podemos entenderlo literalmente como algo que acaeció en cierta ocasión en algún lugar celeste. Expresan esta misma idea, aunque en términos legendarios, los relatos del nacimiento de Cristo en Belén, el pesebre convertido en su cuna, su huida a Egipto y la primera amenaza contra su vida por parte de los poderes políticos.

También preparan y corroboran el sentido simbólico de la cruz las descripciones de la sujeción de Jesús a la finitud y sus categorías. En gran número de tales descripciones, que asimismo reflejan la tensión existente entre la dignidad mesiánica de Jesús y las pobres condiciones de su existencia, queda claramente indicado el carácter de "sujeción" a la existencia. En las escenas de Getsemaní, de su muerte y sepultura, todo esto alcanza su punto culminante. Todos estos rasgos, que fácilmente podríamos multiplicar y elaborar, se resumen en el símbolo de la cruz. No debería concebirse la cruz sin relacionarla con estos rasgos y, a su vez, deberían interpretarse estos rasgos en su totalidad como expresiones de la sujeción de aquel en quien el Nuevo Ser estuvo presente en las condiciones de la alienación existencial. En el contexto de la descripción bíblica, estas expresiones, ya sean míticas, legendarias, históricas o una mezcla de todo ello, como ocurre en el símbolo de la cruz al que sirven de soporte, carecen de importancia en sí mismas. Su importancia estriba en su poder de mostrar la sujeción de aquel que es el portador del Nuevo Ser a las estructuras destructoras del antiguo ser. Son símbolos de la paradoja divina —la paradoja de la aparición de la eterna unidad Dios-hombre en el seno de la alienación existencial. Una de las grandes características del credo de los apóstoles estriba en el hecho de enumerar, en su segundo artículo, los símbolos de sujeción junto con los símbolos de victoria. De este modo, anticipó la estructura básica con arreglo a la cual hemos de concebir la significación universal de Jesús el Cristo como portador del Nuevo Ser.

4. SÍMBOLOS QUE CORROBORAN EL SÍMBOLO DE LA "RESURRECCIÓN DE CRISTO"

Como ocurre en el relato de la cruz, tampoco el relato de la resurrección de Cristo se limita a referirnos un acontecimiento aislado ocurrido después de su muerte, sino que nos cuenta el acontecimiento que ya habían anticipado un gran número de otros acontecimientos y que, al mismo tiempo, constituye su confirmación. La resurrección, lo mismo que los símbolos históricos, legendarios y mitológicos que la corroboran, nos muestra el Nuevo Ser en Jesús el Cristo surgiendo victorioso de la alienación existencial a la que se ha sometido. Tal es su significación universal.

Como hemos hecho al examinar los símbolos de sujeción, hemos de empezar ahora con el símbolo mítico de la preexistencia y añadirle luego el de la postexistencia. Mientras la preexistencia en conexión con los símbolos de sujeción era la condición previa de la autohumillación trascendente del Cristo, en el presente contexto hemos de considerar su significación propia y la significación que entraña como símbolo que corrobora la resurrección. La preexistencia expresa la raíz eterna del Nuevo Ser tal como se halla históricamente presente en el acontecimiento de Jesús el Cristo. Cuando, según el cuarto evangelio, Jesús dice que es anterior a Abraham, se refiere a una anterioridad que no hemos de entender en sentido horizontal (como no pudieron dejar de hacerlo los judíos que le escuchaban) sino en sentido vertical. Pero esto constituye asimismo una implicación de la doctrina del Logos del cuarto evangelio e indica la presencia del principio eterno de la automanifestación divina en Jesús de Nazaret.

El símbolo de la postexistencia corresponde al símbolo de la preexistencia. También se sitúa en la dimensión vertical, no como una presuposición eterna de la aparición histórica del Nuevo Ser en Jesús como el Cristo, sino como su eterna confirmación. Vamos a examinar ahora los símbolos concretos vinculados a la postexistencia. Pero, antes, quizás sea necesario prevenirnos contra un literalismo que considera la preexistencia y la postexistencia como las etapas de la historia trascendente de un ser divino que desciende de un lugar celeste y luego asciende de nuevo al mismo. Descender y ascender son metáforas espaciales que indican la dimensión eterna tanto de la sujeción del portador del Nuevo Ser a la existencia como de su victoria sobre la misma.

Mientras el nacimiento de Jesús en Belén pertenece a los símbolos que corroboran la cruz, el relato de su nacimiento virginal pertenece a los símbolos que corroboran la resurrección. Este relato expresa la convicción de que el Espíritu divino, que ha convertido al hombre Jesús de Nazaret en el Mesías, ya lo había creado como recipiente suyo, de modo que la aparición salvadora del Nuevo Ser es independiente de las contingencias históricas y sólo depende de Dios. Esta razón es la misma que indujo a la elaboración de una cristología del Logos, aunque tal cristología pertenece a otra línea de pensamiento. El elemento fáctico de este símbolo es el hecho de que el destino histórico determinó al portador del Nuevo Ser, incluso antes de su nacimiento. Pero el relato concreto que hallamos en el evangelio es un mito, cuyo valor simbólico hemos de poner muy seriamente en duda, puesto que se orienta en la dirección doceto-monofisita del pensamiento cristiano y constituye una de las más importantes referencias de esta dirección: al excluir la participación de un padre humano en la procreación del Mesías, despoja a éste de su plena participación en la condición humana.

El relato de la transfiguración de Jesús y su conversación con Moisés y Elías constituye una clara anticipación simbólica de la resurrección.

Los textos bíblicos están repletos de relatos milagrosos, y

algunos de ellos resultan significativos en cuanto apuntan a la aparición de un nuevo estado de cosas. Cuando los discípulos de Juan el Bautista interrogan a Jesús acerca de su carácter mesiánico, éste les sugiere que den testimonio de la venida del nuevo eón. En todos los milagros que Jesús lleva a cabo, algunos de los males que acarrea la autodestrucción existencial quedan vencidos, aunque no definitivamente, puesto que los hombres en quienes se cumplen tales milagros, se ven aquejados de nuevo por la enfermedad y la muerte y siguen sujetos a las vicisitudes de la naturaleza. Pero lo que en ellos se produjo fue una anticipación representativa de la victoria del Nuevo Ser sobre la autodestrucción existencial. Y esto era notorio, sobre todo, en las enfermedades mentales y corporales, en las catástrofes y la necesidad, en el desespero y la muerte absurda.

Los milagros de Jesús no habrían detentado esta función de haberlos realizado para poner de manifiesto su poder mesiánico. Tal interpretación la consideraba Jesús como una tentación demoníaca con que le hostigaban tanto sus enemigos como Satanás. Jesús lleva a cabo los milagros porque participa plenamente en el infortunio de la situación humana y trata de superarlo siempre que se le ofrece la ocasión de hacerlo. Los relatos de sus curaciones, en particular, manifiestan la superioridad del Nuevo Ser que lo habita frente a la posesión mental y sus consecuencias corporales. Jesús aparece como el vencedor de los demonios, de las estructuras supraindividuales de destrucción. Tanto Pablo como la primitiva Iglesia hicieron hincapié en este punto. El poder salvador del Nuevo Ser es, sobre todo, un poder ejercido sobre las estructuras esclavizadoras del mal. En épocas posteriores, la enseñanza y la predicación cristianas olvidaron a menudo este sentido fundamental de los relatos de milagros y subrayaron, en cambio, su carácter milagroso. Ésta es una de las desafortunadas consecuencias dimanadas del esquema supranaturalista de referencia con que la teología tradicional concibió la relación existente entre Dios y el mundo. La presencia y el poder de Dios no deberían buscarse en la interferencia supranatural divina sobre el curso ordinario de los acontecimientos, sino en el poder del Nuevo Ser que, en las estructuras creadas de la realidad y a través de ellas, vence las consecuencias autodestructoras de la alienación existencial. Así concebidos, los milagros de Jesús como el Cristo no son sino unos símbolos de su victoria y corroboran el símbolo central de la resurrección.

En la primera parte de esta obra, ya hablamos del concepto de milagro en general y no podemos repetir aquí lo que entonces dijimos. Nos basta recordar ahora que los milagros nos son descritos como una inteligencia, extáticamente recibida, de las constelaciones de factores que apuntan al Fondo divino del Ser. Formulamos esta definición sobre la base de los relatos neotestamentarios de milagros y el juicio que acerca de los mismos se emite en el mismo Nuevo Testamento. Es comprensible, sin embargo, que ciertos elementos míticos y legendarios se introdujesen fácilmente en los relatos que hablaban de auténticas experiencias milagrosas. Y es más comprensible todavía que, desde la misma época neotestamentaria, tuviese lugar una racionalización por la que se expresaba el deseo de subrayar el elemento antinatural de los relatos, en lugar de acentuar su capacidad para poner de manifiesto la presencia del poder divino que triunfa de la destrucción existencial.

Debemos considerar ahora un grupo coherente de símbolos, pertenecientes al fértil campo del simbolismo escatológico, que corroboran la resurrección desde el punto de vista de las consecuencias que entraña para el Cristo, su Iglesia y su mundo. El primero de ellos es el símbolo de la ascensión de Cristo. En cierto modo, este símbolo es una reiteración de la resurrección, pero se distingue de ella porque la finalidad que persigue ofrece un acusado contraste con las repetidas apariciones del Resucitado. Separar a Cristo de la existencia histórica, tal como indica el símbolo de la ascensión, equivale exactamente a afirmar su presencia espiritual como poder del Nuevo Ser, pero con los rasgos concretos de su semblante personal. Constituye, pues, una nueva expresión simbólica del mismo acontecimiento que expresa la resurrección. Pero si se le entiende literalmente, su simbolismo espacial resulta absurdo.

Lo mismo podemos decir del símbolo de Cristo "sentado a la diestra de Dios". Entendido en su sentido literal, es absurdo y ridículo, como ya observó Lutero al identificar la diestra de Dios con su omnipotencia, es decir, con su poder de hacerlo todo en todo. Este símbolo significa, pues, que la creatividad de Dios no está separada del Nuevo Ser en Cristo, sino que el designio final que persigue en sus tres formas (creatividad originadora, sustentadora y directora) es la actualización del Nuevo Ser tal como se manifiesta en el Cristo.

En inmediata conexión con la participación del Nuevo Ser en la creatividad divina, se halla el símbolo del gobierno de la Iglesia por parte de Cristo a través del Espíritu. En realidad, el criterio de que Cristo rige a la Iglesia, ésta lo ha adoptado partiendo de su misma concepción del Cristo, es decir, del ser de Jesús como el Cristo, ser que es el Nuevo Ser. Una expresión distinta, aunque íntimamente vinculada a la anterior, de la participación del Nuevo Ser en la creatividad divina es el símbolo del Cristo como el que rige a la historia. Aquel que es el Cristo y que nos ha aportado el nuevo eón, es el que rige al nuevo eón. La historia es la creación de lo nuevo en cada instante. Pero lo últimamente nuevo hacia el que la historia se encamina es el Nuevo Ser; y el Nuevo Ser es el fin de la historia, es decir, el fin del período preparatorio de la historia y de su meta. Si nos preguntamos cuál es el hecho que constituye el trasfondo del símbolo de Cristo como el Señor de la historia, la respuesta sólo puede ser que el Nuevo Ser, gracias a la providencia histórica, se actualiza en la historia y a través de ella (fragmentariamente y bajo las ambigüedades de la vida), aunque siempre con arreglo al criterio del ser de Jesús como el Cristo. El símbolo de Cristo como Señor de la historia no significa ni una interferencia externa por parte de un ser celeste, ni la plena realización del Nuevo Ser en la historia o la transformación de ésta en el reino de Dios; lo único que significa es la certeza de que nada puede acaecer en la historia que haga imposible la actuación del Nuevo Ser.

Tenemos que valorar asimismo los símbolos más directamente escatológicos. Uno de ellos, la expectación de un período futuro simbolizado como un período de mil años, ha sido muy olvidado en la teología tradicional. Esto se debe, en parte, a que no ocupa un lugar destacado en la literatura bíblica y, en parte, a que dio origen a una aguda controversia desde que se produjo la rebelión montanista contra el conservadurismo eclesiástico —y aún seguía siendo un problema ásperamente debatido cuando la revuelta de los franciscanos radicales. Pero la teología debe considerarlo con absoluta seriedad, porque es decisivo para la interpretación cristiana de la historia. En contraste con una catástrofe final en el sentido de las visiones apocalípticas, el símbolo de los mil años del reino de Cristo continúa la tradición profética que columbra en lontananza una plenitud intrahistórica de la historia. Desde luego, este símbolo no preconiza una plenitud histórica total. El poder demoníaco queda proscrito, pero no erradicado y, por consiguiente, reaparecerá más tarde. En un lenguaje menos mitológico, podríamos decir que lo demoníaco puede ser positivamente vencido en un momento y en un lugar determinados, pero no de un modo total y universal. La expectación del reino de los mil años dio origen a numerosos movimientos utópicos, pero en realidad constituye una auténtica admonición contra toda utopía: ¡lo demoníaco queda domeñado por algún tiempo, pero no aniquilado!

El símbolo de la "segunda venida" o *parousia* del Cristo desempeña dos funciones distintas. En primer lugar, constituye una expresión especial de que Jesús es el Cristo, es decir, de que no puede ser trascendido por nadie que aparezca en el curso de la historia humana. Aunque esto se halla claramente implícito en la aserción cristológica, es preciso subrayarlo con especial énfasis frente a los que hablan de la posibilidad de que se den nuevas y superiores experiencias religiosas y, por ello, piensan que debe mantenerse abierto el futuro, incluso con respecto a Jesús como el Cristo. El autor del cuarto evangelio conocía a fondo este problema. Por su parte, no niega la continuación de la experiencia religiosa tras la resurrección de Cristo, y es él quien pone en labios de Cristo aquellas palabras según las cuales "el Espíritu os guiará hasta la verdad completa". Pero Jesús advierte inmediatamente a sus discípulos que lo que les muestre el Espíritu no procede del Espíritu sino del Cristo, quien a su vez no tiene nada por sí mismo, sino que todo lo recibe de su Padre. Una función, pues, del símbolo de la segunda venida de Cristo es eliminar toda expectación de una manifestación superior del Nuevo Ser.

Pero ésta es tan sólo una función del símbolo de la "segunda venida" de Cristo. La otra es dar una respuesta a la crítica judía de que Jesús no pudo ser el Mesías, porque el nuevo eón todavía no ha llegado y aún permanece inalterado el antiguo estado de cosas. De ahí que los judíos arguyan que debemos aguardar todavía la venida del Mesías. El cristianismo admite que nos hallamos en un período de espera y demuestra

que, al acrecentarse el poder del reino de Dios, el reino demoníaco cobra asimismo mayor fuerza y se hace mayormente destructivo. Pero, a diferencia del judaísmo, el cristianismo afirma
que el poderío de lo demoníaco está roto en principio (en poder y desde el inicio), porque el Cristo se hizo presente en
Jesús de Nazaret, el portador del Nuevo Ser. Su ser es el
Nuevo Ser. Y el Nuevo Ser, el triunfo sobre el antiguo eón,
está en quienes participan en Cristo y en la Iglesia, por cuanto
la Iglesia tiene a Cristo como su sólido fundamento. El símbolo de la segunda venida de Cristo corrobora la resurrección
al situar al cristiano en el período que media entre los *kairoi*,
los tiempos en que lo eterno irrumpe en lo temporal, entre el
"ya" y el "todavía no", y lo somete a las infinitas tensiones
que entraña esta situación tanto en su existencia personal como
en su existencia histórica.

El juicio último del mundo por Cristo es uno de los símbolos
más dramáticos. Ha inspirado a los artistas y poetas de todos
los tiempos y ha suscitado profundas y a menudo neuróticas
congojas entre los fieles más conscientes lo mismo que entre
los más simples. Este símbolo —como nos cuenta Lutero al
hablarnos de su propia y temprana experiencia— ha adulterado
la imagen del Cristo que cura y salva, convirtiéndola en la
imagen de un juez despiadado al que debemos evitar invocando
la protección de los santos, los psicoanalistas o los escépticos.
Es importante constatar que, en este caso, el mismo Nuevo
Testamento ha empezado a "desliteralizar" (tal como se debería decir, en lugar de "desmitologizar") este símbolo. El cuarto
evangelio no niega el símbolo mítico del juicio final; pero
describe su aspecto fáctico como la crisis que experimentan
quienes tropiezan con el Nuevo Ser y se ven en la precisión
de aceptarlo o repudiarlo. Se trata, pues, de un juicio inmanente
que siempre se está dando en la historia, incluso allí donde no
es conocido el nombre de Jesús, pero donde el poder del
Nuevo Ser, que es el ser de Jesús, está presente o ausente
(Mateo 25). Y como este juicio inmanente se da bajo las condiciones de la existencia, está sujeto a las ambigüedades de la
vida y por ello exige o bien el símbolo de una separación
última de los elementos ambiguos de la realidad o bien su
purificación y elevación a la unidad trascendente del reino
de Dios.

Esto completa nuestra revisión de los símbolos que corroboran el símbolo central de la resurrección de Cristo. Tales símbolos han sufrido una profunda distorsión y, en consecuencia, muchos los han rechazado debido a un literalismo que los hacía absurdos y no existenciales. Es preciso restablecer de nuevo su antigua fuerza por medio de una reinterpretación que aúne sus cualidades cósmicas y existenciales y haga evidente el hecho de que un símbolo no sólo se basa en cosas y acontecimientos, sino que asimismo participa en el poder de aquello que simboliza. Por eso no es posible sustituir los símbolos a voluntad; tienen que ser interpretados mientras sigan vivos. Pueden morir, y algunos de los símbolos que hemos interpretado en los anteriores capítulos tal vez estén ya muertos. Durante mucho tiempo, han estado sujetos a numerosos ataques —justificables unos e injustificables otros. No es el teólogo quien puede emitir un juicio acerca de la vida o la muerte de los símbolos que él interpreta. Este juicio se formula en la conciencia de la Iglesia viva y tiene profundas raíces en el inconsciente colectivo. Se manifiesta en el ámbito litúrgico, en la devoción personal, en la predicación y la enseñanza, en las actividades de la Iglesia que atañen al mundo y en la silenciosa meditación de sus miembros. Se manifiesta como destino histórico y, por ende, se manifiesta últimamente a través de la creatividad divina en cuanto ésta se halla unida al poder del Nuevo Ser en Cristo. El Nuevo Ser no depende de los símbolos especiales que lo expresan. El Nuevo Ser detenta el poder de ser libre con respecto a todas las formas bajo las cuales aparece.

E. EL NUEVO SER EN JESÚS EL CRISTO COMO PODER DE SALVACIÓN

1. EL SIGNIFICADO DE LA SALVACIÓN

La significación universal de Jesús como el Cristo, que se expresa por los símbolos de su sujeción a la existencia y de su victoria sobre la misma, puede expresarse asimismo por el término "salvación". Al mismo Jesús lo llamamos el Salvador, el

Mediador, el Redentor. Y cada uno de estos términos requiere una clarificación semántica y teológica.

El término "salvación" entraña tantas connotaciones como negatividades existen con necesidad de salvación. Pero podemos diferenciar la salvación de la negatividad última y de lo que conduce a la negatividad última. A esta negatividad última se le da el nombre de condenación o muerte eterna y es la pérdida del *telos* interior del propio ser, su exclusión de la unidad universal del reino de Dios y su exclusión de la vida eterna. En la inmensa mayoría de ocasiones en que se usa la palabra "salvación" o la expresión "estar salvado", se hace referencia a la salvación con respecto a esta negatividad última. La tremenda gravedad que reviste la cuestión de la salvación se halla vinculada a la comprensión de este término. De ahí que se conviertan en la cuestión del "ser o no ser".

La manera como podemos alcanzar o perder el fin último —la vida eterna— determina el significado más limitado de "salvación". Para la primitiva Iglesia griega, de lo que tenemos necesidad y deseo de salvarnos es de la muerte y el error. En la Iglesia católica romana, nos salvamos de la culpa y de sus consecuencias en ésta y en la otra vida (en el purgatorio y el infierno). En el protestantismo clásico, nos salvamos de la ley, de la congoja que en nosotros suscita y de su poder de condenación. En el pietismo y revivalismo, la salvación estriba en el triunfo logrado sobre el estado de impiedad gracias a la conversión y transformación de quienes se han convertido. En el protestantismo ascético y liberal, la salvación consiste en la victoria alcanzada sobre ciertos pecados especiales y en el progreso realizado hacia la perfección moral. La cuestión de vida o muerte en su sentido último no ha desaparecido en estos últimos grupos (excepto en algunas formas del llamado humanismo teológico), pero ha sido desplazado a segundo término.

Por lo que se refiere tanto al significado original de salvación (de *salvus*, "curado") como a nuestra actual situación, quizás lo más adecuado sea interpretar la salvación como "curación", puesto que este término guarda correspondencia con el estado de alienación como característica principal de la existencia. En este sentido, curar significa reunir lo que está alienado, dar un centro a lo que está disperso, colmar el abismo abierto entre Dios y el hombre, entre el hombre y su mundo, y en el mismo interior del hombre para consigo mismo. El concepto del Nuevo Ser se ha desarrollado a partir de esta interpretación de la salvación. Salvarse es salirse del antiguo ser y situarse en el Nuevo Ser. Esta comprensión engloba los elementos de la salvación que en otras épocas cobraron especial relieve y, sobre todo, la plenitud del sentido último de la propia existencia, aunque vista desde una perspectiva especial, la de hacer *salvus*, la de "curar".

Si bien el cristianismo deduce la salvación de la aparición de Jesús como el Cristo, no establece ninguna separación entre la salvación alcanzada por medio del Cristo y los procesos de salvación, es decir, de curación, que se dan a lo largo de toda la historia. El problema de la "curación", universalmente considerada, ya lo discutimos en la sección consagrada a la revelación (volumen I). Pero existe una historia de los acontecimientos reveladores concretos que se han dado en todas las épocas en las que el hombre ha existido como hombre. Sería erróneo decir que esta historia es la historia de la revelación (como hacen algunos humanismos teológicos). Pero sería igualmente erróneo negar que en todas partes se dan acontecimientos reveladores además de la aparición de Jesús como el Cristo. Existe una historia de la revelación, cuyo centro es el acontecimiento Jesús el Cristo; pero este centro no está desprovisto de una línea que conduce al mismo (revelación preparatoria) y de una línea que parte del mismo (revelación recibida). Más aún, hemos afirmado que allí donde está la revelación, allí está también la salvación. La revelación no es una información acerca de las cosas divinas; es la manifestación extática del Fondo del Ser en los acontecimientos, en las personas y en las cosas. Tales manifestaciones tienen el poder de conmocionar, transformar y curar. Son acontecimientos salvadores en los que está presente el poder del Nuevo Ser, aunque sólo lo está de un modo preparatorio y fragmentario, y siempre es susceptible de una distorsión demoníaca. Pero está presente y cura dondequiera que es seriamente aceptado. La vida del género humano depende siempre de estas fuerzas de curación, porque impiden que las estructuras autodestructoras de la existencia hundan a la humanidad en una total aniquilación. Esto es cierto tanto de los individuos como de los grupos humanos, y constituye la base para una evolución positiva de las religiones y de las culturas de la humanidad. Sin embargo, la idea de una historia universal de la salvación sólo podremos desarrollarla plenamente en las secciones de la *Teología sistemática* consagradas a "La vida y el Espíritu" y a "La historia y el reino de Dios" (volumen III).

Concebir de este modo la historia de la salvación excluye una idea de la salvación que, a pesar de no ser bíblica, no por ello deja de ser eclesiástica: la creencia de que la salvación o es total o es inexistente. Según esta idea, la salvación total es idéntica a la situación del ser que ha alcanzado el estado de bienaventuranza última y es lo opuesto a la condenación total a las penas o a la muerte eternas. Por consiguiente, si la salvación, que es el gozo de la vida eterna, se hace depender del encuentro con Jesús como el Cristo y la aceptación de su poder salvador, sólo un reducido número de seres humanos alcanzarán la salvación. Los demás, ya sea por un decreto divino, por el destino que les forjó la caída de Adán o por su propia culpa, están condenados a verse excluidos de la vida eterna. Las teologías del universalismo siempre intentaron eludir esta idea absurda o demoníaca, pero es difícil lograrlo en cuanto se ha admitido la alternativa absoluta entre salvación y condenación. El problema sólo se sitúa en un nivel distinto, si se concibe la salvación como el poder de curación y salvación que, por el Nuevo Ser, actúa a lo largo de toda la historia. En más o en menos, todos los hombres participan de este poder curativo del Nuevo Ser. De lo contrario, carecerían de todo ser. Las consecuencias autodestructoras de la alienación los habrían destruido. Pero no hay hombres que estén totalmente curados, ni siquiera quienes han tropezado con el poder curativo que se manifiesta en Jesús como el Cristo. En este punto, el concepto de salvación nos conduce al simbolismo escatológico y a su interpretación. Nos conduce al símbolo de la curación cósmica y a la cuestión de la relación que guarda lo eterno con lo temporal en lo que respecta al futuro.

¿Cuál es, pues, el carácter peculiar de la curación que se alcanza por el Nuevo Ser en Jesús como el Cristo? Si se acepta a Jesús como el Salvador, ¿qué significa la salvación lograda por su mediación? La respuesta no puede limitarse a decir que no existe ningún poder de salvación que no sea el que procede de Jesús como el Cristo, sino que ha de afirmar que Jesús como el Cristo constituye el criterio último de todo proceso de curación y salvación. Ya dijimos antes que, incluso los que han encontrado a Jesús como el Cristo, sólo están fragmentariamente curados. Pero ahora hemos de añadir que, en Jesús como el Cristo, la cualidad curativa es completa e ilimitada. El cristiano permanece en un estado de relatividad con respecto a la salvación; pero, en su cualidad y poder de salvación, el Nuevo Ser en Jesús como el Cristo trasciende toda relatividad. Esto es precisamente lo que lo convierte en el Cristo. Por consiguiente, dondequiera que en la humanidad exista un poder de salvación, hemos de juzgarlo por el poder de salvación que entraña Jesús como el Cristo.

2. El Cristo como el Salvador (Mediador, Redentor)

La teología tradicional estableció una distinción entre la persona y la obra de Cristo. La persona era del dominio de la cristología; la obra, del dominio de la soteriología. Pero luego se abandonó este esquema ante el concepto del Nuevo Ser en Jesús como el Cristo y su significación universal. Era un esquema más bien insatisfactorio y teológicamente peligroso. Daba la impresión de que la persona del Cristo es una realidad en sí misma, sin relación con aquello que hizo de Él el Cristo, es decir, sin relación con el Nuevo Ser —el poder de curación y salvación— que estaba en Él. Además, en esta doble, pero separada, descripción de la persona y la obra de Cristo, se omitía la correlación con aquellos para quienes se convirtió en Cristo. Por otra parte, la obra de Cristo se entendía como un acto de la persona que era el Cristo, independientemente de que hubiese o no hubiese realizado su obra. Ésta es una de las razones en cuya virtud se concebía la expiación como una especie de técnica sacerdotal ejercida en pro de la salvación —incluso si tal técnica llevaba aparejado el propio sacrificio. Se habrían evitado muchos de estos errores semimecanicistas en la doctrina de la salvación, de haberse aceptado el principio de que el ser de Cristo es su obra y de que su obra es su ser, es decir, el Nuevo Ser que es su ser. Gracias a este principio, podemos disponer de la tradicional división de la obra de Cristo en obra profética, obra sacerdotal y obra regia, puesto que su ministerio como profeta respalda sus palabras, su ministerio como sacerdote respalda el sacrificio de sí mismo, y su ministerio como rey respalda su gobierno del mundo y de la Iglesia. En determinadas circunstancias, tales distinciones pueden ser de utilidad en el ámbito homilético y litúrgico, pero carecen de todo valor sistemático. La significación de Jesús como el Cristo es su ser; y sus elementos profético, sacerdotal y regio son las consecuencias inmediatas (además de algunas otras) de su ser, pero no son unos "ministerios" especiales vinculados a su "obra". Jesús como el Cristo es el Salvador por la significación universal que entraña su ser como el Nuevo Ser.

Además del término "salvador" (*soter*), a Cristo se le aplica asimismo el término "mediador", que posee profundas raíces en la historia de la religión. Todas las religiones, tanto las de tipo no histórico como las de tipo histórico, utilizan la idea de los dioses-mediadores para salvar el abismo que media entre los hombres y los dioses superiores, que cada vez han ido haciéndose más trascendentes y abstractos. La conciencia religiosa, es decir, el estado del ser que se halla incondicionalmente preocupado, debe afirmar tanto la trascendencia incondicional de su dios como el carácter concreto del mismo que posibilita un encuentro del hombre con él. De esta tensión surgieron los dioses-mediadores, cuyo doble cometido fue hacer accesible a los hombres lo divino trascendente y, al mismo tiempo, elevar al hombre hacia lo divino trascendente. Así, tales dioses unían en sí mismos la infinitud de la divinidad trascendente y la finitud de los hombres.

Pero éste es únicamente uno de los elementos que entraña la idea de mediador; el otro es su función de reunir lo que está alienado. El mediador sólo es tal mediador en la medida en que se le supone que reconcilia: representa a Dios ante el hombre y al hombre ante Dios. Ambos elementos de la idea de mediador se han atribuido a Jesús como el Cristo. En su rostro vemos el rostro de Dios, y en él experimentamos la voluntad reconciliadora de Dios; en ambos aspectos, el Cristo es el Mediador.

El término "mediador" no deja de ofrecer una cierta dificultad teológica. Puede sugerir la idea de que el Mediador es una tercera realidad de la que dependen tanto Dios como los hombres para la revelación y la reconcilación. Pero esto resulta igualmente insostenible desde el punto de vista cristológico y desde el punto de vista soteriológico. Una tercera especie de ser entre Dios y el hombre sería un semidiós, y exactamente esta idea es la que fue rechazada en la herejía arriana. En Cristo ha aparecido bajo las condiciones de la existencia la eterna unidad Dios-Hombre. El Mediador no es un semidiós. Tal fue la primera gran decisión antiherética del cristianismo: Cristo no es una tercera realidad entre Dios y el hombre.

Con mayor vigor aún hemos de subrayar todo esto en lo que atañe a la soteriología. Si el Mediador fuese una tercera realidad entre Dios y el hombre, Dios dependería de Él para llevar a cabo su actividad salvadora. Necesitaría de alguien para hacerse manifiesto y —lo que sería aún más desorientador— necesitaría de alguien para reconciliarse. Esto nos conduciría a aquel tipo de doctrina de la expiación según la cual Dios es quien debe reconciliarse. Pero el mensaje cristiano nos dice que Dios, el eterno reconciliado, quiere que nos reconciliemos con Él. Dios se nos revela y nos reconcilia con Él por medio del Mediador. Siempre es Dios quien actúa, pero actúa a través del Mediador. Si así se entiende, podemos usar el término "mediador"; de lo contrario, deberíamos renunciar a él.

Una dificultad semántica similar aparece en el término "redentor" (lo mismo que en "redención"). Esta palabra, derivada de *redimere* ("comprar de nuevo"), entraña la connotación de alguien —es decir, Satanás— que tiene en su poder a los hombres y que exige el pago de un rescate para su liberación. Tales imágenes se han ido debilitando en el uso ordinario del término "Redentor", pero no han desaparecido por completo. El simbolismo de la liberación del hombre de los poderes demoníacos juega un importante papel en las doctrinas tradicionales de la expiación. Y ello justifica plenamente que se aplique el término "redentor" a Jesús como el Cristo. No obstante, esta palabra posee una peligrosa connotación semántica, similar a la que hemos denunciado en la palabra "mediador". Puede sugerir la imagen de alguien que ha de pagar un precio a los poderes antidivinos antes de que Dios sea capaz de liberar al hombre de la esclavitud de la culpa y el castigo. Pero esto nos endereza a la discusión de la doctrina de la expiación y los distintos tipos que se dan de la misma.

3. Las doctrinas de la expiación

La doctrina de la expiación es la descripción del efecto que el Nuevo Ser en Jesús como el Cristo produce en aquellos que, en su estado de alienación, se sienten embargados por el Nuevo Ser. Esta definición apunta a los dos aspectos que implica el proceso de expiación: aquello que, en la manifestación del Nuevo Ser, entraña una consecuencia expiatoria, y aquello que le ocurre al hombre que se halla bajo tal consecuencia expiatoria. En el sentido de esta definición, la expiación siempre es, a la vez, un acto divino y una reacción humana. El acto divino supera la alienación existente entre Dios y el hombre en cuanto es una cuestión de culpa humana: en la expiación, la culpa humana queda extirpada como factor que separa al hombre de Dios. Pero este acto divino sólo es eficaz, si el hombre reacciona y acepta la extirpación de su culpa que se alzaba entre Dios y el hombre, es decir, si acepta la oferta divina de reconciliación a pesar de la culpa. De ahí que la expiación posea necesariamente un elemento objetivo y un elemento subjetivo.

Debido al elemento subjetivo, el proceso expiatorio depende, en parte, de las posibilidades de reacción del hombre. Así se inserta un momento de indefinitud en la doctrina de la expiación y, por esta razón, la Iglesia se negó instintivamente a formular esta doctrina en términos de una definición dogmática, tal como hizo con el dogma cristológico. Pero esta circunstancia permitió asimismo que se desarrollasen distintos tipos de la doctrina de la expiación. Todos ellos fueron admitidos por la Iglesia, y también todos ellos poseen su especial fuerza y su especial debilidad.

Tales tipos pueden dividirse en predominantemente objetivos, predominantemente subjetivos y los que se sitúan en un punto intermedio entre ambos, ajustándose esta división al carácter objetivo-subjetivo que poseen los procesos de expiación. Radicalmente objetiva es la doctrina formulada por Orígenes, es decir, la doctrina de que la liberación del hombre de la esclavitud de la culpa y la autodestrucción sólo fue posible gracias al pacto que establecieron Dios, Satanás y Cristo, y en el que Satanás fue traicionado. A Satanás le fue concedido poder sobre el Cristo; pero no se le permitió ejercer tal poder sobre quien fuese inocente; y así se esfumó su poder sobre Cristo y sobre los que están con Cristo. La doctrina de Orígenes se apoya en una serie de pasajes bíblicos que manifiestan la victoria alcanzada por Cristo sobre los poderes demoníacos. Pero su línea de pensamiento ha sido recientemente revalorizada en la obra *Christus Victor*, de Gustav Aulen. En esta formulación de la doctrina de la expiación, parece inexistente toda referencia al hombre. Un drama cósmico —casi una comedia cósmica en Orígenes— se desarrolla por encima de la cabeza del hombre, y es el relato de este drama el que confiere al hombre la certeza de que se ha liberado del poder demoníaco. Pero no es éste el significado real del tipo objetivo de la doctrina de la expiación. En los versículos triunfales de Pablo acerca de la victoria alcanzada por el amor de Dios en Cristo sobre todos los poderes demoníacos, es la experiencia del amor de Dios lo que precede a la aplicación de esta experiencia a un simbolismo que abarca los poderes demoníacos —y, en consecuencia, el símbolo de la victoria de Cristo sobre los demonios. Sin la experiencia previa del triunfo logrado sobre la alienación existencial, nunca habría podido surgir el símbolo *Christus Victor* ni en Pablo ni en Orígenes.

Pero esta consideración general es insuficiente para valorar la teoría objetiva de la expiación y de ahí que hayamos de examinar sus símbolos concretos. La traición de que es objeto Satanás entraña una profunda dimensión metafísica. Apunta a la verdad de que lo negativo vive de lo positivo, al que distorsiona. Si superase por completo lo positivo, se destruiría a sí mismo. Satanás nunca puede salvaguardar a Cristo, porque el Cristo representa lo positivo de la existencia al representar el Nuevo Ser. La traición que sufre Satanás es un tema ampliamente difundido en la historia de la religión, porque Satanás, el principio de lo negativo, carece de toda realidad independiente.

El mundo en el que surgió el cristianismo estaba atemorizado por los poderes demoníacos, a los que consideraba como origen del mal y, al mismo tiempo, como instrumentos del castigo (una de las expresiones míticas del carácter autodestructivo de la alienación existencial). Estos poderes demoníacos impiden que el alma se reúna con Dios y la mantienen en la esclavitud y bajo el control de la autodestrucción existencial. El mensaje cristiano era un mensaje de liberación de este miedo a lo demoníaco. Y el proceso de expiación es el proceso de liberación. Pero la liberación del miedo al poder que destruye y castiga, únicamente es posible si algo ocurre, no sólo objetivamente, sino también subjetivamente. El elemento subjetivo está constituido por la profunda impresión que causa en los hombres el poder interior de Aquel que externamente se halla sojuzgado por los poderes demoníacos. Sin la experiencia del poder del Nuevo Ser en Jesús como el Cristo, su sujeción expiatoria a las fuerzas de la existencia no habría sido capaz de superar el miedo a lo demoníaco.

No es, pues, sorprendente que Abelardo desarrollara una teoría en la que acentuaba el aspecto subjetivo de los procesos expiatorios, aunque sin negar por ello su aspecto objetivo. La impresión liberadora que produce en los hombres la imagen del Cristo crucificado es la impresión que les causa su amor autoinmolado. A este amor del Crucificado responde el hombre con el amor que está seguro de que, en Dios, es el amor, y no la ira, quien pronuncia la última palabra. Pero esto no basta para eliminar la congoja suscitada por la culpa y por el temor de tener que sufrir el castigo. El mensaje del amor divino no puede restablecer por sí solo la justicia violada, porque el amor se convierte en debilidad y sentimentalismo si no implica la justicia. El mensaje del amor divino que silencia el mensaje de la justicia divina no puede procurar al hombre una buena conciencia. Y aquí podemos remitirnos a la psicología profunda ya que, antes de prometer al paciente algún alivio a sus dolencias, suele someterlo al tormento que le ocasiona dirigir una mirada existencial al interior de su ser (aunque no en sentido realista o legalista). Así, pues, siempre que la descripción predominantemente subjetiva del proceso de expiación pase por alto este punto, la teología cristiana no puede aceptarla como adecuada.

El hecho de que Anselmo hiciera justicia a esta situación psicológica explica sobradamente que su doctrina fuese una de las más válidas, cuando menos en el Occidente cristiano. Por su forma pertenece al tipo predominantemente objetivo. Parte de la tensión que existe en Dios entre su ira y su amor, y demuestra que la obra del Cristo hace posible que Dios ejerza su misericordia sin que por ello viole las exigencias de la justicia. El valor infinito del sufrimiento de Cristo da satisfacción a Dios y hace innecesario el castigo del hombre por el peso infinito de su pecado. Sólo el Hombre-Dios podía hacer esto, porque, como hombre, podía sufrir y, como Dios, no tenía que sufrir por sus propios pecados. Para el creyente cristiano, esto significa que su conciencia de culpa queda afirmada en su carácter incondicional. Pero siente al mismo tiempo la ineludibilidad de ese castigo que, sin embargo, es asumido por el infinito valor y profundidad del sufrimiento de Cristo. Siempre que en sus oraciones implora a Dios el perdón de sus pecados invocando el sufrimiento y la muerte inocentes de Cristo, el cristiano acepta tanto la exigencia de que él mismo sufra un castigo infinito, como el mensaje de que está exento de toda culpa y castigo por el sufrimiento substitutivo de Cristo.

Este punto confirió a la doctrina de Anselmo su enorme fuerza psicológica y la hizo extraordinariamente viva a pesar de su anticuada terminología legalista y su medición cuantitativa del pecado y el castigo. El moderno descubrimiento de un sentimiento de culpa, a menudo profundamente oculto en el inconsciente del hombre, nos ha proporcionado una nueva clave para explicarnos la tremenda repercusión de la teoría anselmiana en la piedad personal, los himnos, la liturgia y numerosas enseñanzas y predicaciones cristianas. Porque lo cierto es que un sistema de símbolos que suscita en el hombre el coraje de aceptarse a sí mismo a pesar de saberse inaceptable, cuenta con todas las probabilidades de ser a su vez aceptado.

Ya hemos formulado una crítica de esta teoría al hablar de los títulos de "Mediador" y "Redentor" que se dan a Cristo. También en sentido crítico nos hemos referido a las categorías legalistas y cuantitativas que Anselmo utiliza para describir el aspecto objetivo de la expiación. Pero ahora debemos añadir una crítica más fundamental aún —que ya formuló en su día Tomás de Aquino—: la crítica de que en la doctrina de Anselmo no aparece por ninguna parte el aspecto subjetivo del proceso de expiación. Tomás le agrega la idea de que el cristiano participa en aquello que le ocurre a la "cabeza" del Cuerpo cristiano, al Cristo. Cambiar, pues, el concepto de sustitución por el concepto de participación, parece ser el camino que va a conducirnos a una doctrina más pertinente de la expiación, en la que queden equilibrados sus aspectos objetivo y subjetivo.

4. Los principios de la doctrina de la expiación

Las críticas implícitas, y en parte explícitas, que hemos insinuado contra los tipos fundamentales de la doctrina de la expiación, nos permiten formular ahora los principios que deberían determinar el ulterior desarrollo de esta doctrina —o que incluso pueden sustituirla en una futura teología.

El primer principio, absolutamente decisivo, es la afirmación de que Dios y sólo Dios es quien crea los procesos expiatorios. Esto implica que Dios, en la eliminación de la culpa y el castigo que se yerguen entre Él y el hombre, no depende del Cristo sino que el Cristo, como portador del Nuevo Ser, es el que media en el acto de reconciliación de Dios con el hombre.

El segundo principio, al que debe sujetarse una doctrina de la expiación, es el principio de que no existe ningún conflicto en Dios entre su amor reconciliador y su justicia retributiva. La justicia de Dios no es un acto especial de castigo proporcionado a la culpa del pecador, sino el acto por el que Dios permite que se desencadenen las consecuencias autodestructoras de la alienación existencial. Dios no puede eliminar tales consecuencias, porque pertenecen a la estructura del ser en sí y porque, si las eliminase, Dios dejaría de ser Dios —y esto es lo único que Dios no puede hacer. Pero, sobre todo, Dios dejaría de ser amor, porque la justicia es la forma estructural del amor sin la cual éste sería puro sentimentalismo. El ejercicio de la justicia constituye la obra de su amor, obra que quebranta y se opone a todo aquello que se alza contra el amor. De ahí que no pueda existir ningún conflicto en Dios entre su amor y su justicia.

El tercer principio, al que debe responder una doctrina de la expiación, es el principio de que la extirpación divina de la culpa y el castigo no consiste en ignorar la realidad y la profundidad de la alienación existencial. Esta idea es frecuente en el humanismo liberal y se apoya en la comparación que establece el padrenuestro entre el perdón divino y el perdón humano. Pero, tal comparación, como todas las comparaciones entre las cosas divinas y humanas (por ejemplo, en las parábolas de Jesús), sólo es válida hasta cierto punto, más allá del cual resulta errónea. Mientras el punto de analogía es obvio (comunidad a pesar de las transgresiones), la diferencia debe establecerse con absoluta claridad. En todas las relaciones humanas, el que perdona es a su vez culpable, no sólo en general, sino en aquella situación concreta en la que perdona. El perdón humano debería ser siempre mutuo, aunque no fuese abiertamente proclamado por ambas partes. Pero Dios representa el orden del ser que es violado por la reparación que procede de Dios; su perdón no es, pues, un asunto privado.

El cuarto principio, que debe informar una doctrina de la expiación, es el principio de que la actividad expiatoria de Dios debe entenderse como su participación en la alienación existencial y en las consecuencias autodestructoras de tal alienación. Dios no puede eliminar tales consecuencias; están implícitas en su justicia. Pero las puede asumir participando en ellas y transformándolas para aquellos que participan en su propia participación. Con esto hemos llegado al mismo corazón de la doctrina de la expiación y de las acciones de Dios para con el hombre y su mundo. Sin duda alguna el problema es éste: ¿Qué significa eso de que Dios asume el sufrimiento del mundo por su participación en la alienación existencial? La primera respuesta es que se trata de una manera de hablar altamente simbólica, pero normal en los escritores bíblicos. La "paciencia" de Dios, el "arrepentimiento" (cambio de propósito) de Dios, el "trabajo que le da a Dios el pecado humano", "Dios que no se compadece de su Hijo" y otras expresiones similares nos descubren una enorme libertad para expresarse con toda exactitud al hablar de las reacciones vivas de Dios frente al mundo, libertad de la que naturalmente se espanta la teología. Si intentamos decir algo más que la aserción simbólica de que "Dios asume el sufrimiento del mundo", hemos de añadir la afirmación de que este sufrimiento no contradice la bienaventuranza eterna de Dios ni su fundamento, es decir, la eterna "aseidad" de Dios, el hecho de que Dios sea por sí mismo y, por ende, se halle más allá de la libertad y el destino. Por otra parte, hemos de remitirnos a lo que dijimos en los capítulos consagrados a Dios como viviente, es decir, hemos de referirnos al elemento de non-ser que es enteramente vencido en la vida divina. Este elemento de non-ser, visto desde dentro, es el sufrimiento que Dios asume por su participación en la alienación existencial o en el estado de negatividad no vencida. Y en este punto coinciden la doctrina del Dios vivo y la doctrina de la expiación.

El quinto principio de una doctrina de la expiación es la afirmación de que en la cruz de Cristo se hace manifiesta la participación divina en la alienación existencial. Una vez más hemos de recalcar ahora que se incurriría en una distorsión fundamental de la doctrina de la expiación si, en lugar de decir "se hace manifiesta", se dijera "se hace posible". Por otra parte, "se hace manifiesta" no significa únicamente "se da a conocer". Las manifestaciones son expresiones efectivas, no meras notificaciones. Algo acaece gracias a una manifestación, y este algo surte sus efectos y consecuencias. En este sentido, la cruz de Cristo es una manifestación. Y es una manifestación, porque es una actualización. No la única actualización, pero sí la actualización central, el criterio de todas las demás manifestaciones de la participación de Dios en el sufrimiento del mundo. La conciencia culpable que mira la cruz de Cristo ve *en* ella y *a través de* ella el acto expiatorio de Dios, es decir, su asunción de las consecuencias destructoras de la alienación. El lenguaje litúrgico que, del "mérito" de Cristo, de su "preciosa sangre" y de su "sufrimiento inocente", infiere un consuelo para la culpa y la muerte humanas, apunta a Aquel en el que es manifiesto el acto expiatorio de Dios. Pero, ni el lenguaje litúrgico ni la conciencia desosegada establecen diferencias, en el acto de fe, entre los términos "en la cruz" y "a través de la cruz". Por el contrario, la teología *debe* establecer una diferencia entre ambos términos (en virtud del primer principio). La cruz no es la causa sino la manifestación efectiva de la asunción por Dios de las consecuencias de la culpa humana. Y puesto que en el proceso expiatorio se da asimismo un aspecto subjetivo, es decir, la experiencia humana de que Dios es el eterno reconciliado, podemos decir entonces que la expiación se actualiza a través de la cruz de Cristo. Esto es lo que, en parte, justifica a una teología según la cual el acto expiatorio de Dios depende del "mérito" de Cristo.

El sexto principio de una doctrina de la expiación es la aserción de que, a través de la participación en el Nuevo Ser, que es el ser de Jesús como el Cristo, también los hombres participan en la manifestación del acto expiatorio de Dios: participan en el sufrimiento de Dios que asume las consecuencias de la alienación existencial o, dicho de un modo más sucinto, participan en el sufrimiento de Cristo. De ahí se sigue una valoración de la expresión "sufrimiento substitutivo", expresión que es más bien desafortunada y no debería usarse en teología. Dios participa en el sufrimiento de la alienación existencial, pero su sufrimiento no sustituye el sufrimiento de la creatura. Tampoco el sufrimiento de Cristo es un sustituto del sufrimiento del hombre. Pero el sufrimiento de Dios, universalmente y en Cristo, es el poder que, por la participación y transformación, supera la autodestrucción de la creatura. La índole peculiar del sufrimiento divino no es la sustitución sino la libre participación. Y, a su vez, el triple carácter del estado de salvación no estriba en poseer un conocimiento teórico de la participación divina, sino que se cifra en participar en la participación divina, aceptándola y dejándose transformar por ella.

A la luz del principio de participación y sobre la base de la doctrina de la expiación, hemos de considerar ahora este triple carácter de la salvación, en el que se expresa el efecto producido en los hombres por el acto expiatorio divino: participación, aceptación y transformación (o, según la terminología clásica, regeneración, justificación y santificación).

5. EL TRIPLE CARÁCTER DE LA SALVACIÓN

a) *La salvación como participación en el Nuevo Ser (o regeneración).* — El poder salvador del Nuevo Ser en Jesús como el Cristo depende de la participación que en él tenga el hombre. El poder del Nuevo Ser debe adueñarse del hombre que aún se halla bajo la esclavitud del antiguo ser. La descripción de los procesos psicológicos y espirituales en los que esto acontece, pertenece a la parte de la *Teología sistemática* titulada "La vida y el Espíritu" (volumen III). Pero lo que ahora sometemos a examen no es la reacción humana sino el aspecto objetivo, la relación que une el Nuevo Ser con los que se sienten embargados por él. A esta relación podríamos llamarla "apresamiento y arrastre hacia el interior de sí mismo" y es la que da origen al estado que Pablo denominó "estar *en* Cristo".

Los términos y expresiones clásicos con que se designa este estado son: "nuevo nacimiento", "regeneración" y "ser una nueva creatura". Obviamente las características del Nuevo Ser son las diametralmente opuestas a las características de la alienación, es decir, fe en lugar de descreencia, sumisión en lugar de *hybris*, amor en lugar de concupiscencia. Según la terminología habitual, tales procesos son únicamente subjetivos, constituyen la obra del Espíritu divino en el alma individual. Pero no es éste el único sentido con que las fuentes neotestamentarias, e incluso las anteriores al Nuevo Testamento, utilizan el término "regeneración". La regeneración es un estado de cosas universal. Es el nuevo estado de cosas, el nuevo eón, que Cristo aportó; el hombre "entra en él" y, al hacerlo, participa de él, naciendo así de nuevo gracias a la participación. La realidad objetiva del Nuevo Ser precede a la participación subjetiva en el mismo. El mensaje que incita a los hombres a convertirse es, ante todo, el mensaje de una nueva realidad hacia la que los hombres son llamados; a la luz de esta realidad nueva, los hombres tienen que alejarse de la antigua realidad, del estado de alienación existencial en el que hasta entonces han vivido. Así entendida, la regeneración (y la conversión) tiene poco de común con el intento de suscitar unas reacciones emocionales apelando al hombre en su subjetividad. La regeneración es el estado en que se hallan los hombres después de ser lanzados al seno de la nueva realidad que es manifiesta en Jesús como el Cristo. Sus consecuencias subjetivas son fragmentarias y ambiguas, y no constituyen el fundamento de una pretendida participación en el Cristo. Tal fundamento sólo lo es la fe que acepta a Jesús como el portador del Nuevo Ser. Esto nos conduce a la segunda relación que el Nuevo Ser establece con quienes se sienten embargados por él.

b) *La salvación como aceptación del Nuevo Ser (o justificación).* — Ha sido objeto de múltiples controversias si la prioridad en el proceso de salvación corresponde a la justificación o a la regeneración. El luteranismo acentúa la justificación; el pietismo y el metodismo, en cambio, subrayan la regeneración. Decidirse por una u otra depende, en parte, de la manera según la cual se definan tales términos; pero, en parte, depende asimismo de las distintas experiencias religiosas. La regeneración puede definirse como una transformación real. En este caso, es idéntica a la santificación y debe situarse definitivamente en el segundo lugar, puesto que el sentido que entraña el acto expiatorio de Dios es que la salvación del hombre no depende del estado de su desarrollo. Pero también se puede definir la regeneración como lo hacemos en nuestro sistema, es decir, como una participación en el Nuevo Ser, en su poder objetivo, por muy fragmentario que éste pueda ser. Así definida, la regeneración antecede a la justificación, ya que ésta presupone la fe, el estado del ser embargado por la presencia divina. La fe, la fe que justifica, no es un acto humano, aunque se dé en el hombre; la fe es obra del Espíritu divino, del poder que creó el Nuevo Ser en Cristo, en los hombres y en la Iglesia. Que Melanchthon situara la recepción del Espíritu divino tras el acto de fe, constituyó una añagaza para la teología protestante, puesto que así se convirtió la fe en una obra intelectual del hombre, una obra que era posible realizar sin que el hombre participase en el Nuevo Ser. Por estas razones, la regeneración, definida en el sentido de participación en el Nuevo Ser, debería anteponerse siempre a la justificación.

La justificación aporta al proceso de salvación el elemento "a pesar de". La justificación es la consecuencia inmediata de la doctrina de la expiación y constituye el corazón y el centro de la salvación. Como la regeneración, también la justificación es, en primer lugar, un acontecimiento objetivo y, luego, una recepción subjetiva de tal acontecimiento. En su sentido objetivo, la justificación es el acto eterno de Dios por el que Dios acepta como no alienados a quienes están realmente alienados de Él por la culpa, y el acto por el que los integra a la unidad con Él que es manifiesta en el Nuevo Ser en Cristo. La justificación significa literalmente "hacer justo", es decir, hacer que el hombre sea aquello que esencialmente es y de lo que se halla alienado. De usarse en este sentido, la palabra justificación sería idéntica a la santificación. Pero la doctrina paulina de la justificación por la gracia a través de la fe ha dado a este término un sentido que lo convierte en el polo opuesto de la santificación: es un acto de Dios que no depende en absoluto del hombre, un acto por el que Dios acepta al que es inaceptable. En su formulación paradójica, *simul peccator, simul justus*, que constituye el meollo de la revolución luterana, el carácter de "a pesar de" reviste una importancia decisiva para el conjunto del mensaje cristiano entendido como la salvación del desespero suscitado por la propia culpa. Es realmente la única manera de superar la congoja de la culpa, puesto que faculta al hombre para apartar su mirada de sí mismo y de su estado de alienación y autodestrucción para dirigirla al acto justificante de Dios. Quien se mira a sí mismo e intenta medir su relación con Dios por sus propios logros, acrecienta la alienación en que vive y la congoja que le suscitan su culpa y su desespero. Ya esbozamos la base sobre la que descansa esta afirmación cuando hablamos del fracaso de la autosalvación. Revestía tanta importancia para Lutero la ausencia de toda contribución humana, que Melanchthon formuló la doctrina "forense" de la justificación. Comparó a Dios con un juez que absuelve a un reo a pesar de su culpa, simplemente porque así lo decide el juez. Pero esta manera de plantear la doctrina de la justificación omite el aspecto subjetivo de la misma, es decir, la aceptación. En realidad, nada hay en el hombre que permita a Dios que lo acepte. Y esto es, precisamente, lo que el hombre debe aceptar. Debe aceptar que es aceptado; debe aceptar la aceptación de que es objeto. Y surge entonces la cuestión de cómo es posible esta aceptación a pesar de la culpa que convierte al hombre en enemigo de Dios. La respuesta tradicional es: "¡Por causa de Cristo!". Ya hemos interpretado esta respuesta en los anteriores capítulos. Significa que somos arrojados al poder del Nuevo Ser en Cristo, poder que hace posible la fe, y significa que éste es el estado de unidad entre Dios y el hombre, por fragmentariamente realizado que pueda resultar. Aceptar que somos aceptados constituye la paradoja de la salvación, sin la cual no habría salvación alguna y sí tan sólo el desespero.

Hemos de añadir ahora unas pocas palabras acerca de la expresión "justificación por la gracia a través de la fe", que suele usarse en la forma abreviada de "justificación por la fe". Pero esta forma abreviada es sumamente desorientadora, porque sugiere la idea de que la fe es un acto del hombre por el que éste se hace merecedor de la justificación —idea que constituye una total y desastrosa distorsión de la doctrina de la justificación. La causa de la justificación es Dios solo (por la gracia), pero la fe de que somos aceptados es el cauce por el cual la gracia llega al hombre (a través de la fe). Hemos de salvaguardar, pues, la clara inteligibilidad del *articulus stantis et cadentis ecclesiae*, incluso en la formulación de la justificación por la gracia a través de la fe.

c) *La salvación como transformación por el Nuevo Ser (o santificación).* — Como acto divino, la regeneración y la justificación son el mismo acto. Ambas describen la reunión de lo que está alienado —la regeneración como su reunión real, la justificación como el carácter paradójico de esta reunión, y ambas como la aceptación del que es inaceptable. La santificación se diferencia de las dos como se diferencia un proceso del acontecimiento por el que se ha iniciado. La neta distinción que la Reforma estableció entre "santificación" y "justificación" no procede del significado original de tales palabras. "Justificación" significa literalmente "hacer justo" y, por el otro lado, "santificación" *puede* significar "ser recibido en la comunidad de los *sancti*", es decir, en la comunidad de quienes se sienten embargados por el poder del Nuevo Ser. La diferenciación establecida entre ambos términos no se debe, pues, a su sentido literal, sino a ciertos acontecimientos de la historia de la Iglesia, como el resurgimiento del paulinismo en la Reforma.

La santificación es el proceso en cuya virtud el poder del Nuevo Ser transforma la personalidad y la comunidad, dentro y fuera de la Iglesia. Tanto el cristiano individual como la Iglesia, tanto el ámbito religioso como el ámbito secular, todos son objeto de la obra santificadora del Espíritu divino, que es la realidad del Nuevo Ser. Pero tales consideraciones rebasan la estructura de esta parte de la *Teología sistemática.* Corresponden a lo que expondremos en la cuarta y en la quinta parte de nuestro sistema —"La vida y el Espíritu" y "La historia y el reino de Dios".

Con esto hemos llegado al final de esta tercera parte, "La existencia y Cristo". Sin embargo, no llegan en realidad a su término, en esta tercera parte, ni la doctrina del hombre ni la doctrina de Cristo. El hombre no está determinado únicamente por la bondad esencial y por la alienación existencial; también lo está por las ambigüedades de la vida y de la historia. Sin un análisis de estas características de su ser, todo lo que hasta ahora hemos dicho no deja de ser abstracto. Tampoco el Cristo es un acontecimiento aislado que tuvo lugar en un remoto antaño; es el poder del Nuevo Ser que prepara su manifestación decisiva en Jesús como el Cristo a lo largo de toda la historia precedente y que se actualiza como el Cristo a lo largo de toda la historia subsiguiente. Nuestra afirmación de que Cristo no es el Cristo sin la Iglesia convierte las doctrinas del Espíritu y del reino en partes integrantes de la obra cristológica. Sólo unos motivos de pura conveniencia externa justifican la separación de estas partes. Confiamos en que algunos de los problemas que no han quedado resueltos en esta tercera parte, hallarán una respuesta adecuada en las partes que formarán el tercer volumen de esta obra.

ÍNDICE DE AUTORES Y MATERIAS

ÍNDICE GENERAL

DATE DUE

Printed in USA

HIGHSMITH #45230